THE
BOOK

教養の書

OF
ENLIGHTENMENT
BY
TODAYAMA KAZUHISA

戸田山和久

筑摩書房

目次

本文イラスト＝平野健太郎

教養の書

序
私はいかにして心配するのをやめ、教養について書くことになったか

イキナリですけど。ながーい言い訳

これから教養について一席ぶつわけだ。なんせ『教養の書』だから。だけど、教養について語るのはひどく難しいことなのよ。しかも危険。だから、本音を言えばイマイチ気が乗らないんだ。とりわけ、尊敬すべき偉大な（略して尊大な、とも言う）某先達に、「教養なし」と痛《つう》罵《ば》されたばかりだし。

でも、教養について語りにくくなるのにはそれなりの理由があるのね。あの山形浩生だって、『新教養主義宣言』（河出文庫、マジに名著）のプロローグで、さんざ現代日本における教養の崩壊を嘆き、世代を超えた教養の成立基盤を再構築するぜ、と息巻いたその直後に、「山形みたいなくされ半可通野郎が、他人さまの教養を云々しようたぁおこがましいにもほどがあるぜぇ」って言われるんじゃないかって、つい書いてしまう。**まともな神経をしていれば、こう書**

かざるをえない。

教養について話をする、ってそういうことだ。なんでそうなるんだろ？　思うに、教養はその不可欠な要素として、自己を省みるとか、人類の知的達成を前にしておのれの卑小さを自覚するといったことを含んでいるからだろう。だから、おまいさんには教養ってもんが足りねえよとしたり顔で人様に語る振る舞いそのものが、語り手の教養のなさ、あるいは足りなさを証拠立ててしまうことになる。そうなると、どうしても口ごもらざるをえない。

だからといって、「教養について喋々《ちょうちょう》と弁ずるなんて、とても浅学非才の身の能《よ》くするところではありやせん、よいしょ」みたいな韜晦《とうかい》な態度をとっていると、今度はその態度自体が「どう、俺って教養あるっしょ。偉大なる暗闇っしょ」というメッセージを発する。これはこれでとんでもなく嫌味でいけない。……あああ、だんだんわかんなくなってきた。どうにも厄介なことだ。

どうすれば、**心安らかに教養論をぶつ**ことができるのか。このジレンマを解決しないうちはとても本書をスタートすることなどできない。そこで、大急ぎで考えてみると、この問題には二つの答えがありそうだ。一つは、ちょっとばかしオツムのネジを緩めるというやり方。ようするに、**羞恥心《しゅうちしん》を捨てる**。露骨にいうと恥知らずになる。この路線をとって、われこそは知の巨人であるとばかりに、これだけは知っておきたい現代人の教養、なんぞという本を書いたりできてしまうのはどうなんでしょう。ある意味ではすごく偉いと思うんだ。あたかも、領民を救うために恥じらいを投げ捨て全裸で領地を一周したというゴダイヴァ夫人のごとし(1)。

「横丁のご隠居」として、恥を忍んで教養を語るのじゃ！

もう一つは、教養を語るのを「立場上引き受けた役割」あるいは「成り行きで割り振られてしまった役割」として演じるという方法。横丁のご隠居がそうだ。歳をとって暇にしているというその**ポジションそのもの**が、「知恵者」として振る舞い若い者に説教をたれることを要求する。中身が備わっているかどうかはどうでもよいのだね。だからときどき「矢がカーンとあたるから薬缶《やかん》だ」とか言っちゃったりする。しかし、それを責めちゃあいけねえ。たまには良いことも言う。

　現代では、その役割を引き受けているのは言うまでもなく「教員」だ。しかし、教員に教養が足りないのは当たり前。教員だって教養への道の途上にいるのだから。でも、教員は役割として教養の大切さを説き、若い衆を啓蒙しようとする。なぜか。**そういう仕事だからである。**教養ないのに教養を語るという矛盾したことを、歯を食いしばって恥を忍んで行う代償として給料をもらっているわけだね。決して、モンスターペアレントの相手をする代償としてではない。こっちの路線でいくのがいいかな。というのも、何を隠そう私も教員のはしくれだから。

……こんな風にウジウジしていると、次のように言われそう。そんなに恥ずかしいなら、無理して書いてもらわなくてもいいんだぞ。それともあんたは編集者に頼まれたら何でも書くのか？　……いや、そうではないんだ。ためらう気持ちと裏腹に、ここらでいっちょ教養についてまとまった考えを書いておきたいという**強い気持ちもある**んだな。そこで、なんで教養について書こうと決心するに至ったか、私と「教養」という概念との付き合いを説明させていただきたい。開巻早々、長い言い訳の始まりだ。

フロム・キンシチョー・トゥ・キョウヨー

私の生まれは東京都墨田区錦糸町である。場外馬券売り場の裏、銭湯と立ち飲み屋に挟まれ、はす向かいにはピンク映画館[2]、という幼児の情操教育には絶好の環境で育った。小学校からの帰宅時に黄色い帽子をかぶって、立ち飲みのおじさんにピーナツをねだったり、ピンク映画のポスターをぼーっと眺めている私を見るに見かねて、4年生のとき両親はいきなり千代田区麹町に引っ越すことにした[3]。極端から極端に走る人たちだ（いや、錦糸町の皆さんすみません。いまはいいところらしいですね。スカイツリー万歳）。

で、引っ越したついでに、中学受験をすることになったわけだ。「お受験」ね。幸い勉強は嫌いではなかったので、うまいこと都内の中高一貫進学校に入学した。音楽の先生は多田逸郎《いちろう》という、リコーダーカルテット「クアドロ東京」を率いていた音楽家で、英独仏イタリア語をよくする教養人だった。彼は開口一番「君たちは、自分が頭が良いと思っているだろう。だけど君らは○○ワである」と宣《のたま》った。「チクワ」に非ず。そして、「予餞《よせん》の辞」と題するガリ版刷りの文書を配布なさった。そこには、「靴は自分で黒光りがするように磨いておくべし」「ワイシャツのボタンは一番上まで締めるべし」みたいな項目が並んでいた。

いまから思えば、高々お受験勉強の訓練《トレーニング》をくぐり抜けた、猿回しのお猿さんでしかないわれわれの幼稚なプライドを破壊して、あらためてミニ教養人としての「ハビトゥス（本書100ページを見てね）」を与えようとしていたんだろう、余計なお世話な気もするが。しかしながら、小学4年のときに「安田砦の攻防」をテレビ中継で見て胸を躍らせ(4)、6年のときは三島を真似て割腹自決ごっこをやっていた私には、多田先生の説教は反動的な旧制高校ノスタルジーにしか思えなかった。なかなか良い教育を施してくれていたのでは、と気づいたのは高校生になってからだ。その頃から私は、**「教養」とは何ぞや、どうやったら教養人になれるのか**という問いにとりつかれるようになった。

無知の無知の知

1977年に東京大学に入学した。いまでもそうだが、東京大学には進学振り分け制度というものがある。専門学部に進学するのは3年生からで、どの学部のどの学科に進学できるかは基本的に教養学部時代の成績（平均点）で決まる。そのときまでは、ご存知のように、理科Ⅰ、Ⅱ、Ⅲ類、文科Ⅰ、Ⅱ、Ⅲ類という大雑把なくくりで過ごす。私が入学したのは理科Ⅱ類だった。そのときは生物学者になりたかったんだ。

　進学振り分け制度はなかなかオツなものではないかと思う。計算高く、しかも勉強が嫌いではない東大生は、「進振り」のときに選択の幅を広げておこうと、せっせと平均点を上げようとする。そういうのは得意な連中なのだ。当時は理学部の物理とか情報に進学しようとすると、相当の高得点が必要だった（私は行く気はなかったけど）。

　そのときに目をつけるのが、教養学部の先生たちがそれぞれボランティア的に開講している「ゼミ」だったのである。ゼミは教員のやりたいテーマで行われる。それに興味を持って集まってくれた学生に悪い成績をつけるのは忍びない。そこで、たいていの場合、ゼミの成績評価はたいへん甘くなる。そうすると、本心は一刻も早く専門の勉強だけをやりたいと望む学生に限って、高い平均点をゲットして進学の可能性を確保したいあまりに、目指す専門とは関わりのない分野のいろんなゼミを受講しまくる、といった皮肉なことになる。かくして進学振り分けは、視野狭窄《しやきょうさく》に陥っている**学生の視野を無理やり拡げる**よい制度なのである。

　ゼミには人気のあるものとないものがあった。双璧は蓮實《はすみ》重彦《しげひこ》の映画論と見田宗介《むねすけ》の社会学ゼミだ。どちらも収容しきれないほどの学生が押しかけ、選抜が行われていた。二人とも、高校生でも知っている有名人だ。ミーハーな私はどちらのゼミの説明会にも出かけてみた。蓮實ゼミは、ライザ・ミネリのお父さんの名前がわからなくて選抜に敗退。見田ゼミは集まった学生たちの鼻持ちならない様子が我慢ならずに不参加に決めた。だいいち『気流の鳴る音』の呪術師ドン・ファンのくだりは何か胡散臭《うさんくさ》かったし。(5)

むしろ私は、あまり人気のないゼミに参加することにした。学生が集まらないゼミなら、先生に恩を売ることができるであろう。さすれば、良い点をつけてくれるであろう、と思ったからだ。まったく、**ろくな学生じゃないな**。そんなわけで、荒井献《ささぐ》の新約聖書学、戸田基《もとい》の『ユリシーズ』読解、前田專學《せんがく》の『バガヴァッド・ギーター』読解のゼミなどに出席した（馴れ馴れしい感じがするので「先生」は付けないでおく）。いまから考えるとものすごい贅沢。私と同じ魂胆で来ていた理系クラスの友だちが「で、なぜ君は『ユリシーズ』を読んでみたいと思ったの」といきなり聞かれ、「はっ。英語力をつけようと思いまして」と答えていた。**いくらなんでもその答えはないだろう**、と私は思った。

それでどうだったかと言うと、ビックリしたのです。専門にしようとしていた生物学にまだ知らないことがいっぱいあるのは知っていた。哲学というものがあって、カントやらハイデガーやらがビッグネームであることを、どっちも一行も読んだことないにもかかわらず知っていた。でも、新約聖書学なんて学問は、あること自体を知らなかった。『ユリシーズ』の存在は知っていたが、よりによってそれを研究している人がいて、原著の何倍も分厚い注釈書があるなんて知らなかった。つまり、知らないことがあること自体を知らなかったわけだ。そのことを知ったわけだから、**無知の無知の知**を獲得したわけ。

自分が知らないことの領野が想像をはるかに超えて広がっていて、しかもそのそれぞれに、それを一生の仕事として調べたり考えている人たちがいる。この発見は私を震え上がらせた。この世は広い。そして何だかわからんがスゴイことになってる！　というわけで、自分には教養が足りない、教養を身につけねばという強迫観念に駆られるようになってしまった。おかげで、1年間余分に教養学部にいることになった（というのは少し美化しすぎで、肝心の必修科目を落としまくったからである。特に線形代数は死ね！）。

教養ということにひどくこだわっているようですが……

この頃の私は教養を液体のようなものと思っていたらしい。たしかに、深かったり、溢れたり、うっかりこぼれたりする。自分をその液体で満たしていき満タンになったら教養人、という具合にイメージしていた。で、自分はまだまだガス欠状態というわけだ。早く教養を注入せねば！……すっかりおかしくなった私は、高校時代の友だちへの年賀状に、「昨年は自分にはまだまだ教養が足りないと自覚しました。今年はさらに教養を身につけたいものです」かなんか書いていた。心配した友だちが「**教養ということにひどくこだわっているようですが、僕にはなぜそんなにこだわるのかわかりません**」と返事をくれたりした。ヘンなやりとりだなあ。年賀状でそういうこと書くか普通。

このあといろいろあって、哲学科に方向転換して博士課程までを過ごしたのだけど、不思議に哲学科時代は教養問題について頭を悩ませずにすんだ。理系から転向した私は、哲学だけをとっても知らないことだらけで、周囲の哲学少年たちに追いつくため、それを端から勉強していくだけで時間が潰れてしまったからだ。(6)「教養っていったい何だい」「どうすりゃ教養人になるかい」問題に再び直面するのは、大学院を出て職を得てからである。ただし今度は教師として。

私たちが壊してしまったものは何か

1989年に名古屋大学に就職口が見つかった。教養部の哲学講師だ。教養部は私にとってはとても居心地のよいところだった。たしかに授業はたくさん担当するのだが、それさえやっとけば、卒業論文の指導もないし、大学院生の指導もないし、学生の就職の心配もしなくてよい。推薦状を書かなくてもよい。高校に進学説明会《せんでんかつどう》に行かなくてもよい。

それにやりがいもあった。教養部で哲学の授業を受ける学生には、将来哲学科に進学するような物好きはほとんどいない。だとすると、**人生で一度きりの哲学との出会い**ということになる。私がどんな授業をするかで、彼らの哲学についての印象は決まってしまうわけだ。さて、何をやりましょうかね、どうやったら学生が哲学についてもってる先入見をぶちこわしてやれるかな、と考えるのは楽しい。授業の準備をして、授業して、残りの時間は研究してりゃいい。ああ、あの頃に戻りたいと心から思うよ、いまとなっては。

なるほど、教養部に就職したから、職業的責任として教養とは何かを真剣に考えるようになったわけですね、……という具合にうるわしく話が進むと思ったら大間違い。教養部にいるときは、かえってこういうことは考えないものだ。というのも、普段やっていることが教養教育でしょ、何か問題ある？　と思っていたから。カリキュラムは、新制大学の成立時に決まった、自然科学、人文科学、社会科学をバランスよく学びましょうというやつで、(7) 科目名も、哲学、論理学、物理学、化学、社会思想史、経済学などなどといった具合に極めてオーソドックス。というわけで、教養教育担当としてのアイデンティティはとても安定していた。

再び悩み始めたのは、**教養部がなくなってから**だ。1991年に大学審議会が「大学設置基準の大綱化」を文部大臣に答申した。「大綱化」っていうのは、「おおざっぱにする」ということ。この答申によって、学部のカリキュラムは大幅に自由化され、必ずしも一般教育科目・専門教育科目・外国語科目と保健体育科目という区分を置かなくてもよくなった。大学が自由に決めていいよ、というわけだ。そうすると、一般教育科目を置く必要も、それを担当する教養部を置く必要もなくなる。そこで、じっさい多くの大学が教養部を廃止した。別に強制されたわけではないのに。

名古屋大学でも1993年に教養部を廃止して、そこに所属していたわれわれは「情報文化学部」という新しい学部の教員になった。いま書いてみて愕然《がくぜん》としたけど、私が教養部で教えていたのはわずか4年間だったことになる。やれやれやっと職にありつけましたよと思ったら、はいあなたの居場所はなくなりますと言われたわけだ。なんだかなあ。

私にとってショックだったことが二つある。一つは、「教養をもつことは大事なことだよね、それを学生に与える教養教育は大事だよね」というのは大学人の暗黙の了解だと思っていたのが、実はリップサービスにすぎなかったということ。第二は、当の教養教育担当教員たちが雪崩をうって教養部廃止に突き進んだこと。……いや、ショックだったというのはちょっと違う。「みんな嘘だったのね。騙された、うわーショック」と言うほど私はカマトトではないので、むしろ「うすうすそうなんじゃないかなと思っていたけど、やっぱりそうだったか。仕方ないかも。でもなんとなく不愉快」くらいが当時の私の気持ちを正確に表している。

教養部教員みずから教養部の廃止を求めたのには、それなりの理由がある。**教養部がずっと置かれてきた隷属的立場**だ。[8] じっさい、いろんな差別があった。たとえば、教養部は自分たちだけで採用人事ができなかった。専門学部の先生が必ず一人は選考委員会に加わる。私の採用のときも、文学部の先生が選考に加わっていた（この先生が委員会を引っ掻き回したおかげで何度も選考が流れ、最終的に私のような者にまで声をかけざるを得なくなった、と後になって聞いた。この先生に感謝）。教養部の教員には人を見る目がないと思われていたか、うちの可愛い学生たちがヘンテコな教養部教員に教えられてはタマランということだったのだろう（じっさい「悪貨が良貨を駆逐する」って面と向かって言われたこともあるしな。おもしれー駆逐してやろうじゃねーかと思ったもんだった）。

また、実験系の教員にとっては、教養部は研究上とても不利な組織だった。日本の大学の実験系研究室は、学生を研究労働力としてコキ使うことで回っている。[9] 学生さんは24時間体制でデータをとってくれ、しかも最先端の研究に加わっているということで、嬉々としてそれをやってくれる。しかも、学費を払って。[10] こんなオイシイ話はないよね。ところが、教養部の教員にはそういう学生《へいたいさん》がいない。

というわけで、早く学部になりたーいと思うのも無理はない。そうしてわれわれも「学部」の仲間入りしたわけだけど、新参者の四文字学部[11]であるわれわれはその後もずっと「もと教養部」というレッテルに苦しめられることになる。それはよいとしても、教養部という、教養って何じゃいと考え続け、責任もってその教育を企画実施する組織がなくなってはじめて、私は**自分たちが壊してしまったもの**は何なのかを考えることになった。悩みの再来だ。

教養教育が専門教育の下請けであってたまるものか！

つらつら考えるに、教養と教養教育をめぐって、われわれには重大な誤解があったのではないだろうか。その最たるものは、教養教育は専門教育の準備・基礎であるというものだ。しかし、考えてもみよう。博士後期課程《ドクターコース》（たんに博士課程とも言う）を修了するのが専門教育の終点だとするなら、大多数の大学入学生は専門教育を最後まで受けることはない。たとえば、うちの大学では年におよそ２５００人の学部生が卒業するけど、博士前期課程《マスターコース》（修士課程とも言う）に入学するのは年に１８００人くらいだ。それも他大学からの入学者を入れての数字。博士後期課程に入学するのはさらに減って５００人程度。となると、大学入学生の5分の4は、専門教育を最後まで受けないで世の中に出て行くことになる。

一方で、どんな分野でも専門知識をひととおり身につけるには、4年、あるいは修士課程まで含めた6年ではとても足りない。物理学者の佐藤勝彦さんはかつて「物理学科の学生でも一般相対性理論は選択科目なんですよ。物理学科を卒業したといっても、時間と空間の本質を学ばずに物理学科を卒業できるんですよ。悲しいですけど」と発言している。理学部に行っても、法学部に行っても、専門は十分に身につかない。ゆえに、学部教育が専門準備教育だとするならば、学部は専門家になり損ねた人、専門分野を途中まで学んでやめた人を生み出すにすぎないことになる。大学教育の目的が専門知識とスキルの習得だとすると、大学は「**専門家のなり損ない**」を量産する場ということになる。何かヤダ。

大学の4年間の教育は、「専門家育成をチョットだけ」ではないそれ自体完結した目的をもつべきだ。そうでないと学生が気の毒じゃないだろうか。その目的こそ「**教養の涵養**」ではないかと思う。したがって、**教養教育は専門教育の準備ではない**。それ自体の目的と内容をもつ学部教育のコア、あるいは学部教育のすべてだ。

じゃあ、学部4年間を通じて涵養されるべき「**教養」の中身は何だろう**。第Ⅰ部ではこの問いに答えよう。

I

教養ってなんだ

というわけで、全国の**ごく少数の幸福な**大学新入生、高校生、ひょっとしてちょっと背伸びをした中学生諸君。そして、私同様「教養とは何か」という問いにからめとられてきた、もっと少数の大人のみなさん。いよいよ本編の始まりだ！　教養部の墓場から蘇ったゾンビ教師として、恥も外聞も棚上げにして突っ走り、おまいらを啓蒙しまくってやるぜ。はじめっからフルスロットルで飛ばしまくるからな。振り落とされてるんじゃねーぞ。

……とヤンキー教師風でキメてみました。「ごく少数の幸福な」は、スタンダールの『パルムの僧院』に見つけて以来、いつか使ってみたいもんだと温めてきたフレーズだ。スタンダールはこの作品を「ごく少数の幸福な人に（To the happy few）」捧げている。読んでくれる人も理解してくれる人もそんなにいないだろう、でも、オレの本に出会った人、さらにそれを読んで理解できる人は、まさにそのことによってすでに幸せな人だ、という自負が込められている。めちゃくちゃ上から目線でカッコイイでしょ。使いたくなるよね。で、使ってみました。いま、とっても満足。

キミは何のために学ぶのか

2016年まで、私は「人類生存のための科学」という科目を受け持っていた。すごい名前でしょ。名称のインパクトだけで開講することになってしまった科目だ。1年生の1学期向け、私の学部では必修科目。ということで、入学はしたものの、大学で学ぶとはどういうことかさっぱりわかっとらんでコマルわという新入生に、いっちょそこのところからはっきりさせてやろうじゃないの、という趣旨の授業である。実を言えば、本書の元ネタはこの科目の講義ノートなのだ。

この授業の初回に、「キミが大学で学ぶことの意味」は何かを考えてもらうことにしていた。ただし、この問いはいくつかのレベルで問うことができる。まずは、キミが大学で学ぶことの**キミにとっての**意味。これはもう人さまざま。医師とか弁護士とか薬剤師とか。こういう職に就きたくて大学に行く人もいるだろう。あるいは、抑圧的な親から逃れるため、都会に出たいから、たんに周りのみんなが行くからなんとなく。どの動機が立派ということはない。

ただ、言っておきたいことがある。大学で学ぶことのキミにとっての意味を**あらかじめ選んで決めておくことはできない**ということだ。大学での学びがキミにとって意味あるものになるかどうかは、キミがどういう人か、大学でどう過ごすか、誰にたまたま出会うか、大学を出た後の世の中がどうなるかによって変わってしまう。それどころか、大学で学ぶことによって**キミにとっての「意味あること」の尺度そのものが変化してしまう**かもしれない。

だから、一般論はほとんど役立たない。たしかに大学卒の生涯平均年収は高校卒のそれより高いというデータがある。一方で、奨学金を借りて借金まみれで社会人生活を始めるのは、かえって損だという声もある。どちらが正しいにせよ、**キミがお金に換えることのできない価値あるものを大学で得る可能性は計算に入っていない。**リッチじゃないけど、1日の仕事が終わって量子力学をコツコツ勉強するのが無上の楽しみ、という人生になるかもしれないじゃない。じっさいそういう人はたくさんいる。大学は出会いの場だ。生涯の友や人生の伴侶（しかも同じことを学んだ仲間）に出会うかもしれない。だから私に言えるのは、無理してまで大学に行く必要はないかもしれないけれど、その余裕があるならぜひ行きたまえ、ということだ。無責任でごめんね。

次に、キミが大学で学ぶことの**国家にとっての**意味。これは実にストレート。安価で良質な労働力を生み出すこと。大学によってはこれに、イノベーションをバンバン生み出す人材を生産することがつけ加わる。こういう人たちが一定数いないと、国力は低下しちゃうからね。だから、大学には多額の税金がつぎ込まれているし、就職率と就職先が大学評価の指標になる。大学教育の「受益者」はキミじゃない。お国なのだ。でも、こういったくだらんことは文科省のお役人にでも考えさせておけばよいことだ。キミたちの貴重な頭脳を使うことはない。

考えてもらいたいのは、キミが大学で学ぶことの**人類にとっての**意味だ。どう？　これは考えたことがなかったでしょ。この問いを考えるためには、人類ってどんな生きものなのかということにまで遡って考え直さないといけない。生物の種としてみた場合、ヒトはとても変わっている。哺乳類でもかなり大型の部類に属するのだが、それにしては一匹をとってくるとなんだか頼りない。鋭い牙も爪もない。皮膚は薄くて弱い。なのにこんなに繁栄している（他の種の存続を脅かすほどに）。このユニークな性質はどこからきたのだろう。

ヒトと猿はどう違う？

遺伝子か？　答えはイエスかつノーだ。現存する生きもののうち、ヒトにもっとも近いのはチンパンジーである。両者はおよそ500万〜600万年前に共通祖先から分かれたとされている。地球の歴史ではつい最近だ。なので、遺伝子レベルではヒトとチンパンジーの違いはわずか1・23％にすぎない[1]。

しかし、一方でヒトとチンパンジーはずいぶん違う。チンパンジーはたしかに賢いが、科学技術はもてなかった。松沢哲郎先生はアイちゃんを研究しているが、アイちゃんは松沢先生を研究して論文を書いたりはしない[2]。チンパンジーの群れには会社も学校もない。だから、受験や就職で頭を悩ませる若きチンパンジーなんて存在しない。遺伝的にはほとんど違わないのに、この差はどこからやってきたのだろう。

キミは言うかもしれない。答えは簡単、**ヒトは「文化」をもっているから**。しかし、ここでヤバイのは、自然と文化といった二分法にハマることだ。で、前者は理科系の領分、後者をやるのが文系って考えてしまうとさらにヤバイ。そうすると、「所詮は進化の産物だよね」という人間観と、「にもかかわらずヒトってそれを超えたところがあるよね」という人間観を統一するものの見方はいつまでたっても手に入らない。

ヒトと「賢い動物」の違いの第一近似として、文化のあるなしに訴えるのはとりあえず認めるとして、その文化を「自然と文化」という二分法にハマらずに捉えるにはどうしたらよいだろう。**鍵になるのは「情報」という概念だ。**前の世代から次の世代に、生存に必要な情報を伝えるしくみとして遺伝を捉えてみよう。最も基本的なものは体のつくりについての情報だ。これがちゃんと伝わらないと次世代は死んじゃう。

ヒト以外の生きものは世代から世代へと情報を伝えるチャンネルをほぼ遺伝だけに依存している。彼らは親から子どもに生存に必要な情報を伝えるときに、遺伝子で伝える、というやり方しかできない。しかし、ヒトという種はどういうわけだか、世代間情報伝達のために、遺伝以外のチャンネルを発展させてきた。

そのチャンネルが「文化」とか「教育」と呼ばれるものだ。われわれの生存が文化に大きく依存していることを理解するのはたやすい。たとえば、医療や効率的食料生産やその輸送といった科学技術の成果なしに、キミが今日まで生き延びてこられただろうかと考えてみればよい。

もちろん、文化と教育（学習）を介した世代間情報伝達はヒトの専売特許ではない。よく知られた例をあげとこう。ニホンザルの「芋洗い」だ。１９５３年に宮崎県の幸島《こうじま》で、一頭のメスザルが芋についた砂を海水で洗うことを覚えた。そうすると塩味がついて美味しい。この習慣は模倣学習によって瞬く間に島じゅうのサルに広まった。文科省ならこのメスザルをイノベーション人材と呼ぶところだ。あ、「猿材」か。残念なことに彼女には**「イモ」というダサい名前がつけられてしまった**わけだが。

というわけで、ヒト以外の動物にも文化とその伝達めいたものは見られる。けれども、ヒトはそのチャンネルをどんどん太くして、それに生存を頼りきってしまった。一匹では弱い、つまり遺伝というチャンネルで受け継いだものは貧弱だが、もう一つのチャンネルから得ることのできる生存のための情報がやたらと豊かだ。だからこんなに栄えている。これがヒトのユニークなところだ。(3)

幸島のニホンザル（photo©時事通信）

書き言葉が思考を強化する

こんな風に文化と教育・学習を通じた世代間情報伝達のチャンネルがとてつもなく太くなったのは、ヒトが言語を発明したおかげだ。これが、わずか1・23%の違いを大きな違いにまで拡大したのかもしれない。注目されているのは、ヒトの第7染色体上にあるFOXP2という遺伝子だ。(4) ヒトのFOXP2はチンパンジーのとちょっとだけ違う（二つのアミノ酸ぶん）。このわずかな違いが、ヒトの言語の進化をスタートさせたと考える研究者もいる。

しかし、決定的なのは書き言葉の発明じゃないだろうか。われわれの「思い」はすぐに移ろって消えてしまうが、文字は半永久的に残る。だから、思考を頭の外に出して文字に記しておくことによって、頭の中からは消えてしまっても、考えたことを残しておくことができる。このようにして、書き言葉は人類の**長期記憶**をとてつもなく増強してくれた。世代を超えて伝えるべき情報を、頭の外に出しておくことで、いくらでもたくさんの情報を次世代に伝達できるようになったわけだ。こりゃチャンネルも太くなるわね。

書き言葉の役割は、考えたことをそのままとっておくだけではない。ある意味でヒトの**思考そのものを改善する**。つまり、もっと上手に考えられるようにしてくれる。筆算を思い浮かべてほしい。キミは365×3600を頭の中だけで暗算できるだろうか。少なくとも私にはできない。でも、紙とペンがあればこの計算は小学生にもできる。頭に入れておくのは九九と足し算の規則だけでよい。そうすると、脳と手と紙とペンからなるシステムは、脳だけよりはるかに複雑なことを考えられる。

書き言葉の役割はもう一つある。**批判的思考を可能にする**ということだ。SF作家のグレッグ・イーガンは、『TAP』（山岸真訳、河出文庫）という作品の中でこのことをうまく表現してくれている。

「もし、本をひらくたびに、書いた人の言っていることをなにもかも鵜呑みにしなくちゃならないとしたら、どう思う？　文の途中で読むのをやめて、「これは……でたらめだ」って思えないとしたら。一語一語を自分の頭の中で論証する能力がなくなっちゃったら」
「そんなのはごめんだわ」
「それがVRの未来なんだよ」

「VR」はバーチャル・リアリティのこと。本の場合、途中で読むのをやめても、文字はそこにそのまま残っている。これをうまく利用して、「これって、さっき書いてたことと矛盾してないか？」とか「どうしてこの結論が出てくるわけ？」と考え、吟味しながら読むことができる。つまり、批判的に読むことができる。これに対して、バーチャル・リアリティはまさに擬似「体験」なので、情報は次から次へと押し寄せてきては消えていく。そのため、その都度の情報を処理するのに追われて、「ゆっくり考えながら」と「振り返りながら」ができない。TAPというのは、バーチャル・リアリティについても批判的思考を可能にする、思考強化装置のことだ（なんせSFですから、そういうのがある）。

言語というと、すぐに「コミュニケーションの道具でしょ」と短絡する傾向がある。しかし、コミュニケーションなら動物もやっている。ベルベットモンキーは、ヒョウ、ヘビ、ワシを見つけると、それぞれに対して異なる叫び声をあげ、それを聞いた個体は叫びの違いに応じて異なった逃げ方をする。ミツバチはダンスによって、蜜のありかを仲間に伝える。賢いね。よく英語教育について、読み書きはいいからコミュニケーション重視でいきましょう、って言われるけど、**動物にもできることに力を入れてどうするんだろ**。むしろ、人間の言語を動物の言語から区別し際立たせているのは、書くことと読むことなのに。

よき概念はヒトの幸福な生存に欠かせない

次に、文化・教育チャンネルで伝わる「生存に大切なもの」とは何かをよく見てみよう。キミの生存を支えてくれている文化的遺産は、さっきも述べたように、まず第一に科学や技術の産物だろう。しかしそれだけとは限らない。概念や理念といった抽象的なものも同じくらい重要だ。

たとえば、「人権」という概念を考えてみよう。キミは自分の人生にそれほど理不尽なことは起こらないはずだと思って暮らしているだろう。たとえば、理由もないのに牢獄に閉じ込められるとか、勝手に臓器を抜きとられて売り飛ばされるとか、自分の家の周りで「日本から出て行け」と連呼されるとか。こういうことは起きそうにないと思うだろう。そして、もし万が一そのような目に遭わされたら、裁判にでもなんでも訴えて戦うことができると思っている。何よりも、**「自分はそんな目に遭ういわれはない」と思うことができる**。これらはすべて、「人権」という概念があるからだ。そして、キミがその概念を知っているからだ。この概念はキミの幸せな生存を可能にしてくれている。

しかし、人類は最初からこの概念をもっていたわけではない。ということは、歴史の中で、誰かがこの概念を発明してくれたわけだ。具体的には、ジョン・ロックとかジャン＝ジャック・ルソーとかに代表される幾人もの思想家たちが、苦労してこの概念を生み出し、それを洗練させて鍛え上げてくれた。でも、それだけでは人権概念とキミの生存とは結びつかない。17世紀ヨーロッパと21世紀日本との間に、無数の人々がいる。これらの人たちが、この新たに発明された概念は「なかなかいいじゃん」と思い、それを教育や文化という伝達装置を通して次の世代にバトンタッチしてくれたからこそ、人権概念はキミの手許に届いている。

そのリレー走者の一人として、明治期の民権思想家の植木枝盛《えもり》を紹介しよう。彼の『民権自由論』（岩波文庫、読点を補った）の冒頭はこんな風だ。

一寸《ちよつと》御免を蒙《こうむ》りまして日本の御百姓様、日本の御商売人様、日本の御細工人職人様、そのほか士族様、御医者様、船頭様、馬かた様、猟師様、飴売様、お乳母様、新平民様共御《ご》一統《いつとう》に申し上げまする。さてあなた方は皆々御同様に一つの大きなる宝をお持ちでござる。この大きなる宝とは何んでござるか。打出《うちで》の小槌か銭《ぜに》のなる樹か、金か銀か珊瑚か。だいやもんどか。ただしは別品《べつぴん》の女房をいうか。才智すぐれたる児子《こども》の事か。いやいやこんなものではない。まだこれ等よりも一層尊《たつと》い一つの宝がござる。それがすなわち自由の権と申すものじゃ。

これって、物売りの口上だよね。今でいうならテレフォンショッピング。今日ご紹介する商品は入れ歯洗浄剤「頑張れおじいちゃん」です。お支払い方法はとっても簡単！　ようするに、植木枝盛は西洋にすごくいい概念を見つけて、それを何とかして当時の日本の人々に売り込もうとした。**この概念が最も役立つはずの市井《しせい》の人々に直接にだ**。そこで、こういう口調になる。

明治期の思想家は、概念を輸入して売りつける商社みたいなものだ。西周《あまね》という哲学者は、ずいぶんいろいろな概念を輸入、つまり翻訳してくれた。物質、実験、真理、方法、数学、理性。おかげさまで、われわれは母語の日本語でこういう抽象的で難しいことが考えられるようになった。(5)

よき概念のリレーが途切れるとどうなる

ここで、次のように想像してみてほしい。人権概念を基礎づける思想的苦闘をロックたちが放棄していたらどうなっていたか。あるいは、先人からそのアイディアを学び、次の世代に伝えるリレーがどこかで途切れていたら、キミのそれなりに幸福な生存は可能だったかどうか。人権概念がとどいていないところでは、キミは誰かの所有物として売り飛ばされ、一生自由は与えられず、ときには気まぐれな暴力の餌食になる。ただ「生意気だ」というだけの理由で。そして、それに抵抗する術をもたない。しかも恐ろしいことに、**それが間違ったことだと思うことすらできない**。

ビリー・ホリデイという米国の黒人歌手がレパートリーにしていた歌に「奇妙な果実（Strange fruit)」がある。だいたいこんな歌詞だ。「南部の木は変わった実をつける。葉には血が、根っこにも血を滴らせて。南部の風に揺れている黒い屍体。ポプラの木にぶら下がっている奇妙な果実」。

キミの推測どおり、奇妙な果実というのは、白人至上主義者にリンチされ木から吊るされた黒人の屍体のことだ。作曲されたのは1930年、ホリデイが歌って流行らせたのは1939年。つい最近ではないか。この歌みたいなことがちょっと前まではあたりまえのようにあったし、いまも世界のあちこちで起きている。概念のリレーが途絶えるということは、抵抗するための貴重な武器が失われるということでもある。キミを生かしているのは科学技術の成果だけではない。**よき概念もヒトの幸福な生存に不可欠なのだ。**

生まれながらにして人権をもっているなんて虚構だと言う半可通がいる。何を言っとるのやら。あたりまえじゃないか。人権概念は発明品つまり人工物なのだから。人は心臓をもっているように人権をもつわけではない。もっと考える人々がいる限りにおいて、もつことができる。たしかにフィクションだが、**われわれの生存に役立つ貴重なフィクション**である。だから、この概念に磨きをかけて、ときには修正しながら、ときにはそれを骨抜きにしようとする者たちと闘いながら、次世代に手渡していくことが大切なんだ。

「よい遺伝子」を残すよりも大事なこと

以上のことをまるでわかっていない人の例を挙げておこう。2001年に当時の東京都知事がこんなことを言って物議を醸した。

「これは僕がいってるんじゃなくて、松井孝典がいってるんだけど、文明がもたらしたもっとも悪しき有害なものはババァなんだそうだ。女性が生殖能力を失っても生きているってのは無駄で罪ですって。男は80、90歳でも生殖能力があるけれど、女は閉経してしまったら子供を生む能力はない。そんな人間が、きんさん、ぎんさんの年まで生きてるってのは、地球にとって非常に悪しき弊害だって……。」（『週刊女性』2001年11月6日号）

もうキミにはどこが間違いかわかるはず。「子どもを産んだら生物学的には無用」どころか、ヒトのような文化伝達に依存する生物にとって、継承の担い手である老人の存在はきわめて重要だ。

それにしても責任転嫁された松井さん（地球惑星科学者）は気の毒だね。松井さんが言及していたのは「おばあさん仮説」という進化学上の仮説である。他の哺乳類の雌は死ぬまで生殖能力を失わないのに、ヒトの雌は閉経後も生き続ける。これを適応として説明しようとする理論だ。おばあさんが子や孫の手伝いをすることで「包括適応度」を高めているのではないか、という話[6]。これを松井さんはさらにアレンジして、ヒトの雌が生殖年齢を超えて生存することで集団の記憶装置としての役割を果たし、文明の誕生が可能になったのではないかと推測した。

おばあさんは文明の母。おいおい、まるで逆じゃん。

で、こういう輩（元知事のほう。念のため）に限って、「遺伝子」とか「DNA」って言いたがるから困ったもんだ。ある中国人が凶悪な犯罪を行ったという事件にふれて、「こうした民族的ＤＮＡを表示するような犯罪が蔓延することでやがて日本社会全体の資質が変えられていく恐れが無しとはしまい」と述べていた。[7] **冗談じゃない**。劣悪な遺伝子なんてあるもんか。ユダヤ人は劣悪な遺伝子を撒き散らすから皆殺しにしよう。こう言ってホロコーストが行われたことを忘れちゃダメだ。

　でも、劣悪な「文化遺伝子」はある。知事のこうした発言を受けて、ネット上には「都知事は外国人は犯罪者だと言ったそうだ。おまえも犯罪者だ。この国から早く出ていけ。帰るのがいやなら死ね」みたいな言説が溢れた。こうして死にかけていた差別が見事復活し、現在のヘイトスピーチにつながっていく。

　できるだけよい概念、よい理念、よいアイディアを生み出し、改良し、次の世代に伝えることは、「よいＤＮＡ」を残すこと以上に、文化遺伝子に依存して生き延びていくヒトという種にとって重要だ。そして、大学は、人類が生み出してきた世代間情報伝達装置のうちでもかなり重要なものの一つである。人類の知的遺産を保存し次世代に伝えるだけなら、図書館もあるしデータベースもある。しかし、大学はそれだけではなく、人類の知的遺産に対する尊敬をもち、それを継承するリレーに自ら加わろうとする**人々そのものを再生産する**。だから「かなり重要」なのだ。

　というわけで、本章の冒頭に掲げた問いに対する答えは出た。キミが大学に行くことの人類にとっての意味は、キミにこうした**知的遺産の継承の担い手（リレー走者）**になってもらうことだ。このような人々がいないと、人類の幸福な生存は難しくなる。たくさんは無理かもしれないが、一定の人数はぜったいに必要だ。キミが学ぶことは人類に必要とされている。どう、なりたいと思ってくれたかな。なりたいと思ったキミは、それだけですでに「ごく少数の幸福な」若者なのである。

第2章
たかが知識、されど知識

知識がないと、ダイ・ハードだって楽しめない！

さ、いよいよ本題に入る。教養とはなんぞや。この問いを考えていこう。できれば教養にカンペキな定義を与えることを目指して。

「こんなこともほにゃらら？　教養ねえなあ」とか「なんでそんなことをほにゃらら？　教養あるなあ」の「ほにゃらら」にはどんな言葉が来るのが自然か。みんな「知らないの」と「知ってるの」だと言うはずだ。教養は知識に結びつけて捉えられている。じっさい、教養とはsomethingについてeverythingを知っていて、everythingについてsomethingを知っていることだ、という言葉がある。(8)うまいこと言ったもんだ。

しかし一方で、たんに物知りであるだけでは教養があるとは言えない、とも考えられている。教養は「知識プラスアルファ」であるらしい。その「アルファ」が何かは、第4章以降でおい

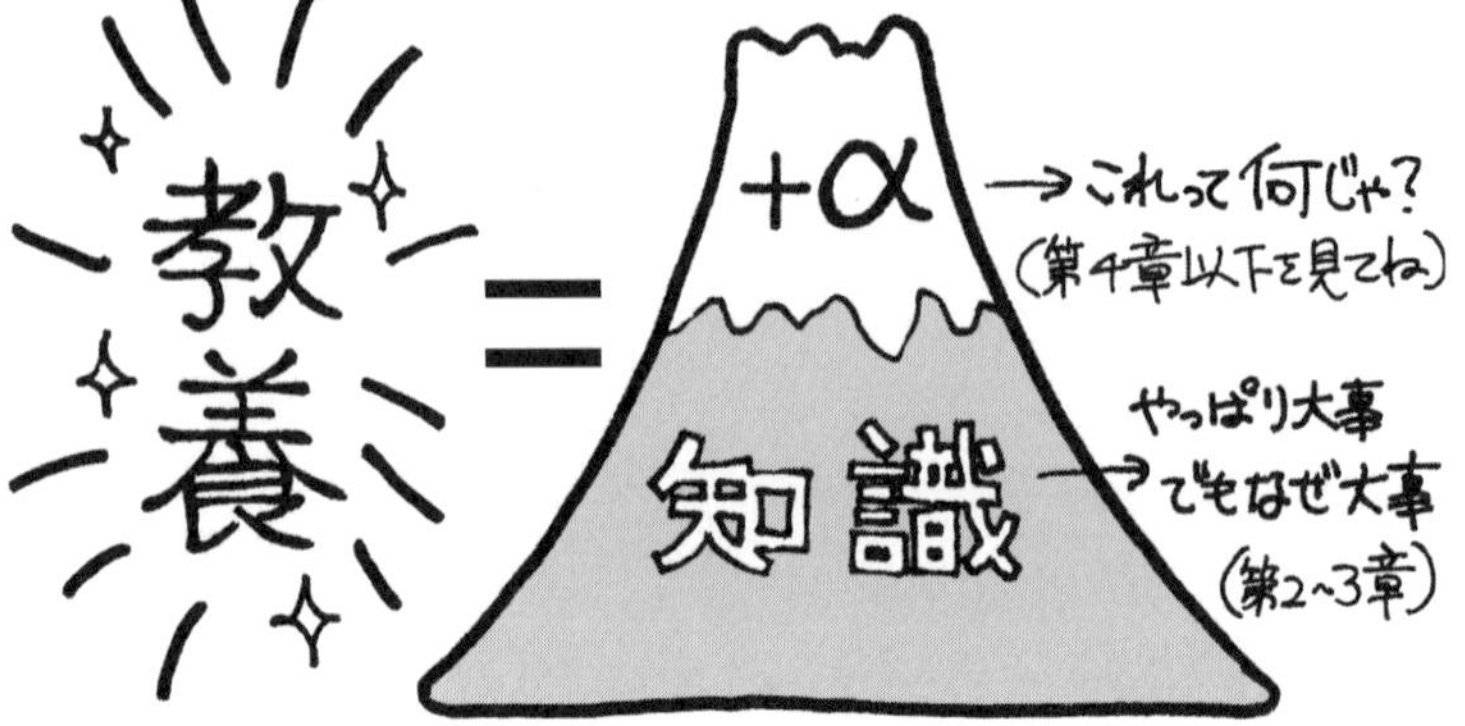

教養とはなんぞや

おい考察することにして、本章では**教養の知識部分に焦点を合わせよう。**

知識だけでは教養に十分ではないのだが、知識は教養の必要条件ではある。そして、**豊かな知識は人生を楽しく生きることにけっこう重要な役割を果たす。**このことを確認しておこう。題材は『ダイ・ハード3』（ジョン・マクティアナン監督、1995年公開）だ。これって、アクション映画でしょ。ブルース・ウィリス演じるマッチョな刑事、ジョン・マクレーンが悪者をぶちのめす。ぶん殴る。鼻血出る。撃ち殺す。脳みそいらない系の映画じゃないの？さにあらず。十分な知識がないとわれわれはダイ・ハードですらフルに楽しむことはできない。

途中までのあらすじはこんな具合。マンハッタンの5番街でデパートが爆破され、その直後サイモンと名乗るテロリストから、ニューヨーク市警に次の犯行の予告電話がかかってくる。マクレーン刑事が「あること」をしないと、次の標的を爆破すると言うのだ。マクレーンはその日、停職中でおまけにひどい二日酔いだったが、しかたなく「あること」をするためにハーレム（マンハッタンの黒人が多く居住する地区）に赴く。

その「あること」とは、ハーレムのど真ん中でひとり丸腰で、「I hate niggers（とても訳せません）」と書かれた看板を掲げて許しが出るまで立っていろ、無事に帰れるかな、というゲームだ。

看板を背負っておっかなびっくり佇《たたず》むマクレーンに、自分の店からたまたま見かけた「ズース」という名のアフリカ系の男が、近づいてきて警告する。(9)「すぐに止めないと、とんでもないことになりますよ」。案の定、その直後に、近くでたむろするチンピラたちに見つかって取り囲まれてしまう。ナイフが看板に突き立てられる。絶体絶命。マクレーンが殴られよろめいたときに、隠し持っていた拳銃を見つけたズースは、咄嗟《とっさ》にそれを奪ってチンピラたちに突きつけながら、通りかかったタクシーにマクレーンとともに乗り込む。間一髪で二人は脱出する。

そのタクシーの中で奇妙な会話がなされる。日本語字幕によるとこんな感じ。「悪かったよ」「ジュースと呼んだな?」「違うのか?」「ジュースじゃない。俺の名はズース（ゼウス）だ。ギリシア神話に出てくる。ゼウスはたたりの怖い神だぞ。文句あるか?」。変だ。命からがら逃げおおせた直後なのに、何で名前の呼び間違いについて議論しているんだ。緊迫感そがれること甚だしい。しかも、なぜに「果汁《ジュース》」? **そんな変な名前あるのか**?

ちなみに、私はいつも学生にここまでのシーンを見てもらって「何かよくわからないところはなかった?」とか「違和感を感じたシーンはなかった?」と尋ねてみるが、誰もなんとも思わない。キミらの目は節穴か。そんな目ならくり抜いて銀紙でも貼っておけ。

ここのやりとりをちゃんと訳すと次のようになる。「オーケー、ヘズース。巻き込んじまって悪かったな」「どうしてさっきから俺のことをヘズースって呼ぶんだ。プエルト・リコ系に見えるか?」「さっきの奴がヘズースって呼んでたじゃないか」「そうじゃない。あいつは「ヘイ。ズース」って言ってたんだ。俺の名前はズースだ」「ズース?」「ズース。オリンポス山のアポロンの親父と同じ。俺を怒らせるとケツの穴に雷落とすぞ、のズース(ゼウス)だ。文句あるか」。……字幕って悲しい。リアルタイムで読んでもらうために、相当に情報を切り詰めなければならない。おかげで、日本語字幕では、このシーンのやりとりはさっぱりわけがわからない代物になっちゃった。

マクレーンは「ヘイ、ズース」を「ヘズース」と聞き違えたわけだが、「ヘズース」はJesus(イエス)のスペイン語読みだ。これは、ヒスパニック系ではわりとよくある名前なのだね。[10]そしてニューヨークでヒスパニックと言えば、まずはプエルト・リコ系ということになる。[11]マクレーンが「ヘイ、ズース」という呼びかけを「ヘズース」と聞き違えたのを訂正する際に、ズースが「プエルト・リコ系に見えるか」と言うのはそういうわけだ。見えるわきゃない。ズースはどう見てもアフリカ系だからね。

よきサマリア人の譬え話

さて、ちゃんと訳せば完全にわけがわかるか、と言うと、まだわからない。名前を聞き違え訂正するという、まどろっこしくスピード感を削ぐやりとりをわざわざ挿入したのはなぜだ？そのヒントはもうちょっと後のシーンにある。

警察署に二人が逃げ込むと、サイモンから再び電話がかかってくる。どこかで一部始終を見はっていたのだろう、サイモンはマクレーンを助けた黒人を電話口に出せと要求し、こう呼びかける。「**黒いサマリア人**《エボニーサマリタン》だな？」。ズースは「黒で悪いか」と答え、電話は切れてしまう。キミは何じゃこれはと思うだろう。それどころか何も気にせずに通り過ぎてしまうかも。

しかし、聖書の「よきサマリア人《びと》の譬《たと》え話」を知っている人は、ああ、そういうことか、気が利いているじゃんと思うことができる。『ルカによる福音書』第10章に次のような話がある。正統派ユダヤ教に批判的なイエスが「汝の隣人を愛せ」と説いて回っている。そこで、あるユダヤ教の律法学者は、イエスに間違ったことを言わせてとっちめる材料にしようと「私の隣人とはだれのことか」と尋ねた。イエスがそれに答えて語ったとされるのが次の譬え話だ。

ある人がエルサレムからエリコに下っていく途中、強盗に襲われ、半殺しのまま放置されてしまった。たまたま一人の祭司、次にレビ人（下級司祭）が道を下ってきたが、この人を見つけても、死人を忌避する清浄の掟に従って無視して通り過ぎてしまった。ところが、あるサマリア人が通りかかり、彼を見て気の毒に思い、傷の手当てをして自分の家畜にのせ、宿屋に連れて行って介抱した。

そして、イエスは律法学者にこう問いかける。「この三人のうち、だれが強盗に襲われた人の隣人になったと思うか」。律法学者は「その人に慈悲深い行いをした人です」と答えざるをえない。そこでイエスは「あなたも行って同じようにしなさい」と言う。

ヨルダン川西岸地区に住むサマリア人は、ユダヤ系ではあるが移民と混血しているため、汚れた者として正統のユダヤ教共同体から排除されていた。いわば異端だ。にもかかわらず旅人を助けた。イエスの譬え話は、「隣人と非隣人をあらかじめ区別しておいて、前者を助け後者は助けないつもりですが、どこまでがわれわれの隣人でしょう」という律法学者の問いが前提としている線引きそのものを無効にしようとしている。隣人とそうでないものとがあらかじめ決まっているのではない。人は、**助けることによって隣人になる**のである。イエスは「だれが強盗に襲われた人の**隣人だ**と思うか」とは聞いていない。「隣人**になった**と思うか」と聞いている。

「異教徒」として描かれているズース

この譬え話を踏まえて、タクシーのシーンをもうちょい深読みしてみよう。呼び違えられているのは、イエス《ヘズース》とゼウス《ズース》。つまり異なる宗教の異なる神（正確にはイエスは神の子だけど）の名前だ。マクレーンがズースをヘズースと間違えたのは、もちろんチンピラの呼びかけ「ヘイ・ズース」を聞き違えたからだが、同時に、ズースがまさしくマクレーンの救い主（＝イエス）だからでもある。

ズースが自分の名前をやっきになって訂正しているとき、俺はおまえの神さんとは違う神様の名前をもっている、俺はおまえにとっては異教徒だ、**隣人じゃないぞ**と宣言していることになる。で、じっさいズースはキリスト教徒ではなさそうだ。映画の中盤から、サイモンの要求で二人は一緒にさまざまな無茶なゲームに付き合わされることになるのだが、あるシーンで、マクレーンの運転する車でセントラルパーク内を暴走するはめになる。とんでもない乱暴運転。怖くなったズースは「カトリックではどうやるんだっけ」と十字の切り方を尋ね、マクレーンが「北、南、西、東」と答える。ズースはキリスト教徒の祈り方を知らない。これは、吹き替え版では「まだ死にたくないぜ」「神さまにでも祈ってな」というやりとりになっている。さらに字幕では、ズースが「乱暴だぜ」と言うだけだ。残念。

ズースは異教徒、ということを確認して、もうちょっと映画を遡る。ハーレムでズースとマクレーンが出会う直前のシーン。ズースは、学校をサボってチンピラの手先として盗品を売りに来た二人の子どもに説教している。この説教は「救い」がテーマになっている。自分を救うのは自分だ。自分で自分の身を守れ。誰にも自分を利用させてはいけない、と説くのだが、ズースはかなりの白人嫌いであるらしい。黒人が助けるのは黒人であり、白人とは関わらない、ということも子どもに教える。つまり、自分たちの隣人(=黒人)であるかどうかを助けあうかどうかの基準にしている、というわけで、これは、「隣人を愛せ」と言うイエスに、その隣人の基準(範囲)を尋ねる律法学者と同じ態度である。

ところが、ひょんな行きがかりからズースはマクレーンを助けることになってしまった。サイモンから「サマリア人」と呼びかけられるのは、ズースがお節介で親切な博愛主義者だからではない。明らかにそうではない。もともと白人なんぞ助ける気はなかったからだ。この映画では、「異教徒」であり異人種であるズースが、たまたまマクレーンを助けることにより、真の「隣人」になっていくプロセスが描かれる。**人は隣人だから助けるのではない、助けることにより隣人になるのだ、**というのがこの作品の隠されたテーマである。いい話だね。名前取り違えのエピソードはけっこう考え抜かれた上で挿入されている。[12] で、これまで書いてきたことは、たんなるトリビア《重箱の隅》ではない。作品のテーマをきちんと理解する上で欠かせない知識なのだ。

ウェルメイドな作品はたいてい二重構造になってる

誰もが楽しめる「脳みそいらない系映画」に見える『ダイ・ハード3』ですら、いろいろな工夫が仕組まれている。**ある程度の知識を持った人にしかわからない工夫**が。『タイタニック』や『アバター』で一世を風靡《ふうび》したジェームズ・キャメロン監督も、インタビューに答えてこんなことを言っていたっけ。

> プロデューサーのゲイル・ハードと僕は、二つのレベルでうまくいく映画をつくろうと決めたんだ。まずは、12歳の子が、こんなイケてる映画見たことないって思うような、結末目指してまっしぐらのアクションとして。そして、スタンフォードの45歳の英文学教授には、ある種の社会的政治的《ソシオポリティカル》な意味合いが隠されていると思ってもらえるようなSF映画として。

これって『ターミネーター』について語ってんだよね。思わず、えっ、そういうおつもりだったんですか、と言いたくなるが、そこはグッとがまん。ともかく、たいていのよくできた作品は、教養ある大人の鑑賞にも耐えられるように二重構造で作られている。少なくとも作り手はそのつもりで作っている。

とすると、けっこう怖いことになる。二人が同じ映画を見て「おもしろかったねー」と語り合っているとしても、知識量が異なれば、同じレベルで楽しんでいた保証はない。**それどころか同じものを見たと言えるのかすらアヤシイ**。感動したり、号泣したり、ハラハラするのは確かに楽しいね。飛行機で斜め前に座っているおじさんが『君の名は。』を観ながら、ひくひく泣いていた。かわいいなあ。しかし、作り手にとってはそれは作品が機能する一つのレベル（12歳向け）にすぎない。作り手は密かに、もう一つの、45歳向けのレベルを仕掛けている。それは、発見する喜び、解釈する喜びからなる。その喜びを十分に味わうためには、その作品の外にあるものをたくさん知っていなくてはいけない。

「古典」とは文化の共通基盤

作り手が作品に隠した仕掛けがうまくいくには、多くの人が「はいはい、あれでしょ」と理解でき、**そのような理解が成り立つことを作り手も期待できる**ような、共通の知識基盤が必要になる。「古典（クラシック）」と呼ばれているものは、そういう知識基盤のコアだ。

シェイクスピアの戯曲やジェーン・オースティンの小説は古典中の古典。『ライオン・キング』はハムレット、黒澤明の『乱』はリア王、『蜘蛛巣城』はマクベスをそれぞれ下敷きにして作られている。『ブリジット・ジョーンズの日記』はオースティンの『高慢と偏見』の現代版だ。他にいくらでも例を挙げることができる。ミルトンの『失楽園』を踏まえて、メアリー・シェリーの『フランケンシュタイン』が書かれ、さらにそれを踏まえてリドリー・スコット監督は『ブレードランナー』を撮った、とか。[13]

「古典」って昔の作品という意味ではない。その証拠に「現代の古典」という言い方があるじゃろ。それに文学作品に限った話でもない。哲学思想にも、絵画にも、音楽にも。建築にも、写真にも、落語にも古典がある。ようするに、「当然知ってるよね、だからこっちも知ってることを前提して進めさせてもらいますよ」という態度が、**独り善がりにならない程度の大きさの集団に対して**（**できれば国境を越えて、長期にわたって**）通用する作品なら何でも「古典」なんである。

こういう共通の文化基盤が失われてしまうと、観る側・読む側がせっかくの面白さを理解できなくなるだけじゃなく、作り手も面白いものを作れなくなってしまう。日本語字幕では往々にしてもとのセリフの深い意味合いが消えてしまうけど、それって字数制限や翻訳の難しさのせいとは限らない。字幕製作のプロがこんなことを言っている。

「教養」とか「常識」という言い方がある。それを知っていないと笑われてしまう、というような「共通認識」だ。しかし、そういう約束事はすでに崩壊している。（中略）

それなりの文明国で、ひととおりの義務教育を受け、日常ごく平均的に新聞・ラジオ・テレビなどに接していれば、たぶん「ご存じ」のはずの事柄であっても、もはや通用するとは限らない。（太田直子『字幕屋は銀幕の片隅で日本語が変だと叫ぶ』光文社新書）

ようするに、これくらいなら知っているはず、という知識を観客に期待できなくなったので、誰にでもわかるように、もとのセリフにある複雑さや含みや古典の引用などを削って、心ならずも字幕を単純化して筋を追う最低限のものにせざるをえない、という悲鳴だ。山形浩生も、映画『恋におちたシェイクスピア』で、脚本家たちは『ロミオとジュリエット』のセリフを巧みに読み替えていた、そしてそれがこの映画の見所だったのに、日本人の多くは、**ただのラブストーリーとしてしか観られない**、と言っている（『新教養主義宣言』）。

お二人とも、日本では作品理解を支える文化の共通基盤の崩壊が激しく、嘆かわしいことになっておる、と考えている。日本が特にダメなのかという点についてはわからない。でも、かりに他の国もダメだったとしても、それで日本がダメでなくなるわけではない。私自身、おやおやと思うことはけっこうある。たとえば……。

空っぽなのはお前の頭じゃ！

「だれもがわかる薄っぺらな理解でも私にとって楽しければそれでいいじゃん」主義の最大の犠牲者は児童文学じゃないだろうか。「だって、そもそも子ども向けなんだから、そんなに難しいはずないでしょ」と思われているからだ。

子どもが大きくなってからは、あまり親子向け映画を観に行くことはなかったんだけど、あるとき児童文学研究者である妻に誘われて、『ナルニア国物語：第1章 ライオンと魔女』を観に行った（ディズニー映画ね）。そして最終的にひどくうんざりした。

うんざりしたのは映画にではない。映画はかなり楽しめた。見終わって買ったブックレットに、某映画ライターがこんなことを書いていたのをついうっかり読んでしまったからだ。

子どもはもちろん、息抜きが必要な大人にこそ、この久々に登場した正統派ファンタジーの世界に、頭を空っぽにして身をゆだねてみてほしい。

思わず、**空っぽなのはお前の頭じゃ！** と叫んでしまった。『ナルニア』の原作者であるC・S・ルイスは、ケンブリッジ大学の中世英文学の主任教授を務めた人だ。そんな人が「頭を空っぽにして身をゆだねて」りゃ済むようなものを書くわけないじゃん。もっと作品に敬意を払おうよ。大人ならではの見方を教えてくれて、作品の可能性を広げてくれるのがライターの仕事じゃないのか？ **自分が無知ゆえに深く理解できないのはしかたないが、それを人にまで勧めるのだけはやめてほしい**。だいたいこのフレーズ、どんなファンタジー作品にも使い回しがきくじゃないか。こいつプロのライターとしての矜持《きょうじ》はねえのか。と思ったのだった。

『ライオンと魔女』のヒーローのライオンは「アスラン」という名前だ。キリスト教のことをちょっと知っている大人には、アスランがイエスに対応するキャラクターだということはほとんど自明だろう。じっさい、魔女に殺されて復活するし。面白いのは、アスランが殺される直前に、立派なたてがみを剃り落とされるところだ。映画にもしっかり描かれていたが、ここは瀬田貞二訳の書籍版（岩波少年文庫）から引用する。

「とまれ！」と魔女が命じました。「まず、毛をそり上げてしまえ！」

いやしいわらい声が、ひときわ高く、とりまきのあいだからおこりました。ひとごみから人くい鬼が羊毛がりのはさみを持って出てきますと、アスランの頭のそばにしゃがみこみました。じょきじょきじょきと、はさみが鳴って、うずまく金色のたてがみのたばが、落ちはじめました。

聖書と西洋芸術史の知識が少しばかりある45歳さんなら、なるほど、これは**聖衣剝奪**のモチーフだな、とニンマリするところだ。イエスは十字架を背負わされてゴルゴダの丘に向かう道のりで、さまざまな辱めを受ける。その一つに、着衣を脱がされるというのがあって、「聖衣剝奪」と呼ばれている。これはもう、何度も繰り返し描かれてきた主題だ。エル・グレコの絵が有名かな。ライオンのアスランは最初から裸なので、代わりにたてがみを奪われるというわけだ。児童文学を馬鹿にしてはいけない。しっかり「二つのレベルで機能する」ように作られている。頭を空っぽにして、一つのレベルだけで観ましょうね、というススメはホント作品へ

エル・グレコ「聖衣剝奪」（トレド大聖堂所蔵）

の冒瀆《ぼうとく》だよね。(14)

キミは日本文化を知っているか?

聖書と言い、シェイクスピアと言い、外国の古典でしょ。それが日本人の常識になっていないからといって、日本では文化の共通基盤が崩壊してしまったと言うのは不公平ではないか。西洋かぶれではないか。こういう批判がありそうなので答えておこう。答え方は山形浩生と同じ。じゃあキミは神道や仏教や日本の歴史や伝統について十分な知識があるのか？

たくさんの学生が海外に留学するようになった。帰ってきたときに彼らは、「向こうで日本や東洋の文化についていろいろ質問されたときにほとんど答えられなかった。自分がいかに日本文化・東洋文化に無知だったかを思い知った」と口をそろえて言う。これって留学経験者の共通原体験と言ってもいいかも。

というわけで、キミは知っとるか？　般若心経のだいたいの内容、臨済宗と曹洞宗の教義のいちばん大きな違い、歌舞伎狂言「仮名手本忠臣蔵」のあらすじ、古典落語「青菜」のオチ……。ブッダの生涯と仏教についてある程度知識がないと『聖☆おにいさん』だって楽しめないぞ。

というわけで本章の結論。人生からより多くの楽しみを引き出すためには、それなりの知識が必要なのである。(15)

第3章

知識のイヤミったらしさとどうつきあうかについて、そして「豊かな知識」に何の意味があるのかについて

文化って、そもそもイヤミで差別的

前章に書いたことって、なんかとってもイヤミじゃなかった？　無知な人にはおわかりにならないざんしょうけど、それなりの作品には知識のある人だけが楽しめる仕掛けがしてあるざますのよね。それに気づけずに「感動した」とかおっしゃる方々って、まあ12歳並みのオツムでお気の毒、もしくはおしあわせ、って言ってたわけでしょ。しぇー、イヤミだなあ。

イヤミな話になったのには二つの理由がある。一つは、**筆者がじっさいイヤミな奴だから、**というもの。うん、これは大いにあるね。否定しません。もう一つの理由は、**そもそも文化ってそういうイヤミな面をもつものだから、**というものだ。これは、つねに文化が階級とか階層とかと結びついてきたことに関係する。異なる階層には異なる文化が発展してくる。「上」の階層は「下」の階層の文化を、下品だ、ヤンキーっぽい、ってストレートにバカにする。下は

下で上を、鼻持ちならない、お高くとまってる、といってこれまたねじれた仕方でバカにする。「下」の人がお高級な文化を身につけようとすると、付け焼き刃、俗物《スノッブ》といってバカにされる。で、結局みんながみんなをバカにしまくり。

文化のアイテムには良し悪しの判断がどうしても伴う。すると、それを測る尺度が出てくる。そして、今度はその尺度によって**人々のランクづけ**が行われる。知識の多寡、理解の深浅、趣味の良し悪しによる序列化だ。こうして「ワカルやつ」と「ワカランやつ」の区別が生まれ、両者の反目も生まれる。そして、ワカルやつはその序列をさらに登ろうとするし、ワカランやつの中には、別の尺度をつくって、その尺度に照らしてワカルやつになろうとする者が現れる。でも、こんどはその中にワカルやつとワカランやつが生じてきて、以下同様。こうして、文化は多様化し豊かになると同時に、人々のランキングもどんどん微に入り細に入り複雑化する。これって避けがたい。

文化ってそういうものだ。階層対立とか差別意識と裏腹。だから、前章を読んで鼻持ちならないエリート主義の匂いがしますな、と反発を感じたキミはとても健全な感性の持ち主なんだ。でも、あえて言わせてほしい。話はもうちょっとややこしいってことをだ[16]。たしかに、知識が足りないからといって、理解が浅いからといって、趣味が悪いからといって人をバカにするのはよいことではない。しかし一方で、次のような意見に私は与《くみ》しない。そもそも知識、理解、趣味にそういう尺度があるのがけしからん。尺度があるから、人を軽蔑したり、階層が固定化したり、劣等感と嫉妬が社会を覆ったりする。だから、こうした尺度を無効化してしまえ。ジヨルジュ・ドンの「ボレロ」も、よさこいソーランも同じ踊りだ[17]。同列だ。あるのは好みの違いだけ。踊らにゃソンソン。

なぜ、こうした意見に賛成できないか。文化と階級・階層が結びついてきたからというので、文化なしでいきましょう、とか一種類の文化だけでいきましょう、ということにしたらどうなるかと想像してみればわかる。歴史上これに類することが実行されたことは何度かある。**その結果は悲惨なものだった。**たとえば、カンボジア共産党《クメール・ルージュ》の指導者ポル・ポトが試みた文化革命もそうだろう。都市に巣食う知識人層は資本主義的悪徳の根源である。そう考えて、学者・医師・教師を含む知識階級の虐殺や都市住民の農村への強制移住が始まった。やがて歯止めを失った虐殺の対象は農村住民にまで広がった。さまざまな組織が見積もりを出しているが、おおよそ100万人から200万人の人々が殺された。

文化のもつイヤミで差別的な構造と、文化の多様性と豊かさとは表裏一体である。われわれは現在、能も歌舞伎も、謡曲も義太夫も浪花節も民謡も、クラシック音楽もブルースもヒップホップも楽しむことができる。それは、文化が階層と結びついて発展してきたからだ。「上」からの軽蔑と「下」からの反発が動因となって文化は豊かになる。だから、**文化というものは多少の悪徳の匂いを伴う。**毒のある土壌に咲いた花のようなものだ。その花にも毒がある。これを知らずに手放しで礼賛するのは能天気だが、その花の美しさに鈍感なのも不幸なことだ。

キミの高慢を嫌いにならないでください

ところで、なぜ私はこんなに自分の話がイヤミに響くことを恐れて、弁明につとめているのだろうか。それは、**私がキミたちを別の世界に誘い出そうとしているからだ**。ねえ、こっちの方にキミたちがまだ知らない、もっと深くてもっとエキサイティングな「大人の知の世界」があるんだよ。こっちに来ないか……というのはちょっとおこがましいが、一緒にそこを目指さないか、と誘おうとしているからだ。

なので、「ムキー、上から目線で説教された。悔しい。あんた何サマ？」と思ってほしくないのね。心からそう思う。そして同時に、無知や悪趣味をバカにする傲慢な人間になりたくないという理由で、この誘いに乗るのに尻込みしてほしくないのだ。われわれは、他の人が知らないことを知ったり、他の人には理解できないことを理解できるようになると、それをひけらかしたくなるし、周囲に対する軽蔑の念を抱きがちになる。これは避けがたい。先日、新幹線の車内でスポーツ新聞のフーゾク欄を熟読なさっているおじさんを見た。つい「いい年こいて何だコイツ。せめてウチで読めよ」と思ってしまう（あくまでも思うだけ）。で、**そう思わない人間になりたいかと言えば、そうでもない**。

知識や良い趣味を身につけようとすると、ちょっとばかり人が悪くなるかもしれない。そうでない人に対する蔑みを心に抱くようになるかも、ということだ。われわれはそういう弱さをもっている。さりとて、無知を嘲笑《あざわら》い、無理解を憎み、悪趣味をバカにするといった「悪徳」を避けようとするあまりに、自ら知の世界から遠ざかろうとしないでほしい。これが、私がキミたちにお願いしたいことなんだ。**過度の倫理的潔癖さは反知性主義の餌食になりやすい**(18)。

しかも、無知、無理解、悪趣味への軽蔑って、悪いばかりじゃない。これらは、「自分はみんなの知らないことを知ったぞ。ふふん」とか、「周囲には理解できない良さが自分にはわかるようになったぞ。むふふ」という**プライドの裏返しだ**。で、こういう自負心は、われわれが自分を向上させ、知の世界に接近するのにおそらく不可欠なモティベーションでもある。

先日『高慢と偏見とゾンビ』という映画を勧められ、観てみようと思った。そうして気がついたのだが、そもそも元ネタの『高慢と偏見』を読んだことがなかった。[19] というわけで、恥ずかしながら初めて読んでみた。そして後悔した。もっと早く読んでおけばよかった。抜群におもしろいじゃないの。

主人公のエリザベスにダーシーがこんなことを言う。

> 虚栄はたしかに弱さですね。しかし自負は、真に卓越した資質の持ち主なら、つねに統御できるものでしょう。(小尾芙佐訳、光文社古典新訳文庫。本書の表記に合わせ訳文を変えた)

これを聞いてエリザベスはおもわず笑っちゃう。ダーシーは登場した瞬間からずっと、周囲に対する軽蔑をまったく隠すことなく振る舞っていたからね。あんたぜんぜん統御できてないじゃん、バレバレよ、というわけだ。

それにしても、このセリフはなかなか含蓄がある。自負やその裏返しの他者への軽蔑を抱かずにいることは難しい。ならば、**大事なのはそれをコントロールすることだ**。第一に、軽蔑を他人に向ける以上に自分自身に向ければよい。無知なのに知った気になっていた（これも虚栄の一つだ）**過去の自分に**向けるのだ。第二に、**自分の自負心と同様に仲間の自負心も尊重すればよい**。そうすると、学びあう共同体ができる。「えー、お前こんなことも知らないの。教えてやるよ」。「そっかー。お前物知りだなあ」。で自負心満足。これを攻守ところを変えて互いにやりっこする共同体だ。キミは自分の知らないことを教えてくれた仲間に素直に感謝できるか？ 感謝してくれる仲間をもっているか？

トップエリートのための教養？

というわけで、話を無駄にややこしくした感もなきにしもあらずだが、前章にキミが感じたかもしれない反発の一つには応えることができたのではないだろうか。今度は、逆に変な風に賛同されても困るので、ひとこと述べておこう。こんな風に思った人はいないだろうか。

なるほど豊かな知識は大切ですよね。特に日本の文化についての知識は欠かせません。海外に出たり、海外からゲストを招いたとき、自国の伝統文化について語れないと相手にされませんからね……。

これって一つの典型的な教養擁護論だ。『哲学しててもいいですか？』（ナカニシヤ出版）の著者、三谷尚澄の巧みな表現を借りればこうなる。

ビジネスにおいても政治においても、世界のトップ・エリートたちと対等につきあっていくためには人文的教養が必須であり、国のリーダーとなるべき人材における教養の不足は国の経済的・政治的不利益に直結する。わが国においても、政財界におけるかつてのリーダーたちがみな教養人でもあったことを思い起こさなければならない。みな、プラトンやマルクスをはじめ、古典の書物を読むことで力をつけたのである――

もちろん、三谷さんはこの考えを批判するため、もしくはからかうために書いている。それにしても文体模写が上手だね。「ビジネス」にせよ「トップエリート」にせよ、いかにも**その手の人たち**が好みそうな言葉遣いがちりばめられている。「ビジネス」なんてねー、「商売」でいいのにね。先日も新聞を眺めていたら、紙面の3分の1をぶち抜いて、あるブックガイドの広告が載っていた。そこには「**日米エリートの差は教養の差だ!**」って書いてあった。

この種の教養擁護論には半分賛成で半分反対。賛成なのは、これが言っていることは、事実として正しいからだ。政財界は言うに及ばず学問の世界ですら、日本のお偉いさんたちは専門分野以外の知識がとんでもなく不足している。日の丸を背負って立つビジネスパーソンたちには、あのブックガイドを活用してぜひとも教養を身につけていただきたいものである。

流暢な英語で自分の無教養さをコミュニケート!

さらに、「実用コミュニケーション」重視の英語教育の潮流を批判する文脈でこれが言われる場合は、なおさら正しい。プラクティカルなイングリッシュがインポータントだと主張するお方が念頭に置いているのは、自分の考えを流暢な英語で相手に伝えるということらしい。
でも、問題は、その「自分の考え」なるものがショボかったらどうするの、あるいはそもそも自分の考えがなかったらどうするの、そっちの方がもっと対等にあつかってもらえなくなるかもしれんぞ、ということなんだ。教養がない人の場合、流暢なスピーキングを身につけるということは、**自分がうすっぺらな人間であることをより効率的・効果的に相手に伝える**、という結果を招くから要注意。
たとえば、私がロンドンの国際学会に参加したとしよう。パワポを英語で作って、発音練習をして、想定質問への答えも考えて、万全の態勢で臨む。結果は上々。夕方から立食パーティーだ。地元の学者たちに囲まれてとりとめのない会話をする。専門分野の話なのでスラスラ英語が出てくる。カッコイイぞ俺。ところが、話題が当地でいま評判のお芝居の話に逸れていった。何でも、シェイクスピアの『十二夜』の斬新な演出で、本来は男性のマルヴォーリオを女性という設定にして、女性が演じるという問題作なのだそうだ。その評価を巡って先生方が議論している。ついに「キミはどう思う」と聞かれてしまった。まだ観ていないだろうけど、『十二夜』の筋は知っているよね。あの執事を女性にしたらどうなると思うかね……。『十二夜』を知らなければ、ニコニコしながら退散するしかない。[20]
先の教養擁護論は、こういうことがないように教養を身につけておこうね、ということだ。まったくもってこれは正しい。**豊かな知識をもち、そして知識の豊かさで他者を値踏みする人々のグループ**は現に存在している。そこに混ざって対等に渡り合いたいなら、自分が豊かな知識をもたなければならない。英語がペラペラになれば仲間入りできるというのは大きな勘違い。

というわけで正しいんだけど、教養教育の擁護論として十分かというと、そうではない。みんながみんな、世界を舞台に活躍するぐろーばるばりばりのトップエリート（勝間和代みたいな?……イメージ貧困でスミません）になるわけではない。第一、なりたくてもそう簡単になれるもんじゃなし、そんなもん頼まれたってなりたかねえやという人もいる。リーダーに「教養」が必要だからと言って、すべての人に必要ということにはならない。三谷さんも、トップエリートレベルでの国益と直結させて国の文化水準の維持を考えることと、ごくふつうの市民として生涯をすごそうとする人間の教育の問題を論じることはまったく別だと指摘している。

賛成だ。ちょっとだけ付け加えておこう。教養人と物知りとは区別する必要がある。すでに述べたように、教養は豊かな知識プラスアルファだ。で、いまは「豊かな知識」をもつことに限って、その意義について考えている。「教養」がなぜ必要かは「プラスアルファ」がはっきりしてから考えよう。

「使い道のない知識」を増やして何の意味があるか

さて、トップエリートが世界に伍して戦うためには幅広い豊かな知識が不可欠。これはよい。では、**ふつうの市民にとって、物知りであることの意義は何か**。これは「知識は何の役に立つのか」という問いとは異なる。こっちの問いへの答えは自明だ。知識はそりゃあもういろんなことの役に立つ。生きていくのに不可欠な知識もある。フグの肝に毒があることを知らないと死ぬ。税金の納め方を知らないと多額の追徴金をとられる。近所の地理を知らないとうちに帰れなくなる。キミがどんなことをやるかに応じて、知らないと致命的な知識がいろいろある。

しかし、いま考えているのは、知っているべきことを知っていることの意義（これは明らか）ではなく、**「さしあたって使い道のないことがらをたくさん知っていることのフツウの人にとっての意義」**なのである。

じつは、答えはすでに述べてある。豊かな知識はお国のために必要なのではない。キミ自身の人生のために重要なのだ。**物知りであることは人生をより楽しくする、あるいは楽しい人生そのものである。**映画をより深く味わう、というのもその楽しみの一つだ。

えっ。たったそれだけ？　という声が聞こえてくる。でも、楽しく生きることはわれわれの究極目的ではないのか。そもそも国益増進って何のため？　人々を豊かにするためだ。なぜ豊かにするの。だって、そうすればみんな美味しいものが食べられて、買いたいものが買えるじゃない。じゃあ、どうして美味しいものを食べるの。死なない程度に栄養補給じゃだめなの？　いやいや、どうせなら美味しいものを食べた方が楽しいじゃない。出た。「**楽しみ**」ね。「ほにゃららするのは何のため」という問いを突き詰めていくと、たいてい最後には、楽しみ（幸福）が姿をあらわす。そして、ここで問いは打ち止めだ。「何のために楽しむの」という問いはナンセンスだから。それは、楽しい人生を送るのは、それ自体が価値、つまり究極目的であって、何か他の目的のための手段ではないからだ。そして、知るということは人生の楽しみにダイレクトにつながっている。

知ることと楽しみの関係は一通りではない。知識が映画や小説の楽しみを深めるということはすでに指摘した。つまり、**知識は楽しみをより大きくしてくれる**。それればかりか、**知ることそのものが楽しみでもある**。知ることにより、これまでバラバラだったことがらがきれいにつながって「世界が晴れ上がる」感じがする。あるいは、日常の当たり前だと思っていたことがらの根底に、深い秘密が潜んでいることを知って、世界がまるっきり違う仕方で見えてくる。この楽しみ（アカデミック・ハイ）は捨てがたい[21]。

定年になって暇ができたから勉強を再開したという人が少なからずいる。職業生活に役立てるためではない。退職しちゃったんだから。彼らは、知ること自体がもつ楽しみに目覚めちゃったのだ。私も研究より勉強の方が好きだということがわかってきた。成果を出すために勉強するのはつらい。純粋に知る喜びのために勉強したいもんだ。こういう人にとっては「何のために勉強するのか」という問いは「何のために幸せになるのか」と同じくらいナンセンス。

世の中には他にも楽しいことがあるから、知ることが楽しみじゃなくても一向に構わない。ただ、そこに大きな楽しみがあるのに気づかずに通り過ぎてしまうのはもったいない。それに知識という娯楽は飽きがこない。知るべきことは無限にたくさんあるから。そして、安上がりで、ギャンブルのようなリスクはなく、いつでもどこでも、牢屋の中ですら楽しめる。知ることを楽しめる人になっていると退屈知らずだ[22]。

ネット検索じゃ「知識」の代わりにならない！

知ることは人生をより楽しいものにする、ということはわかったけど、「使い道のない知識」をぜんぶ頭に入れておくことなんてできないし、だいいち、いまはネット検索の時代だから、そもそも知識を頭の中に入れておく必要はないですよね。脳内メモリに入れておくって、古い知識観じゃないすか。

ある意味でこの反論は正しい。ネット上に置いといて必要に応じて検索すればすんじゃうことは多い。しかし、ここに「必要に応じて」というフレーズが出てくることに注意だ。検索ですますことのできる知識は、特定の目的を遂行し、特定の必要を満たすために使い捨てられる知識だ。私は筍のシーズンになると、少なくとも一回は自分で茹でて食べることにしている。しかし、茹で方をいつも忘れてしまう。水から茹でるのか、沸騰したところに投入するのかとか。こういうときネット検索は便利だ。検索でひっかかった記事のとおり調理する。で、茹でたら来年まで忘れちゃう。何か別の目的のための手段にすぎない知識はデータベースに置いておけばよい。

これに対し、**楽しみと結びついた知識の働きは検索で代替できない**。というのも、楽しみは即時的な体験だからだ。楽しいことに遭遇したとき、そのときは楽しみを感じずにためておいて、寝る前に一日分をまとめて楽しもう、ってできないでしょ。そのときその場で味合わないと楽しみは消えてしまう。たとえば……。

柳家喬太郎が演じた落語『道灌《どうかん》』をＤＶＤで観ていたら、こんな「くすぐり」があった。ご隠居が八っつあんに太田道灌ってどういう人かを説明しているくだりだ。

隠：あるときこの道灌公が御家来と連れ立って、山中に狩競にお出かけになったんだな。
八：あーそりゃてえへんだ。殿様だねさすがね。酒池肉林だ。ねー、この、奴隷なんか侍《はべ》らして……食っちゃあ寝、もー色んなことを……。
隠：……それは「カリギュラ」だな。なぜそういうことだけは知ってんのかな。不思議な男だな。

狩競（かりくら）とカリギュラを引っ掛けた駄洒落だが、ご隠居の諦念に満ちた口調と、長屋での会話にいきなりローマ皇帝の名前が出てくる意外性が相俟《あいま》って、客席はドッと沸いていた。でもこれって、カリギュラを知らないと面白くもなんともないよね。笑えなかった人もいたはずだ。それだけではない。**その笑えなかった人が、あとで検索してカリギュラって何かを知ったとしても、もう笑えない**。うちに帰ってから、スマホで検索して「そういうことだったか、ムハハハ」ってやってる人がいたら、かなり気持ち悪いぞ。

ネット検索ってじつはゆっくりした検索方法じゃないだろうか。少なくとも、「思い出す」ということに比べればはるかに時間がかかる。というわけで、リアルタイムに楽しむということに関しては、知識を自分の頭の中に入れておくことはまだ重要なのである。

第4章

教養イコール「知識プラスアルファ」のアルファって何じゃ、と考えてみる

教養は知識を超えたものであるらしい、とみんなわかってる

幅広く豊かな知識は教養に不可欠だ、そして知識は人生を楽しくする、という話をしてきた。でも一方で、単に知識をたんまりもっているだけでは教養には足りない。**私だけがそう思ってるんじゃない**。講義の中で、1年生にアンケートをとってみたことがある。「教養のあるひと」というのはどんなひとでしょう、という問いに、自由に答えを書いてもらった。その回答をまとめて整理すると、こんな具合になった。総数は約80名。重複あり。

豊富な知識・学識をもつ	43
常識・モラル・礼儀をわきまえて判断できる	40
場をわきまえた判断・振る舞いができる	16

幅広い関心をもち多様な視点でものを考えられる　15
知識を行動・問題解決に応用できる　9

知識は教養の重要な条件だとしつつも、それ以外の要件をあげている。おっ、こやつら、なかなかいい線いってるじゃん、と思ったのだった。「単なるトリビア的知識ではない」とわざわざ書いてくれた学生もいた。そのとおり。では、**教養とトリビアを隔てるものは何だろう**。この問いを考えよう。その際のヒントは二つだ。われわれが漠然と抱いている教養のイメージ、そして古今のエラい人たちが教養について語ってきたことがら（つまり教養論）。これらをまとめあげる形で教養にできるかぎり明晰な定義を与えることを目指そう。

と言いつつまた映画の話に脱線するのを許して！

ローランド・エメリッヒをご存知か。地球製のフロッピーディスクが異星人のコンピュータのドライブにきっちり収まるシーンで失笑を買った『インデペンデンス・デイ』、評判最悪だったハリウッド版『ゴジラ』、「マヤ暦の予言」ブームに便乗した『２０１２』と、目も眩むような珍作・愚作を矢継ぎ早に生み出す、私の大好きな監督だ。そのエメリッヒが２００４年に製作・公開した映画に『デイ・アフター・トゥモロー』がある。こんなあらすじ。

地球温暖化による海流の変化が逆に氷河期を引き起こす可能性に、気象学者のジャック・ホールは警鐘を鳴らし続けていた。しかし誰からも相手にされない。ところが、ある日全世界を異常気象が襲う。東京は巨大な雹《ひょう》、ロサンゼルスは竜巻、ニューヨークは豪雨と高潮に見舞われる。折悪しく、ジャックの息子サムは高校生クイズ大会に参加するためにニューヨークに来ていた。マンハッタンを突如襲った高潮から逃れるため、サムは友だちと一緒に公立図書館に避難する。ホッとしたのも束の間、雨が止むと今度は気温が急降下し始めた。ジャックの予測通り地球は氷河期に突入し始めたのだ。電話で助言を求めたサムに、ジャックは図書館から一歩も出るなと言い渡し、ワシントンＤＣから息子たちの救出に向かう……。

原題は「The day after tomorrow」、つまり「あさって」だ。環境破壊し放題でも、明日は大丈夫かもしれん。しかし、あさってはわからんぞ……、というメッセージが込められている。明日とあさっての間にわれわれの想像力の限界が横たわっている。

とにかく見どころてんこ盛りの映画なんだ、これが。異常気象を描いたＣＧの迫力、人類の愚行への告発、政治と科学の対立、高校生の友情と成長、学者たちの気高い自己犠牲、父と息子の反目と和解……ゲップが出ますな。どれもイマイチだけど、これだけいろいろあればどれかはお気に召すでしょう、みたいな映画だ。おせっかいだが、その見どころにもう一つ付け加えよう。**この映画は一種の教養論としても観ることができる。**

話の都合上、サムとジャックが離れ離れになる必要があるわけだが、なぜそれがよりによって「クイズ大会」なの？　サムをＮＹに行かせるだけなら、もっとメジャーな行事でもよさそうなものだ。バスケットボール大会とかブラスバンド大会とか。そして、なぜ図書館に逃げ込むのか。近くにグランドセントラルステーションもあるし、金ピカで悪趣味なトランプタワーだってあるぞ。

「映画には偶然はない」説をとるなら、クイズ大会と図書館という設定も、考え抜かれて選ばれているはずだ。サムと同級生たちはクイズ部の部員である。だから知識はやたらとある。何せ「ピサロに殺されたインカ帝国の皇帝は?・」みたいな問題に「アタワルパ」(知らなかったろう。私もだ)とビシッと正解できるような連中だ。彼らは教養の必要条件である「幅広い豊かな知識」を満たしている。しかし、**サムたちはまだ教養人ではない。**

教養人代表としての「おじさん」

何が欠けているのだろう。それを考えるヒントは「おじさん」との対比にある。おじさんは端役である。トータルで1分くらいしか登場しない。役名もさだかではないので「おじさん」と呼んでおく。でも、すごく重要なセリフを言う。サムはジャックの助言どおり、図書館にとどまって救助を待とうと提案するが、大多数の人たちは、逃げるならいまのうちとばかり吹雪の中に出て行ってしまう(そして案の定、全員死ぬ)。このとき、サムの言葉に耳を傾けて図書館に残るわずかな人々の一人が、このおじさんなのである。

おじさんがフィーチャーされる第一のシーン。図書館組は凍死を避けるために本を燃やすことにする。おじさんは図書館の常連で相当の本好きのようだ。図書館に残ったのは、どうせ死ぬなら本と一緒に、と思ったからかも。当然、燃やすなんてとんでもないと反対するが、じゃあ凍え死ぬ?　というサムの問いかけに、ためらいながらも燃やすことに同意する。で、本を暖炉に運ぶことになるわけだが……。ここで、おじさんと若い女性（この人も名前がないので、「おねえさん」と呼んどこう）との会話が挿入される。

おじ：（おねえさんが手に取った本を目ざとく見つけて）フリードリッヒ・ニーチェ？ニーチェを燃やすなんてとんでもない。19世紀でいちばん重要な思想家だぞ。
おね：カンベンしてよ。ニーチェなんて、妹に恋した差別主義者《ショーヴィニスト》のブタじゃないの。
おじ：差別主義者のブタなんかであるものか。
おね：でも妹に惚れてたってのは本当でしょ。

おねえさん、気風《きっぷ》がいいねえ。こちらも相当な読書好きで、しかもフェミニストのご様子。で、このシーンのちょっと後に、おじさんの第二の出番がやってくる。本がパチパチ燃えている暖炉のそばで、人々がうたた寝をしている。おじさんは一冊の大きな本をしっかと抱え込んでいる。

おね：それ何？
おじ：グーテンベルク聖書。稀覯書《きこうしょ》の部屋にあった。
おね：神様が救ってくれるとでも？
おじ：いや。私は神を信じてはいない。

おね：それにしちゃ、ずいぶんしっかりしがみついてるじゃない。
おじ：私はね、これを守っているんだよ。この聖書は初めての印刷された書物だ。だから
　これは、理性の時代の夜明けを象徴している。私に言わせれば、書き言葉は人類の最も
　偉大な発明だからね。笑ったっていいが、もし西洋文明が滅びようとしているのなら、
　私はそのひとかけらを残したいんだ。

聖書に守ってもらいたくてしがみついているのではなく、**私が聖書を守っているんだ……**。カッコイイと思わない？　さて、おじさんも図書好きで知識が豊富、サムたちも物知り。「人類初の印刷された書物は何でしょう」と尋ねたら、たちどころに「ピポーン。グーテンベルク聖書！」と答えてくれるだろう。しかしおじさんは、知識を増やすことだけを自己目的化したクイズオタクではない。サムたちがまだもっていない何かをおじさんはもっている。それこそ教養の「プラスアルファ」部分だ。それは何か。

教養の〈知識を超えた部分〉を明確にしよう

第二のエピソードで自ら告白しているように、おじさんは無神論者である。しかも、キリスト教を徹底批判したニーチェがお好みのようだ。だけど、西洋文明が滅ぼうとしているときに一冊だけ残す書物としては、ニーチェではなくグーテンベルク聖書を選んだ。これはいったいなぜだろう。

自分の好みを、より大きな価値に照らして相対化すべし！

自分の好みで選択したのではないからだ。自分の好みを超越した「価値あるものの基準」がこの世にはある。おじさんは、好みじゃないものについても、自分を超えた価値に照らして判断できる。

というわけで、教養にはどうやら「**自分をより大きな価値の尺度に照らして相対化できること**」が含まれるようだ。もう少し敷衍《ふえん》しよう。まず逆に、自分を相対化できない、というのはどういうことかを考えてみる。ようするにこれは、自分がすべての判断の基準になるということだ。何事も、自分が好きか嫌いか、自分が理解できるかできないかで決める。こういう人は「生理的にダメ」とかすぐ言う。めちゃくちゃ頭の悪い表現だ。自分の好みが果たして正当なものかどうか、より大きな尺度に沿って吟味することができないからそうなる。でもそういう人に限って、「私は自分の判断基準をしっかり持っている」と思い込んでいるから余計に始末が悪い。

教養ある人は違う。自分が特別だとは思っていないし、自分を超えた人類の知的遺産によって自分の幸せと生存が可能になっているということを知っている。何より、**この世には自分を超えた価値の尺度があるということがわかっている**。だから、教養ある人は決してみんなも自分と同じものが好きなはずだと決めてかからない。かといって逆に「人好き好きだよね」といって判断停止することもない。自分の好みを自分を超えた価値に照らして評価し、好みじゃないものを選択することができる。私だって、後世にただ一本の映画を残せと言われたら、さすがにエメリッヒ作品は選ばない。好きだけど。

教養と常識

学生さんもこの辺のことはうっすらわかっている。「多様な視点」といった要件を求めていることからも、それがうかがわれる。また、「常識をわきまえて云々」という回答も、自己の相対化と関係している。なぜなら、**「常識」というのは、自分の好みを超えた価値尺度のうちもっとも身近なもの**だからだ。辞書を引くと、用例として「ことの善悪／道理／礼儀／場所柄」などがわきまえるべき常識として挙がっている。これらはすべて個人の好みを超えている。それをわきまえているということは、超越的な判断基準が存在するのを知っていて、それに従って自分の振る舞いを統御できるということだ。

このように書いてくるとツッコミを受けそう。……ということは、教養をもつためには、なんでも社会の慣習に従え、空気を読んでみんなと同じようにしてろ、ってこと？……そうじゃない。自分を相対化する、というのは、たんに自分の好みや欲求を、それを超えた価値に照らして吟味するということに留まらない。自分がたまたま身につけた価値観や、自分の身の回りで「常識」として通用しているものを、**さらに高次の価値に照らして批判的に吟味**するということも含まれている。

デートのときは男性が女性に奢るべしという「常識」があるとする。これに対し、ある男が、ぜったい割り勘じゃなきゃダメと主張する。お金を出したくないという自分の都合で言っているなら、そりゃただのケチだ。しかし、別の仕方でこの常識に挑戦することもある。両性の平等だとか、そういうもっと高次の普遍的価値に基づいて、「男が奢るという常識は、女性を隷属的立場において、男が女の自由を束縛していた時代の名残だからやめましょう」という選択もあるわけだ。**その結果生じる振る舞いはケチ男と同じ**だが、中身はずいぶん違う。

というわけで、「自分をより大きな価値の尺度に照らして相対化する」というのは、たんに多数派の命じるままに生きるということではない。常識がより普遍的で高次の価値に反しないかぎりにおいて、それを尊重し自分の好みや欲求に優先させる、ということだ。

「プラスアルファ」の第二の要素

本を燃やすなんて耐えられない。私も本好きなのでその気持ちはよくわかる。人間なんていくらでもいるけど、ここにある本は一冊きり。それを燃やすくらいならみんなで死のうぜ、など口走ってしまいそうだ。[23] でも、自分だけならともかく、人生半ばの若者たちにそれを強いることはできない。おじさんは、サムに言い返されてあっさり態度を変える。おじさんは自分の意見に固執しない。

これが教養の〈知識を超えた部分〉の第二の要素だ。つまり、教養は、自分を超えた価値に照らして必要とあらば自分を変えていこうとする心のゆとりを含む。こういう心のゆとりを「闊達《かったつ》さ」とも言う。がんらい「闊達」とは、心が大きく些事《さじ》にこだわらないことを意味するが、ここではコミュニケーションの場面に限って用いることにしよう。つまり、闊達さとは、**相手の論が正しければ、いつでも自分の方を変えますよ**、という余裕のある態度のことだ。[24]

これに関していつも思い出すのが、哲学者の鷲田清一《きよかず》さんが指摘した、ディベート（討論）とダイアローグ（対話）の区別だ。何かの講演で聞いたような気がするのだが、どの機会だったのか忘れてしまった。でも内容はよく覚えている。鷲田さんによると、両者はまったく異なるコミュニケーションのあり方だ。ディベートは、ある論題について、一方が賛成、他方が反対の立場をとって議論しあい、説得力ある論証を展開できた方が勝ちになる。ディベートでは考えを変えると負けだ。でも、ダイアローグでは、**やる前と後とで自分の考えが変わらなかったら、やった意味がない**。変われなかったら「負け」なのである。

どっちが優れたコミュニケーションということはない。どっちもできた方がよい。でも、どんな議論をやってもディベートになってしまう人っているんだよね。こういう人は、勝ち負けに異常にこだわる。そのため、話し合って解決策や妥協点を見つけることができない。反論されると、それを取り入れて自分の考えを変更することができないから（そういうことをしたら「負け」と思うらしい）、反論に反論しようとしてどんどん変なことを言い出す。こうして議論は台無しになる。ミーティングは時間のムダになる。これに対して、教養ある人は闊達な議論ができる。だから反論されることを怖がらない。むしろ、反論の中から学ぶべき点を取り出して、自分の考えを修正していける。

以上の二つのプラスアルファ、つまり自己相対化と闊達さは、知識内容、つまり何を知っているかということではない。むしろ、「**生き方のスタンス**」あるいは「**人生への態度**」と呼んだ方がいいだろう。では、教養ある人とたんなる物知りとでは、知識そのもののあり方に違いはないのだろうか。次にこの点について考えよう。

クイズ的知識と教養はどう違うか

おじさんもサムたちも、最古の印刷本がグーテンベルク聖書であるという知識をもっている。では、その知識断片の「所持のされ方」はどうだろう。違いはないだろうか。これに関連して、フランス思想研究者の内田樹《たつる》さんが面白いことを言っている。

> 雑学的情報は「一問一答」形式で管理されている。
> 「タイ・カップの生涯打率は？」「三割六分七厘」。（中略）
> 「雑学」とは一問一答的に設定された問いに「正解」を与える能力のことである。

しかし、「教養」はそれとは違う。「教養」のある人はトリヴィア・クイズにも強いので「雑学」者と混同されるけれど、両者はまったく別のものだ。

教養は情報ではない。

教養とはかたちのある情報単位の集積のことではなく、カテゴリーもクラスも重要度もまったく異にする情報単位のあいだの関係性を発見する力である。

雑学は「すでに知っていること」を取り出すことしかできない。教養とは「まだ知らないこと」へフライングする能力のことである。（内田樹『知に働けば蔵が建つ』文春文庫）

まさに、クイズ的知識（雑学的情報）と教養との違いについて語られている。内田樹という人はうまい言い回しの名人で、言い古されたことでも、彼の手にかかるとハタと膝を打つ表現が与えられる。とはいえ、膝を打ったあとでよくよく考えると、なんだか誤魔化されたような気もするわけで。……野暮を承知で私なりに言い換える。

クイズ的知識は知識断片がただ雑然と集積されているだけ。だから一問一答にしか使えない。サムたちの本の燃やし方にそれは現れている。彼らは手当たり次第に燃やそうとする。つまり、どの本（＝知識）も等価なのである。

これに対して、教養のためには、**知識が全体として構造化されていなければいけない**。まず、カテゴリーに分類され、それぞれに重要度が割り振られている必要がある。教養ある人はいろいろ知っているが、何が重要な知識で何がそれほどでもないかの判断込みで知っている。グー

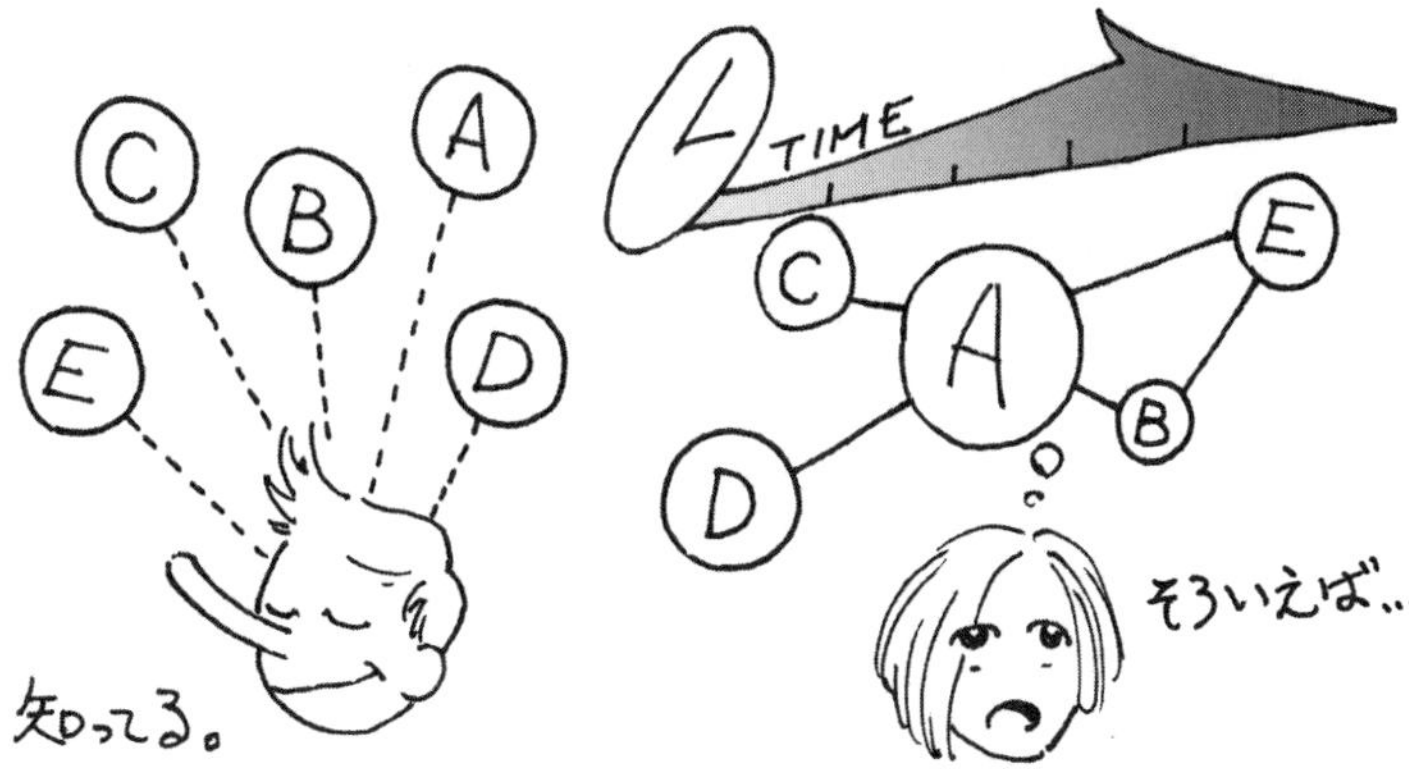

知的断片の集積

知識が構造化され、巨大な座標系に位置づけられている

「クイズ的知識」と「教養」とのちがい

テンベルク聖書についての知識は、ウルトラ怪獣についての知識よりも大事だ、というようなことだね。そうすると、燃やしていい本と守るべき本の違いも判断できる。

その上で、カテゴリーと重要度を飛び越えて知識と知識が結びつき、ネットワークになっていること（関係性）が必要だ。ここでは「そういえば」がキーワードになる。日本の電機メーカーはちょびちょび投資を繰り返し引き際を見誤って存続の危機に陥った、という記事を読んだとする。「**ん？　そういえば**、どこかで聞いた話と似ているな。そうだ、第二次大戦の日本軍の戦い方だ」。

このような**類比**によりカテゴリーの違う知識同士が「関係性」をもつようになる。そうすると、両者にはもっと似た点がないか、他に似た事例はないか、戦略ミスの共通原因は何か、逆に両者の決定的な違いはあるか、あるとしたら何か等々、いくらでも「まだ知らないことがあること」を知ることができる。探求が促される。こうして、関係づけられた知識体系は、新しい知識を要求し自己増殖する。というわけで、教養には幅広く豊かな知識が必要だが、その知識が**全体としてある種の構造をもっていること**も必要なのである。

知識を大きな座標系に位置づけると

さらに、知識の全体構造という点に関してもう一つ言っておくべきことがある。おじさんは、グーテンベルク聖書を守ることを選んだ。それができたのは、自分は何をなすべきかを西洋文明の全歴史というかなり大きなスケールで考えたからだ。いま起きようとしていることは、高校生にとっては「自分たちの生命の危機」なのだが、おじさんにとっては「書き言葉の発明によって開花した西洋文明の滅亡」でもある。

ここにもう一つの教養の要件を見て取ることができる。つまり、教養には**知識が時間的にも空間的にも巨大な座標系に位置づけられていること**が必要だ。これも、内田さんがうまいこと表現してくれているので、悔しいけど引用しよう。

「教養」の深浅は、自分の「立ち位置」を知るときに、どれくらい「大きな地図帳」を想像できるかによって計測される。

「教養のない人」というのは、「自分が何者で、どこに位置しており、どこへ向かって進んでいるか」を考えるときに、住んでいるマンションの間取り図のようなものしか思いつかない人のことである。「教養がある人」というのは、世界史地図のような分厚い本を思い浮かべて、そのどのあたりの時代のどのあたりの地域に「自分」を位置づけたらいいんだろう（中略）と考えられる人のことである。（内田樹『子どもは判ってくれない』文春文庫）

ボストン茶会事件はいつ？　という問いに、「ピポーン。1773年。**異な波**をよく見りゃ茶箱が浮いている、って覚えるといいよ」って答えられるのに、この事件がアメリカ独立に至る道のりの中でどういう意義をもったのかとか、それもひっくるめてアメリカの独立が大英帝国の世界支配にどういう影響をもたらしたのかとか、それらが現代の世界にどんなふうにつながっているのかとか、一方そのころ日本では、イスラム圏では、中国、アフリカでは何をやってたのかとか、そういうことに答えられないなら、**相当おかしなことじゃないかな**。われわれがよりよく生きていくために、よりよい世の中を考えるために重要なのは、どっちの問いに答えることだろう、と考えてみてほしい(25)。

こういうビッグな問いを考えることができるためには、ボストン茶会事件ができるかぎり大きな座標系に位置づけられている必要がある。というわけで、キミの座標系（脳内世界史地図）はマンションの間取りサイズ？　それとももっと大きい？

宇宙ができたのは、地球ができたのは、Homo sapiens が現れたのはいつごろ？　17世紀にはどんな重大事件があった？　イスラム教が始まったのは何世紀？　地球の直径は、太陽までの距離は、いちばん近い恒星までの距離はどれくらい？シベリア鉄道でウラジオストクからモスクワまでロシアを横断するとどのくらいかかると思う？[26]

第5章

「読書の意義は何だろう」ということを教養の観点から考え直してみる

前章では『デイ・アフター・トゥモロー』（んもう!! ザをとるな、ザを！「あさって」じゃなくなっちゃうじゃんか）を題材に、教養の「知識を超えた部分」について考えた。これは**焚書《ふんしょ》映画史上第2位**の傑作である。「焚書映画」というのは、ずばり本を燃やす映画のこと。いま私が勝手に命名した。

では、焚書映画界の最高峰は何か。何と言っても1966年の仏英合作映画『華氏451』にとどめを刺す。原作はレイ・ブラッドベリ、監督はフランソワ・トリュフォー。この映画を題材に、本章では**教養と本を読むことの関係**について考えてみよう。教養人と読書人はしばしば同一視される。でも、なんで本を読むことと教養とが結びつけられているのか。本を読むと物知りになれるからか？　もちろんそれもあるが、それだけではない、ということを明らかにして、教養イコール「知識プラスアルファ」の「アルファ」をさらに探っていこうという寸法だ。

禁じられた読書

『華氏451』はSFだ。設定は、製作当時から見た近未来の全体主義社会。そこでは書物を所有することも読むことも禁じられている。どの家庭にも巨大な双方向テレビが備えつけられていて、人々はそれを眺めながら暮らしている。

読書を禁じる理由は映画の中で明快に語られる。「**われわれはみな似たようでなければならない。万人が同じになる。これがただ一つの幸福への道だ**」。あるいは「考える隙を与えるな。幸せでいられる」。本を読むとものを考えるようになる。余計なことを考えるようになると、悩みが増えて不幸になる。それだけではない。政府の言うことを疑ってかかるようになったり、**自分はみんなとは違う**と考えるようになったりする。こういう連中は、支配《コントロール》しにくくてかなわん。いわゆる「愚民政策」ね。

それでも読書の喜びを捨てがたく、本を隠し持っている人たちがいる。こうした人々は反社会分子として弾圧される。隣人、ときには家族に密告され、当局にバレてしまうと、さっそく「ファイアマン」と呼ばれる男たちが真っ赤な車に乗って駆けつけてくる。消防士ではない。焚書官だ。容疑者の家を捜索し、隠されていた書物を押収して火炎放射器で焼却するのが仕事だ。わざわざ隣近所の人々が見ている場所に本を積み上げて。見せしめだ。

「華氏」というのは温度の単位で、華氏451°Fは摂氏でいうと233℃。紙の発火点、つまり本に火がつく温度だ。本が燃えるシーンは美しい。火が本にとりつくと、まずは表紙がくるくるとめくれあがり、それから一ページずつ炎が本を包んでいく。まるで火が本を読んでいるように。

主人公は、職務熱心な焚書官モンターグである。彼はキャプテンのお気に入りで、近々昇進の予定だ。ある日、ひょんなことから押収した本を自宅に持ち帰って読んでしまう。それをきっかけに読書の虜になる。出動するたびに本をちょろまかしてきては、夜ごと読書にふけるモンターグ。一方で、焚書への疑問は膨らんでいく。

この秘密の読書は、ついに妻リンダの知るところになる。リンダは夫の変化についていけない。悩んだあげく、ついに彼女は当局に密告してしまう。ちょうどそのとき、モンターグは焚書の仕事をやめようと決意を固めている。彼は最後の仕事に出動するが、それはなんと自分の家の捜索だった。モンターグは、渋々命令に従い、秘密のコレクションを自ら焼却処分するはめになる。しかし、懐に隠していた最後の一冊を見つけられ焼却を命じられたモンターグは、抵抗するうち、本を取り上げたキャプテンに向かって火炎放射器の引き金を引いてしまう。焼け死ぬキャプテン。殺人犯として指名手配され逃走するモンターグ。

逃亡の果てに、モンターグを匿ってくれる人々が現れる。廃止された鉄道の終点に小さなコミューンをつくってひっそり暮らしている人たちだ。彼らは「**ブックピープル**」と呼ばれている。本を隠し持っていても、いずれ摘発され燃やされてしまう。そこで彼らは、究極の隠し場所を見つけた。つまり、記憶の中だ。ブックピープルは、一冊の本をまるごと暗記する。覚えてしまったら本は処分する。そして、年をとって自分がもう長くないと悟ったときには、覚えた書物の内容を子どもや孫に口移しで伝える。ようするに、自ら一冊の本になることで、知的遺産のリレーを絶やさないようにするという生き方を選択した人々だ。

そのコミューンで、モンタージュはさまざまな「書物」に紹介される。プラトンの『国家』は若い女性、『不思議の国のアリス』は若い男。原作者ブラッドベリの『火星年代記』もいる。マキャベリの『君主論』は、デブでハゲの風采のあがらないおっさんだ。よれよれのコートを着て、靴下にはご丁寧に穴まであいている。君主論とこの風体とのギャップにモンタージュが目を白黒させていると、『君主論』氏は、「きみ、本をカバーで判断してはいけないよ」と釘をさす。オースティンの『高慢と偏見』は一卵性の双子だ。それぞれ上巻と下巻だというのだが、周囲は一人を高慢、一人を偏見と呼んでいる。[27] いいなあ、こういうギャグ。

映画は、モンタージュが自分もブックピープルになろうと決心したところで終わる。雪の降り始めた湖畔で、本を暗唱する人々が行き交っている。英語、フランス語、日本語、さまざまな言語が交錯する。その中に、最後まで守り抜いた『エドガー・アラン・ポー短編集』を必死に暗記しているモンタージュがいる。美しいエンディングだ。

読書を知ることで生まれ変わる

この映画を最初に観たのはいつか思い出せない。きっと中学生の頃だろう。今に至るまで数え切れないほど見てきた。そのたびに新しい発見があるし、ラストで必ず泣く。この原稿を書くために見直してまた泣いた。……それにしてもモンターグはよい本になれてよかったね。私がブックピープルになるとして、『失楽園』（ミルトンのじゃない方）になりたまえと言われたら悩むだろうなあ。

見所の一つは、モンターグが生まれて初めて本を読むシーン。真夜中にリンダが寝ついたのを見計らって読み始めるのは、チャールズ・ディケンズの『デイヴィッド・コパフィールド』だ。ところが本を読んだことがないから、**読み方がわからない**。第一、黙読ができない。なので、最初のページから、指で一行ずつたどりながら声に出して読んでいく。タイトル、著者名、出版社名、出版社の住所まで。発音も怪しい。「simultaneously」をシムルテニアスリと読んだり。

『デイヴィッド・コパフィールド』は次のように始まる。

> 第一章　ぼくは生まれる
>
> ぼくが、自分の人生のヒーローってことに果たしてなれるのか、それともヒーローの座は別の人間に明け渡してしまうのか、それはこの本を読めば、おのずとお分かりだろう。人生の振り出しを、まず出生から始めるなら、ぼくはある金曜日の夜、十二時に生まれた（中略）と書き記しておくことにしよう。（石塚裕子訳、岩波文庫）

読んでいる本の内容が、見事にモンターグ自身に重ねられているのがわかる。デイヴィッド・コパフィールドは金曜日の真夜中に生まれる。モンターグが生まれて初めて本を読んでいるのも、おそらく一週間の勤務が終わった金曜日の真夜中だ[28]。モンターグも、金曜日の晩にもう一度新たに生まれ直そうとしている。

もう一冊、モンターグが盗む本がフィーチャーされる場面がある。キャプテンの隙を狙って、また本を一冊失敬し、それをライバルの同僚に見られてしまうシーンだ。その本は、ドイツのカスパー・ハウザー（1812〜1833）の伝記である。カスパーは孤児で、16歳頃に保護されるまで、生まれてからずっと座敷牢に閉じ込められていた。いわゆる「野生児」だ。救出されたのち、言葉を教えられ、徐々に人間性を取り戻し、自分の過去について語り始めたが、全貌が明らかにならないうちに何者かに殺されてしまった。これも、言葉（書き言葉）を覚えることによって、人間として生まれ変わるモンターグにふさわしい本でしょ。

というわけで、モンターグは読書を知ることによって生まれ変わる。勤務日くんをやめて自分の人生の主役になろうとしている。と言うより、はじめて「自分の人生」と呼べるものをもとうとしている。「万人が同じになること」が幸福とされているこの社会では、**自分の人生は他のどの人の人生とも交換可能なものでなければならない**。それが理想なのだから。逆に「自分の人生」をもとうとすること自体が社会に対する反逆とみなされる。

リンダも「生まれ変わる」のだけど……

これは、映画で描かれるもう一つの「生まれ変わり」と好対照をなしている。リンダは、一日中双方向テレビとお話をしているか、お友だちを招いてホームパーティーをしている（パーティーでもみんなでテレビを見るんだけどね。やることないから）。これじゃ虚しくなるのも当然だ。この社会ではみんな心の底に根本的な満たされなさを抱えている。そうすると、薬物に手を出す。リンダも過剰摂取のために昏睡状態になってしまう。

こういう人は多いみたいだ。その証拠に、警察（?）になんと中毒課（poisoning section）という部署がある。電話を受けると、ビニールの白衣を着た作業員たちが駆けつけて、慣れた手つきで患者の血液を全とっかえする（blood job と言っている）。血液を入れ替えると、悩みを一切忘れてスッキリ生まれ変わる。「奥さんは新品同様になりますぜ She'll be as good as new.」ってわけ。究極のデトックス。

しかしこれは、実のところ「新しい人」になるのではない。相変わらず同じ型の新品になるだけだ。これに対して、モンターグの体験した生まれ変わりはちょいと違う。**本を読まない人と読む人は全く異なった種類の人間**なのだ。

横につながるか縦につながるか、それが問題だ

この違いを、「**横につながる人**」と「**縦につながる人**」と表現してみよう。リンダは孤独だ。だから、やたらお友だちと群れたがる。仕事もしていないし、一人でいるのも耐え難いので、おうちに友だちを招いておしゃべりをする。できるだけ自分と同じような人（同じ立場で、同じレベルで、同じ趣味の……自分と交換可能な人）とつながろうとする「横につながる人」だ。

「読書」とは過去の人々とつながる営みである

一方、生まれ変わったモンタークは、「一冊一冊の本の背後には人間がいる。それがおもしろい」と言う。読書を通じて、モンタークは人間と出会っている。ただし、それは「いまここ」にはいない種類の人間だ。よく言われることだが、読書は過去の人々（＝死者たち）との対話である。こうして、モンタークは「縦につながる」人になる。

悲しいかな、本の背後にいる人間との出会いがもつ面白さに目覚めてしまったモンタークは、最愛の妻だったはずのリンダに対する関心を失っていく。パーティーに集った「奥様方」に対する軽蔑も抑えられなくなる。「君たちは生きているんじゃない。時間を潰しているだけだ」とモンタークは言い放ち、本を朗読して聞かせる。その朗読は、初めての読書のたどたどしさと打って変わって雄弁になっている。不安な表情で聞いていた奥様の一人が、感極まって泣き出してしまう。リンダたちはモンタージュを非難する。「**何て残酷なことをするの**（sheer cruelty）」。この社会では、ひとの魂を揺さぶる本は、心の平安を乱す暴力の手段とみなされている。モンタージュの朗読は彼女たちへの攻撃と受け取られてしまう。

本は危険、だから魅力的

たしかに**読書には恐いところがある**。われわれの自我を破壊するかもしれないから。と同時に、**本はわれわれを誘惑する**。幼い自我が壊れたあとに、われわれは新しい人に生まれ変われるかもしれないから。しかし、この「生まれ変わり」は、モンタージュの暮らす社会では堕落なのである。

これを見事に表しているのは、私が勝手に「りんご男」と呼んでいる登場人物だ。映画は、アパートの一室の捜査シーンから始まる。この家の住人がりんご男だ。焚書官の到着直前に仲間からの電話を受けて、辛くも逃げおおせるのだが、そのとき、なぜかりんごを齧《かじ》っている。ラストの湖畔のシーンでも、この男はブックピープルの一員として再びちらっと映る。このときもりんごを齧っている。禁断の知恵の実（本のメタファー）に誘惑され、それを食べてしまったために堕落して、楽園から追放された男、ということだね。ただし、この場合は楽園といっても**愚者の楽園**なわけだが。

すごいわキャプテン

読書の誘惑と危険性。皮肉なことに、このことを最もよくわかっているのは、焚書官の大先輩であるキャプテンだ。以前から目をつけていた民家を捜査すると、案の定、隠し部屋に大量の本が蓄えられている。存在が噂されていた「秘密図書館」を見つけたのだ。

このときのキャプテンのはしゃぎっぷりはものすごい。「モンターグ、**これが全部われわれのものだぞ！**」と叫び、夢中で本がいかに有害であるかをモンターグに説く。曰く、小説は存在しない人物の話。哲学書が言ってることはただ一つ「自分だけが正しくてあとはみんな白痴」。伝記は死者についての話。自伝は虚栄を満たす道具……。キャプテンは喜色満面で、書棚から次々と本を取り出しては饒舌に解説を加えていく。「ロビンソン・クルーソーがあるぞ。おっ、ニーチェだ」……このシーンはとても興味深い。

というのも、**キャプテンはえらく本に詳しいのである**。読んでなければ、これほど見事に解説できないはず。ということは、おそらくキャプテンは、本の禁じられる前の時代を知っている第一世代だ。本の魅力も魔力も知りぬいている。これに対して、モンターグは禁書後の第二世代。最初から本を知らない。キャプテンはモンターグに本の**危険性**を伝えようとして、思わず本の**魅力**について語ってしまっているのだ。

それも無理はない。本の危険性と魅力は同じコインの両面だからだ。キャプテンは本のどういうところが危険だと考えているのだろう。一つは、いまここにいない人（虚構存在と死者）とつながってしまうこと。もう一つは、自分は他の人とは違うと考えるようになる（自分だけが正しい、虚栄）ということだ。

ところが、このことこそ、本を愛する人にとっては何よりも重要なことなのだ。周りの「いまここ」にいる人々と同化するのではなく、過去や非現実と直接つながることによって、**自分をかけがえのない存在、つまり周りの誰とも取り替えのきかない存在へと自己形成する。そのための手段が読書**なのである。

このちょっと前のシーン。焚書官たちが駆けつけると、秘密図書館の番人である白髪のおばさんが、次の引用を口にしながら玄関ホールに現れる。

> リドリー司教よ、男らしく振る舞おう。神の恵みにより、今日われわれはイングランドに蠟燭《ろうそく》の炎をともそうではないか。二度と消えることのない蠟燭と信じて。

押収された大量の本が積み上げられる。おばさんは本の山から離れようとしない。すると、キャプテンは彼女に「何が望みだ。殉教か？」と言う。すごいわ、キャプテン。おばさんが唱えていたのは、英国国教会の司教ヒュー・ラティマーが、カトリック女王のメアリ1世に弾圧され、火あぶりの刑に処せられるとき（1555年）に、一緒に処刑されたニコラス・リドリーに語ったとされる言葉だ。[29] **キャプテンは、おばさんの言葉の出典を知っている！** 知っているから、おばさんが本とともに燃えて死ぬ覚悟なのを見抜いたわけだ。

とうとうおばさんは、手にしたマッチを擦って、彼女が信仰する「本」とともに自ら焼け死んでしまう。ラティマー司教には同士リドリーがいたが、おばさんは一人で死んだ。……ように見えるが、そうではない。おばさんの相棒はじつはキャプテンである。あとのシーンでキャプテンも、本とともにモンタージュに焼かれて死ぬ（事故だけど）。二人とも本と心中するわけだ。おばさんとキャプテンは似た者同士、本をよく読み、それらを愛している（いた）。ただし、おばさんはストレートな愛を示すのに対し、キャプテンは逆転し歪んだ愛を語る。まるで、かつて自分を虜にした恋人に復讐しているかのようだ。愛書狂と嫌書狂は紙一重だね。

読書と情報収集の違い

という具合に、大好きなこの映画について語り出すとキリがない。本来の主題に戻ろう。教養のある人、あるいはそれを目指そうとしている人にとって、読書とは何か。まず、彼らにとって、**読書は単なる情報収集ではない**。世界のトップエリートやらと対等にパーティートークできるように何でも知っておかねば、という動機ではないんだね。教養ある人は、「いまここ」にいない人々、つまり過去の人々、地の果ての人々、虚構の人々と時空を超えてダイアローグするために読む。そしてモンタージュのように、「それがおもしろい」ので読む。

情報収集のためなら、本は一回読めば用済みになる。それどころか、そもそも本である必要もないだろう。データベースで十分だ。しかし、ダイアローグを楽しむためだったら、同じ本を繰り返して読むことがありうる。それができるのは、読むたびに読み手がちょっとずつ変わっていくからだ。二度目に読む自分は最初に読む自分とは違っている。だから何度でも楽しめる。大げさに言えば、**ダイアローグとしての読書は、つねに少しだけ新しい自分に生まれ変わるために行われる。**

「生まれ変わり」を受け入れることができるためには、自分は他者に少々影響されても大丈夫、それは他者に屈服することではない、という**闊達さ**が必要だ。これに対して、リンダたちを支配しているのは「影響を受けることへの恐れ」とでもいうべきものだ。モンタークの朗読に思わず「影響を受けて」しまったお友だちを見て、奥様方はパニックになる。

「読む」を絶やさないために読む

教養ある人は読書を通じて縦につながる。この「縦につながる」にはもう一つの意味がある。人類の文化遺産を継承するリレーの担い手になるという意味だ。物体としての本を残すだけなら、酸化防止剤と一緒にパックして冷暗所に置いとけばよい（かな）。でも、これでは文化遺産としての本を継承したことにはならない。並行して「本を読む」という行為・習慣と、それを楽しむ人々の存在も継承される必要がある。

ブックピープルは、継承される文化遺産（つまり本）であると同時に、それを継承していくための仕掛け＝装置でもある。彼らは自分が生き残ることによって、「読むことreading」と「読まれるものreadings」とを同時に保存しているわけだ。幸いわれわれの社会には焚書官はいないので[30]、本を読むという行為をどう継承保存すればよいのかに心を砕けばよい。手っ取り早いのは、自分が本を読むことだ。そうすれば、少なくともキミが生きている間はこの世に

「読む」が残る。教養ある人はこのことがわかっている。彼らが本を読むとき、**この世から「読む」を絶やさないために読んでいる**という側面もある。

マイルドなブックピープルとしてわれわれにできることはたくさんある。本を買う。そうすれば出版業が生き残る。**読まなくても買う**。そうすりゃ子どもが読むかもしれない。図書館や地域の文庫にお金を寄付する。少なくとも図書館に税金が使われるのに文句を言わない。自分の子どもに読書習慣を身につけさせる。少なくとも、本なんか読むなと言わない（こういうことを言う親は実は結構いる）。読み聞かせのボランティアをする。日本図書館協会の「図書館の自由に関する宣言」を読む、などなど。

おばさんは、自分たちの灯した蠟燭は二度と消えることがないと言った。消えないのはなぜだろう。永遠に燃え続ける奇跡の蠟燭だからではない。おばさんの蠟燭が消える前に、次の人の蠟燭に、そしてその人の蠟燭が消える前に、また次の人の蠟燭へと、**理性の焰がリレーされていく**からである。

第6章

われわれは何に向かってわれわれを教養するのか

教養イコール豊かな知識プラスアルファ、の「アルファ」って何ですか、ということを探っているわけだが、これまでに取り出すことのできた要素をまとめておこう。第一の要素は、その豊かな知識が**どのような仕方でもたれているのか**（**構造化**されていることと、**大きな座標系**に位置づけられていること）だった。第二の要素は、自分を基準にものを考えることをしない「**自己相対化**」、他者に影響されることを恐れず、柔軟に自己を変えることができる「**闊達さ**」だ。こちらは「**自分自身に対する**態度ないし姿勢」と名づけることができそう。本章では、これら二つの要素ではまだすくいとることのできない、教養の大事な側面に注目しよう。

教養はプロセスでもある

これまでに取り出した要素は、教養のある人が身につけている知識のあり方や、特徴的な態度だったりした。ようするに、あるプロセスの**結果として身についた資質**に注目していたわけだ。でも、「教養」という言葉は、そういうものを身につける**過程**も意味している。それもそのはずで、明治時代まで、この言葉は「教養する」という具合に動詞として用いるのが普通だったのである。「親は子を教養する」みたいに。「おしえそだてる」という意味だ。

一方、ドイツ語では教養のことを「Bildung」と言う。これは「bilden」という動詞の名詞形だ（英語で言うとing形ね）。「bilden」は英語の「build」に相当する。だから「Bildung」は「building」に当たる。なので、構造物をつくりあげるプロセス（建設）も意味するし、その結果できあがった構造物じたい（建物）も意味する。教養とは、形づくることであり、その結果として形づくられたものでもある。教養した結果できあがるもの、それはしばしば「人格」とも呼ばれる。だから、教養と人格形成はいつも結びつけて語られる。たとえば、科学史家の村上陽一郎も『あらためて教養とは』（新潮文庫）という著作の中で、次のように述べている。

でも私は、教養にはもう一つ、決定的に大きな要素が含まれている、と確信しています。それは、自らを立てることに必要なのが教養だと思うのです。（中略）「揺るがない自分を造り上げる」という意味です。

ちなみに、村上の考える第一の要素は「豊かな知識」ね。

ドイツ文学の歴史には、「Bildungsroman（ビルドゥングスロマン）」と呼ばれるジャンルがある。「ロマン」というのは長い小説のこと。で、これが「教養小説」と訳される。読むと教養が身につく小説のことかなと思っちゃうが、そうではない。若い主人公がいろいろ経験して人格を形成していく小説だ。18世紀末にゲーテが書いた『ヴィルヘルム・マイスターの修業時代』に始まるとされている。

リッチな家庭に生まれた主人公のヴィルヘルムは、まずは演劇を目指すが、女優に振られたと思い込んでみたり、放浪の旅に出たり、いろいろな体験をして（もうほんとにいろんなことが起こるんだ）、悩んだり、苦しんだり、目覚めたりした挙句、演劇の夢を捨てて理想社会の建設を目指す秘密結社の一員になる、みたいな話。すみません、うろ覚えです。ようするに、「**いろいろあって大人になりました**」と要約できる長〜い小説ということだね。教養に至るプロセス（人格形成）は、波乱万丈で、しかも長いというのが相場になっている。(31)

教養はプロセスでもある。さてそうすると、いくつか疑問が湧いてくる。まず、「**教養する**」**のは誰**？　そして「**教養して**」**つくりあげるべき**「**人格**」**って何**？　つまり何をつくりあげるのが教養するってことなの？　疑問だ。これに答えることを通じて、教養の第3要素を明らかにしていこう。

わたしを「教養する」のは誰？

この問いへの答えはご想像のとおり。最初は家庭、次に学校と書物（だから現在と過去の教師たち)、そして**最終的には自分自身**だ。この、自分自身で自分を教養する、というところが教養のキモだね。じゃ、自分自身を教養するプロセスで大事なことは何か。そもそも、どうやりゃいいのか。村上陽一郎は、さっきの引用に続けて、こんなことを言っている。

自分に対して則《のり》を課し、その則の下で行動できるだけの力をつける、(後略)

村上はこの「則」を「規矩《きく》」と言い換える。これは馴染みの薄い言葉かもしれない。元来「規」はコンパス、「矩」はものさしを意味する字で、ようするに、「自分の行動を規制する規準、お手本」といったところ。そしてさらに村上は、

特別の教育を受けたわけでもない人たちでも、自分の中にきちんとした規矩を持っていて、そこからはみ出したことはしないぞという生き方のできる人こそが、最も原理的な意味で教養のある人と言えるのではないか――

と述べている。このベーシックな意味での教養に、教養にふつう期待される「豊かな知識」などの要素を加えることで、教養の全体像を描こうとするわけだ。

この規矩なるものは、最初は外部からあてがわれるかもしれないが、途中からは、自分で定めて自分に課すものになる。そのことによって、われわれは自分自身を教養することになる。

規矩は外部ルールからマイルールになる。

村上本では、末尾に付録として、著者が自分に課している規矩を列挙している。そんなものを書き記すのは本来とっても恥ずかしいことであり、教養に反するんだが、と悶えながら……。題して「教養のためのしてはならない百箇条」。これを眺めていると面白いことに気づく。「流行語を使わない」「大袈裟な表現は使わない」など言葉遣いにかかわるものが12項目もある。かと思うと、「御飯をフォークの背に乗せて食べない」「スープを音を立ててすすらない」などという、いわゆるテーブルマナーに関わるものも多い。

面白いのは、どの項目も非常に具体的で細かい**振る舞い**についてのものだということ（トリビアルと言いたくなるほど）、そして、「**してはならない**百箇条」なので当然と言えば当然だが、べからず集になっていることだ。

わたしを「教養する」のは誰？

己れを教養するときに自らに課す「規矩」が、非常に瑣末な振る舞いを縛る禁則の集まりになっている。これには深い意味がある。

われわれは、「教養する」というプロセスを通じて、自分の人格をつくりあげる途上にいるのだった。このプロセスをダニエル・デネットという哲学者は、自己の「再プログラミング」と呼んだ。[32] われわれは、生まれてきたときは、ほとんど親から受け継いだ遺伝子のみによってプログラムされている。しかし、成長の過程で、自分の行動を統御するプログラムは徐々に書き換えられ、最終的には自分で自分のプログラムを書き換えることができるようになる（もちろん、ある程度だけど）。しかし、コンピュータと違って、プログラムのソースコードを直接に書き換えることはできない。だから、出力（つまり振る舞い）をその都度調整することによって、逆にプログラムに影響を与えるほかはない。

親は子どもにそれを施している。「躾《しつけ》」というやつね。躾は、細かな禁止命令の集まりだ。「お口にものを入れて喋ってはいけません」「おもちゃを放り投げてはいけません」……。子どもがある振る舞いをすると、親は「メッ」と禁止する。それがフィードバックされて、子どもは再プログラミングされる。

自分の人格を「教養する」のも、この延長線上にある。欲求のままに行為しそうになるその都度、自分で自分に禁令を発して、いわば自分をしつける。そのためのルールが、ここで言う「規矩」なのである。だから、**規矩は禁止の形をとり、しかも、きわめて具体的な振る舞いを禁止するものになる**というわけだ。このようにして自分をしつけていると、教養は文字どおり「身についた」ものになる。スープを音を立ててすすろうとしても、口や喉が拒否してすすれなくなっている。こんな具合に、振る舞いとして体に染み込んだ教養は、習慣（ハビトゥス）としての教養と呼ばれたりもする。

規矩が自分に対する躾なのだとすると、「百箇条の規矩」は、**自分がうかうかしているとやってしまいそうなことがら**を禁じている、ということになる。誰も、自分が最初から絶対にしそうにないこと、そもそもできないことをわざわざ禁じたりしない。ということは、自分の規矩を明示するということは、私はひょっとしたらこういうことをしてしまうかもしれない人間です（だから禁じています）と恥を忍んで告白することに他ならないわけで……。村上先生の捨て身の読者サービスに頭がさがる。

「教養して」つくりあげるべき「人格」って何

二番目の問いに話を進めよう。「教養する」ということは、自分で自分を作っていくことなのだが、そこでは**どんな自分が目指されることになるのだろうか**。

次のように言い換えてもよい。われわれは自らに規矩を課して人格を形成する。そのときに課すマイルールは、どんなものでもよい、ということはなさそうだ。うかうかすると情にほだされてしまいがちな金貸しが、「借金の取り立ての際に、言い訳に耳を傾けてはならない」というルールを自らに課して、鬼のような借金取りに自らを形成した、ということはあってもおかしくない。だけど、彼は教養ある人になったとは言えない。どこが違うのだろうか。

この問題を考えてみよう。この問いを考えると、いままで背景に隠れていた**教養の社会的な次元**があらわになってくる。

と言いつつ、またまた脱線する。ぜひ『ひょっこりひょうたん島』の話をしておきたいんだ。これは、1964年から69年までテレビ放映された、ミュージカル仕立ての人形劇である。幼稚園年長組の4月から小学5年生になるまで、5年間にわたって平日は欠かさず見ていた。原作は井上ひさしと山元護久という豪華メンバー(33)。

ひょうたん島は、はじめ本土とくっついていた。小学生たちがサンデー先生に引率されて遠足に来ていたちょうどそのとき、噴火が原因で、ひょうたん島は彼らを乗せたまま大海原を漂流しはじめてしまう。そこに、海賊（トラヒゲ）だの、ギャング（ダンディさん）だの、サギ師っぽい自称政治家（ドン・ガバチョ）などが途中から加わり、いろんな事件が起こるという設定だ。

このシリーズで、テーマソングを除きおそらく最も歌われたのではないかと思う曲が「勉強なさい」（作詞は井上・山元、作曲は宇野誠一郎）だ。サンデー先生は、子どもたちを教育せねばという使命感に燃えている。ところが、彼らはなかなか言うことを聞かない。すぐにサボり始め、それどころか、サンデー先生になぜ勉強しなければならないのかという問いを突きつける。歌詞を引用しよう。

勉強なさい　勉強なさい　大人は子どもに命令するよ　勉強なさい　偉くなるために　お金持ちになるために　あ～あ～あ～あ　そんなの聞き飽きた

これは教師にとってキツイ問いだ。ひょうたん島で偉くなったってしょうがない。お金持ちになっても意味がない。漂流するひょうたん島では、そういった実利的な目的はナンセンスだ。子どもたちは、そのことをわかってサンデー先生に挑戦している。**世俗的成功という目的が意味をなさないひょうたん島で、教育の究極目標は何ですか**？

子ども心に、サンデー先生が偉いなと思ったのは、彼女がこの問いに真正面から答えようとしているところだ。彼女は次のように歌い継ぐ。

いいえ　賢くなるためよ　男らしい男…　女らしい女…　人間らしい人間…　そうよ　人間になるために　さあ　勉強なさい

これが、サンデー先生が到達した「教育の究極目標」だ。考えてみると**怖い歌じゃないだろうか**。勉強の目的が「人間になること」だとするなら、勉強しない奴は人間じゃない、ということだから。勉強できない奴は人間未満ですよなんて、いまテレビで発言したらタイヘンなことになるだろう。でも、こんな歌が毎日のように放送され、私たちは熱狂していたんだ。ヘンな時代。

教育の究極目標は人間らしさの維持

サンデー先生は「人間になる」ということで何を意味しようとしたのだろう。このことを考えると思い浮かぶのは、似た設定のもう一つのお話、1954年に英国の小説家ウィリアム・ゴールディングが発表した『蠅の王』である。(34)

未来のいつかに起こった戦争のさなか、疎開地へ向かう飛行機が墜落し、子どもたちだけで無人島に置き去りにされる。はじめは協力し合って生き延びようとしていた子どもたちだが、対立が深まり、いさかいを続けているうちに、次第に抑圧されていた内なるケダモノが目覚めてしまい、ついには殺し合いが始まる。子どもたちは「人間でなくなる」わけだ。これはすごくイヤーな話ですよ。

ひょうたん島と『蝿の王』の違いは何か。子どもたちを教養してくれる先生がいるかいないかだ。孤島は人間を社会から隔離するとどうなるかをシミュレートする思考実験の格好の舞台だが、『蝿の王』は教育抜き、ひょうたん島は教育つき、という初期条件の違いがある。ひょうたん島には、子どもと大人しかいない。青年はいないし、老人もいない。たった二世代がいるだけ（だからひょうたん島の人口ピラミッドは極端なひょうたん型をしている）。しかも、大人は海賊、ギャング、サギ師とお手本にならない連中ばかり。その中で、サンデー先生だけがフツーの大人だ。こうした極端な状況を設定することで、『ひょうたん島』は、世俗的成功（お金、社会的地位）という夾雑物を取り去った、教育のギリギリの目的を示してくれる。それはつまり、**世代を超えた人間社会（人間らしさ）の維持**だ。

１９６４年に小学校教師を務めているサンデー先生は、おそらく戦中派だ。戦争と敗戦直後の悲惨な経験をもっている。人間はちょっと気をぬくとケダモノに戻ることをよく知っている。だから、**彼女はつねに教師であらざるをえない**。彼女以外に子どもたちを「教養する」ことのできる大人はいないからだ。日曜日も休むことのできない先生。だから「サンデー」と名づけられているんだろう。

こうして、まず一つ答えが出た。サンデー先生が「人間」と呼んだものは、端的に言って、ひょうたん島の共同体をケダモノの群れに退行させることのない者のことだ。言い換えれば、「**社会の担い手**」であり、「**道徳の主体**」である。つまり、社会をできるかぎり多くの成員にとって道徳的に望ましい状態に保ち、自らの行動も道徳に沿うように律することのできる存在。これが、「教養して」つくりあげるべき人格の正体だ。

教養のないテメエラは人間じゃネエ

教養についてのさまざまな語りを見ていると、しばしば「無教養非人間説」的な言い回しに出会ってギョッとする。「勉強なさい」は例外ではないのだ。非常に穏やかな語り口で知られる村上陽一郎ですら、

私にとって教養という言葉の持っているぎりぎりのものは、人間としてのモラルです。教養という言葉を揶揄《やゆ》するときの常套句《じょうとうく》に「理性と教養が邪魔をして」というのがありますね。でも、慎みを忘れそうになったときに、「理性」と「教養」とが邪魔をしてくれなければ、それは人間じゃない、とさえ言えるのです。（前掲書）

なんて書いている。「慎みを忘れそうになったとき」なんて、それこそ慎み深い言い方をしているが、ようするにそれは、『蝿の王』の子どもたちみたいにケダモノに戻りそうになったとき、ということだ。理性と教養が「邪魔」をしてくれているのは、うかうかしてるとケダモ

ノに退行してしまいがちなわれわれの傾向性なのである。

自分を教養することの到達点が「道徳の主体」であるという考えは、よく見られる。学生さん対象の「教養ある人ってどんな人」アンケートの結果でも、「常識・モラル・礼儀をわきまえて判断できる」は上位に位置していた。また、英文学者の斎藤兆史《よしふみ》も、教養の構成要素として、豊かな知識、知的技術、バランス感覚を挙げた後で、

そして最後に、もっとも重要なものとして、やはり私は古典的な倫理を、「人格」の理念を、そしてその核となる「善」を挙げたい。人として善良であること、あるいは、倉田百三《ひゃくぞう》の言葉を借りれば、つねに「善くなろうとする祈り」を心に持っていることを教養の到達点と考えたいのである。(『教養の力』集英社新書)

と、善なるものへの志向性を挙げている。

というわけで、自分にマイルールを課して人格を形成する際に、どんなルールでもよいわけではない理由がわかっただろう。教養人としての人格形成にあたって、自分に課すべき規矩は、社会を倫理的にも美的にもよりよい状態にし、自分の行動の道徳性を高める、という**普遍的な価値となんらかの仕方で結びついているもの**でなければならない。

社会の中でこそ教養は育つ

教養はたしかに一人ひとりが備える資質なのだけど、その目指すところは社会の担い手になることにある。だから、資質の一種としてみた場合、教養には、社会の担い手であるために必要な能力と、自分は他者と共に生きる社会の一員だという自覚が含まれることになるだろう。この点を強調する教養論は多い。

たとえば、ドイツ史の泰斗、阿部謹也《きんや》に『「教養」とは何か』（講談社現代新書）という著作がある。これはとても奇妙な本だ。タイトルに相違して、この本ではほとんど「教養とは何か」が論じられない。論じられているのは、もっぱら「世間」とは何かということだ。それでも、教養とは何かの答えを探して読んでいくと、次のように教養が特徴づけられているのに出会う。

> 「自分が社会の中でどのような位置にあり、社会のためになにができるかを知っている状態、あるいはそれを知ろうと努力している状況」を「教養」があるというのである。（傍点は引用者）

また、かつて編書房のウェブサイト「斎藤美奈子&永江朗《あきら》の「甘い本辛い本」」での対談で、永江朗は次のような発言をしていた。

> たとえばクルマ雑誌『ＥＮＧＩＮＥ』の鈴木正文編集長は、「教養がない」という形容を、社会のなかにおける自分のポジションが見えていない人について使うんですよ。たとえば運転マナーの悪い人、タバコのポイ捨てなんかをしてしまう人。自分の行為が社会に及ぼす影響を想像できない人々です。彼らには他人が見えていない。つまり近代的自我がないということですね。（傍点は引用者）

「**社会の中での位置《ポジション》**」ねえ。西洋史家と雑誌の編集長、ずいぶん違うバックグラウンドをもつ二人だが、言っていることはすごくよく似ている。というわけで、教養には、自分を社会の担い手とみなし、社会で共存している他者との関係のうちに自分を位置づけるということが含まれる。そうすると逆に、教養は社会の中で他者との出会いを通じて育まれるということになるはずだ。じっさい阿部謹也はこんなことも言っている。

> 一人の人間がどのように努力しても完全な教養人になることは不可能なのである。彼は他の人々の中でのみ教養人たりうるのであって、集団的教養の中でのみ教養人になれるのである。（前掲書）

以上が「**教養の社会的な次元**」と呼んだものの正体だ。すると、教養とは何かという問いへの答えは、われわれがどんな社会に暮らしているか（あるいはどんな社会を目指すのか）によって異なってくるかもしれない。

鈴木編集長は、教養のない人を「**近代的自我**」を形成するのに失敗した人とみなしている。ということは、近代社会を前提に教養を語っていることになる。これに対し、阿部謹也は近代社会成立以前の社会（それを「世間」と呼んでいる）も念頭に置いて教養を論じようとしている。

というわけで、教養の概念を分析しようというわれわれの試みは、いよいよ最後の仕上げに近づいた。つまり、われわれが暮らす近代社会、あるいは近代以後の社会において教養の中身は何かをはっきりさせ、それらをまとめあげて、教養の定義を完成させることだ。

第7章

教養とは何かの定義を完成させるぜ！

教養が目指す「人間」って社会の担い手のことだ

サンデー先生も村上陽一郎先生も、教養は人間であるために必要と言っていた。一方で、永江朗さんは、タバコをポイ捨てするような奴は教養のない奴で、それはつまるところ「近代的自我」のない奴だと言っていた。ポイ捨てがピンとこないなら、人ごみでキャリーバッグを後ろにデレーンと引っ張ってる奴でもいいし、「金払ってんだかんね、権利だからね」とばかりに後ろに声をかけずにいきなりリクライニングを倒す奴でもいいや。とにかく、自分が他者と共存しているということが意識に上らない奴らね。それくらいで前近代人呼ばわりはきびしすぎるんではないの、と思わないでもないが。でも、ここで言う「**人間**」とか「**近代的自我**」って何だろう。

前回考えたことを総合すると、ここで「人間」と呼ばれているのは、**社会の担い手**、ようするに社会を存続させ（野蛮に後退させないで、ということ）、できればもうちょっと良いものにして、次の世代に手渡すという面倒な作業に携わろうって存在だ。そして「近代的自我」というのは、この存続させるべき社会って**近代市民社会**のことだよねという前提のもとに、その担い手であるために必要な態度・能力・知識等々の一切合財をまとまった仕方で備えている「ひとのあり方」の理想形を指す。で、この「近代市民社会の担い手であるために必要な態度・能力・知識等々」が、われわれにとっての教養だということになる。

『デイ・アフター・トゥモロー』を論じたとき、「おじさん」を持ち上げるあまりに、クイズ部の高校生たちにいくぶん辛い評価を与えてしまった。彼らの名誉のために訂正しておこう。サムたち高校生は、図書館に逃げ込み、そこに留まることを提案したことで、わずか10人たらずとはいえ、残った**人々の生存に責任を負う立場**に身を置いてしまう。つまり、彼らは小さな共同体の担い手になるわけだ。そして、その共同体を存続させるために、彼らの豊かな知識を役立てようとする。人々のために知識を使うことを通じて、彼らの雑学は教養になり、彼らは大人になる。この映画は、もともと見どころてんこ盛りなんだけど、さらにはサムたちのビルドゥングスロマンでもあったわけ。げっぷ。

ところで、ピーター・パーカーくんも勉強がよくできる秀才だ。教授たちも一目置いている。でも、夜になるとスパイダーマンとして悪と戦う毎日。昼間の授業中は眠くてたまらん。だんだん学業がおろそかになるピーターに、天才科学者オットー・オクタビアス博士は、「知性は特権（privilege）ではない。それは、恵み（gift）なのだ。きみはそれを人類のために使うんだ」と言って聞かせる。[35]

残念ながら、**知性はすべての人のものではない**。遺伝や環境といったさまざまな偶然に恵まれたおかげで知性に秀でた者がいるかと思えば、そうでない者もいる。だからこそ、知性を、自分で手に入れた「他人に差をつけて有利な立場に立つためのもの」と考えてはならない。知性は限られた者に外部（典型的には神）から与えられた「他人のために使うべき贈り物」とみなすべきなんだ。……泣けるなあ。

ところが、こう言ってピーターに発破《はっぱ》をかけた博士自身が、実験の失敗で妻と名誉をいっぺんに失い、失意のあまり悪の化身ドクター・オクトパスに堕してしまう。よけいに泣ける。

お前は娯楽映画を引き合いに出すことしかできんのか、と言われそうなので、教養論の古典からも引用しておこう。マシュー・アーノルドも『教養と無秩序《アナーキー》』（1869年）の中で、教養のこうした社会的側面を強調している。[36]

> 隣人への愛、自ら動いて人を助け善行を施したいという衝動、人類の過ちを取り除き、混乱を一掃し、人間の惨めさを減らしたいという欲求、この世を最初に意識したときよりもっとよく、もっと幸せなものにしたいという崇高な望み、つまり、すぐれて社会的と呼ばれるような諸々の動機、こうしたすべてを教養の基盤の一部、しかも他に抜きん出た主要部分とみなす見解がある。（訳と傍点は引用者）

近代市民社会と教養

さてそれでは近代市民社会って何だ。乱暴を百も承知で言えば、メンバー全員の利害に関わる問題を、利害関係を持つものなら誰もが参加できる話し合いによって解決・意思決定しようとする社会、ということになるだろうか。この話し合いのための空間は「公共圏（public sphere)」と呼ばれる。

近代初期には公共圏はサロンという形で始まった。議会、ジャーナリズム、自治会、父母会、PTA、パブリックコメント、公聴会、こういったものが公共圏だ。そして、公共圏に参加して、「さあ、われわれはどうしようか」の議論（最近は「民主的熟議」と呼ぶのが流行り）に加わるための能力が教養である。

これまでに教養の必要条件としてあぶり出した、豊かな知識、知識の体系性、大きな座標系、自己相対化、闊達さ、社会の担い手であり道徳の主体であることの自覚等々はすべて、**公共圏における話し合いに参加して、よりよい解決策をみんなで考え出したり、より望ましい社会のあり方を決めるのに必要な素養・能力**に他ならない。

ところで、「みんなで話し合って何とかしよう」は必ずしもいつもうまくいくわけではない。効率的なやり方でもない。いいところがあるとすれば、失敗したときの立ち直りと修正が早いということだろうか。

たとえば、ワンマンなリーダーが「黙って俺についてこい」方式で何かをやって失敗したとする。そうすると、そのリーダーは責任逃れをしようとしてもっと被害を拡大したり、失敗の原因がわからなくなったり（隠すから）、リーダーを血祭りにあげて溜飲を下げようとして混乱が生じたりする。

「みんなで話し合って決めよう」方式のよいところは、**失敗の責任が分散する**ところにある。失敗は「われわれの失敗」になり、失敗したねえ、困ったねえ、じゃ、次はどうしようかという具合に話が進む。ま、実際はスケープゴート探しが始まったりしてそんなにうまくいかないんだが、少なくとも理想的にはそうだ。

ひょうたん島が本土から離れてしまったとき、サンデー先生は、生徒を早く避難させておけばよかったと後悔して「くすんくすん」と泣いている。それを見た生徒たちは、「そんなこと言ったってしょうがないよ」「それに先生は神様じゃない」「それより問題はこれからどうするかよ」「これからどうしたらよいかみんなで考えようよ」と言う。**この子たちってすごくないすか**？　何とも近代市民性を身につけた小学生だねえ。

話し合いで決めようじゃないか、はベストではないかもしれんが基本的にはよいやり方だ、と考えられている。社会全体のことも小さな集団のこともできるだけそういうやり方で行きましょう、という理念あるいは思い込み（イデオロギー）が建前にせよ広く行き渡った社会、それが近代社会だとここでは考えておく。

ひょうたん島は小さいながらも近代社会である。海賊のトラヒゲもギャングのダンディーも武器を持っている。それを使えば島の支配者になることは簡単だ（あとは女性と子どもしかいない）。だが、彼らはその武器を使って権力を奪取しようとはしない。アウトローなのだから、

どうしたらいいか
みんなで考えようよ。
くすん
くすん…
それに先生は
神様じゃない。

これが「近代的市民」だ！

そもそも社会に関心はない。権力にご執心なのは自称「政治家」のドン・ガバチョだけだ。面白いことにガバチョは、それをあくまでも言論を通してやろうとする。ガバチョは初めて登場したときから、ずっと演説している。そもそも彼はテレビ（メディア）から飛び出して島に現れたというSFちっくな設定になっていて、端《はな》っから公的言説の人なのである。ただし、薄っぺらな。

ハリウッド映画を見ると、「みんなのことはみんなで話し合い」理念がいかに重視されているかがわかる。強迫観念といってもよいくらいだ。難題が降りかかると、主人公たちは必ずと言っていいほど議論を始める。問答無用と思われているギャングだってそうする。クエンティン・タランティーノの『レザボア・ドッグス』では、宝石強盗を企んで失敗するギャングたちが、とにかく最初から最後までずっと議論をしている。まずは、食堂でウェイトレスにチップを払うか払わないかについて口論。次に、メンバーのそれぞれにどう暗号名をつけるかで一悶着。襲撃に失敗し逃げ込んだ倉庫でも、腹を撃たれて虫の息の仲間を放っておいて、これからどうすべきかを延々と議論している。**熟議民主主義の教科書のような映画だ。**

公共圏・私有圏・親密圏

というわけで、「教養」して作りあげるべきなのは「近代的自我」であり、それが備えるべき資質はまず第一に、公共圏における熟議に参加して社会的意思決定に参画するための諸々の能力だ、というところまで話が進んだ。ところが、哲学者の清水真木は『これが「教養」だ』（新潮新書）という本の中で、教養には、さらに**公共圏と私生活圏との折り合いをつけるスキル**が含まれるという趣旨のことを述べている。

たしかに公共圏は、お金持ちが自宅を開放して知的な人々を集めて談論風発、という「サロン」から始まった、これは日常生活の一部だった。しかしその後、公共圏の規模はどんどん大きくなっていく。そうすると、公共圏は次第にふだんの生活から切り離され、独立するようになる。この過程で、後に残されたのが「**私生活圏**」だ。私生活圏はさらに、労働に関する部分たとえば職場と、家庭生活に関する部分に分かれる。前者を「**私有圏**」、後者を「**親密圏**」と呼ぶ。ようするに生活が、政治つまり公共的意思決定に関わる部分（公共圏）とそれ以外（私有圏と親密圏）とに分裂しちゃったわけだ。

近代社会では、誰もがこれら三つの「圏」にまたがって生きている。困ったことに、これらは簡単には調和してくれない。職場の都合と家庭の都合が対立するのはしょっちゅう。もっと困っちゃうのは、この三つは対立しているくせに絡み合っているということだ。共稼ぎなので子どもを保育園に預けたい。預けたいのに保育園が待機児童で溢れている。これは「問題」だ。家庭内の問題でもあるし、職場環境の問題でもあるし、国策の問題でもある。だから、保育園に子どもを預けられなかったときに「日本死ね」と言うのはある意味で正しい(37)。

三つの世界にまたがってしたたかに生きる

さて、こんな風にわれわれの生活は対立しながら依存しあう三つの圏に分裂している。だとするなら、どんな生き方が望ましいだろうか。三つの可能性がある。第一に、一つの領域ばかりを優先する。会社人間になって家庭を省みない。私生活に埋没して政治のことは無関心。逆に、公共圏に熱中するあまり、家庭も仕事も犠牲にする。こりゃどれもよくないね。17世紀のイギリスでは、コーヒーハウスに入り浸って政治談議に耽り、家庭を省みなくなった夫たちに怒った女性たちがついに立ち上がった、という体裁のパンフレット『コーヒーに反対する女たちの請願』（1674年）が現れた。本当に女性が書いたのかはわからないそうだが(38)。

第二に、もう一つの極端が考えられる。三つの圏のどこでも同じ姿勢を貫く。職場や公共圏のルールを家庭にもちこむ。家庭内も効率性と合理性を重視。子どもにも「ホウレンソウ（報告・連絡・相談）」を徹底し、なんでも家族会議を開いて決め、契約書を交わす。……こ、これは。確かに首尾一貫しているかもしれないが、**相当に窮屈な生き方だ。**しかも、しょっちゅう対立と軋轢《あつれき》を引き起こしそう。

やっぱり、極端はいけない。清水さんは、それぞれの圏にふさわしい行動に柔軟に切り替えて生きることが重要だ、と言う。私なりに敷衍してみよう。三つの領域のどれかを過度に優先することをせず、それぞれの領域でそのときそのときに出会う問題を、そのつど柔軟に解決していく。だけど、あんまりこの柔軟さを強調してしまうと、こんどは三つの圏でまるで違った人格を生きることになる。人格が分裂気味になる。外ではいい人、うちではDVみたいな。それもよくない。だから、それぞれの圏における解決の仕方を通して見ると、その人の一貫した「自分らしさ」が自然ににじみ出てくる。そんな生き方がよさそうだ。こうして、複数の領域を通してかわらない自分らしさを作りあげる一方で、**公共圏と私生活圏との折り合いをうまくつけながら、人格が分裂しないようにしつつ、それぞれの圏にふさわしい行動に切り替えて生きていくための仕掛け**を指して、清水は「教養」と呼ぶ。

清水の教養論が重要だと思うのは、村上陽一郎が「規矩」と呼んでいたような私生活上のミクロなルール設定の話と、公共圏での社会的意思決定への参加というマクロな役割の話とをうまく繋いでくれるように思うからだ。私生活で「流行語や大袈裟な表現は使わない」という規矩をもって生きている人は、公共圏に参加するときも、声高で威勢のいい政治的スローガンにうかうかと乗ることはないだろう。「電車の7人掛けのシートに6人掛け以下のような座り方をしない」というルールを自分に課している人は、自分はさまざまな必要と事情を抱えた人たちとこの社会で共存していくんだという構え、あるいは社会の資源をひとり占めするのはよくないという構えで公共圏に参加するだろう。[39]

キミたちのお仕事の未来はどうなるのだろうか

……とまあ、近代的社会の担い手つまり「近代的自我」にとっての教養とは何かを考えてきたわけだけど、こんなツッコミが入りそうだ。え、まだ近代なの？　近代《モダン》なんてとっくに終わったと思ってた。……そうだよね。「ポスト・モダン」という言葉が流行ったのですら、私が大学生の頃だもんなあ。古き佳き昭和時代のお話ですよ。

いまはどんな時代なのか。いまはまだ近代なのか。近代の次にくるものは何だ。いやそもそも近代って何だ。日本は近代になれたのか。こんなビッグな問いにちゃんと答えるのは、とても私には無理だ。宮崎駿にも無理だった。[40]それを百も承知の上で大胆に言ってしまう。

近代が生み出して、「これはいいんじゃない？」「これでいけるんじゃない？」と能天気に推し進めようとした価値と問題解決の方法、たとえば、普遍的合理性、国民国家、民主主義、科学的精神、専門家による問題解決、などなどが隠しもっていたダークな側面があらわになって、もうボロボロになりかけているんだけど、[41]さりとてそれらにとってかわるものも見つからず、**近代以前に戻るのもいやだから、やっぱりこれらを手直ししながらやっていくしかなさそうだなあ**、と呆然として佇《たたず》んでいる時代、それがわれわれの生きている時代だ。お互いツラい時代に生きているね。

本書を読んでくれている若者たちが数十年後にどんな世界で生きているのかはわからない。未来予測ってあてにならないし。とは言うものの、人工知能とロボットが高度化し、社会の隅々まで普及するのはおそらく間違いない。そうすると、「人類の生存を脅かす超知能」といった夢物語《シンギュラリティ》（むしろ悪夢）が現実化するずっと前に、もっとしょぼいレベルの人工知能の段階ですでに、少なくともキミたちの携わる「仕事」のあり方は大きく変わってしまう。仕事とは何かが変わるということは、社会とキミらの人生が変わるということだ。これはおそらく避けがたい。そしてキミたちの生きている間にほぼ確実に起こることだ。

エリック・ブリニョルフソンとアンドリュー・マカフィーの『機械との競争』（日経BP社、原著は2011年）は、人工知能の普及によって、現在、中間所得層のコアをなすホワイトカラー（事務的仕事）の雇用の大部分が失われるという予測をして物議を醸した。

さらに2013年には、オックスフォード大学のカール・フライとマイケル・オズボーンが長文の論文「雇用の未来：仕事がどの程度コンピュータ化の影響を受けやすいか」を発表した(42)。彼らは、702種類の職業について、10〜20年後に消えている可能性を見積もっている。それによると、レジ係、受付係、パラリーガル（弁護士業務の補助）、ホテルのフロント係、ウェイター、会計士、セールスマン、ツアーガイド、運転手等はなくなる確率が高いそうだ。ホワイトカラーでしょ。それから、パラリーガル、会計士、ツアーガイドねえ……、いまの大学がせっせと卒業生を売り込んでいる職種ではないですか！

逆に、とって代わられる可能性が低い職種としては、セラピストやカウンセラー、医師、教師のような「**社会的知性**」を必要とする仕事(43)、現場監督、危機管理責任者のように、ごく少ないデータにもとづいて意思決定し、その責任を担う仕事などが挙げられている。

フライとオズボーンは、それぞれの職種について、必要とされているスキルを取り出し、そのスキルが人工知能によって代替できそうかを見積もることによって、その職が消えてなくなる確率を計算している。こういう分析方法によって見えなくなることがらもありそうだ。

第一に、残るとされる職種についても、仕事の中身はずいぶん変わってしまうかもしれない。たとえば、医師の仕事のうち、診断を下すことは人工知能にとって代わられるだろうし（もはや誤診率は人工知能の方が低くなっている）、手術もいずれロボットの方が上手になる。ロボットには感染の危険がないから、お医者さんのためにも手術の機械化は望ましい。そうすると、医師の仕事に残るのは、患者を励ます感情労働と人工知能やロボットがミスを犯したときに責任をとる仕事だけになるかもしれない。そのとき、医師の仕事がいまと同じような高い社会的地位を保てるだろうか。よくわからない。

第二に、ある職業が無くなるかどうかは、スキルの機械化可能性だけで決まるわけではない。人工知能にとって代わられる可能性の最も高いものは事務仕事だが、事務の権化である官僚の仕事はちょっとやそっとではなくなりそうにない。というのも、**官僚の仕事の主な目的は、彼らの仕事を維持すること**なんじゃないかと思わせるところがあるから。

第三に、ある職業に従事する人がみんな同じレベルであるわけではない。クリエイティブな仕事、芸術とか科学研究とかは残る、とよく言われる。たしかにそうだろう。美の基準とか、芸術の定義とか、科学研究のやり方じたいを変えてしまうようなすごい仕事は人間にしかできないだろう。だけど、中途半端にクリエイティブな仕事は人工知能に奪われつつある。BGMを自動生成してくれるソフトJukedeckとか、写真の自動加工サービス・自動着色サービスなんかはもう実用化されている。短い新聞記事なら人工知能が書いてくれる。こういう低レベルのクリエイティブな仕事（デザイン、作曲、定型的文章の作成など）は、いまは人がやっているけど、いずれ人工知能にとって代わられる。残るのは、芸術の歴史を変えるような仕事だけだ。ということは、「クリエイティブな仕事」の中で選別が始まるということであって、そのような業界全体がまるごと残る、ということはありそうもない。

それでは「21世紀の教養」って何だろう

とまあ、未来のことは不確定要素が多すぎて、明確なことはなにも言えないのだが、21世紀前半のうちに、職業のあり方が大きく変わることだけは確かだろう。いまの花形職業は消えているかもしれない。現在やりがいがあり高い社会的地位に結びついた職業がそうでなくなるかもしれない。そして、消えた職業に代わって新しい職業が生まれるかもしれない。だとしても**全体として仕事の量が減ることは避けがたい**。一方で、寿命は延びる。社会全体に仕事の足りない状態が恒常的に続くなかで、どうやってそんなに長い時間を生きていきましょうか。生きる意味とか人生の価値とかを再構築しないといけなくなるかも。(44)

これがキミたちの置かれた状況だとすると、大学で「学士力」とか「社会人基礎力」を身につけさせよう、という政策がいかに馬鹿げているかがわかる。だって、これらって、**いまある社会でいまある仕事をうまくこなすための能力**だから。なので、キミたちの未来を真剣に考えてくれたものであろうはずがない。産業界側のしかもとても短期的かつ視野狭窄的な利害を考えた政策にすぎない。

同様に、大学で卒業後の就職を主目的として学ぶのも馬鹿げている。あのねキミたち、大学を卒業してから、まだ80年近く生き延びていかないといかんのよ（ご愁傷様）。その間にどれだけ職業が、世の中が、科学技術が変化するか想像してごらん。いまから80年前は、日本はまだ戦前だ。男女の平等なんて夢のような話。アメリカでは公民権運動も起きていない。奇妙なフルーツがぶら下がっていた時代だ。ＤＮＡが遺伝子の本体だなんて誰も知らない。だとしたら、キミたちがまず第一に身につけるべきなのは、もっと普遍的で、古びることのないもの、つまり教養であるべきだろう。しかも、キミたちがつくって担っていく社会がどんなものであるか（あるべきか）は誰にもわからない。わかっているのは今の社会とはものすごく変わった社会になるだろうということだけだ。

というわけで「21世紀の社会の担い手であるための素養」には、従来型の近代市民たるための教養に加えて、次のものが含まれるのではないだろうか。まず、「これまで通りにはいくとは限らない」ということを常に忘れない「**健全な懐疑主義**」、先を見通すことの困難な状況に耐えることのできる**「わからなさ」への耐性**、それでもちょっとはよい方向に世の中を進めることができると信じ、「よい方向」ってそもそも何だと疑いながらもそれを実現しようとする

「**したたかな楽天性とコミットメント**」。

第3章で紹介した『哲学してもいいですか?』の三谷尚澄も次のように述べている。

「厄介ごとを回避するスマートさ」を無条件に肯定するリスクヘッジと悟りの精神ではなく、「困ったことになったけれど、どこかに道はあるはずだ。なんとかしてみよう」。一言そう言い残しては立ち上がることのできる強靭な生活習慣を。あるいは、「ぼく、いい子にしてるんだから大丈夫ですよね?」そういった、素直ではあるけれども無根拠な中間神話への未練を断ち切り、柔軟な生き延びの戦略をみずから探し求めるたくましさを備えた思考の様式を。これからの大学教育には、そういった「これから三十年」の社会を下支えする重要な力量(中略)を身につけた人間を育成することが期待かつ要求されるのではないか。

三谷はここで言う「重要な力量」を、「**市民的器量**」と呼ぶ。それにしても「器量」というのは巧みな言葉の選択だ。たんに能力を表すだけでなく、心の大きさも表す言葉だからね。英語で言うとcaliberということになるかな。これはもともと銃の口径(太さ大きさ)から転じて人の力量を表すようになった言葉だ。

教養の定義はこれだ!

というわけで、いろいろさまよった挙句、やっとこさ教養とは何かを定義するところまでたどり着いた。はっきり言って自信作だぜ。

【定義】 われわれにとっての教養とは、「社会の担い手であることを自覚し、公共圏における議論を通じて、未来へ向けて社会を改善し存続させようとする存在」であるために必要な素養・能力（市民的器量）であり、また、己に「規矩」を課すことによってそうした素養・能力を持つ人格へと自己形成するための過程も意味する。

ここでの素養・能力には、以下のものが含まれる。①大きな座標系に位置づけられ、互いに関連づけられた豊かな知識。さりとて既存の知識を絶対視はしない健全な懐疑。②より大きな価値基準に照らして自己を相対化し、必要があれば自分の意見を変えることを厭わない闊達さ。公共圏と私生活圏のバランスをとる柔軟性。③答えの見つからない状態に対する耐性。見通しのきかない中でも、少しでもよい方向に社会を変化させることができると信じ、その方向に向かって①②を用いて努力し続けるしたたかな楽天性とコミットメント。

残念ながら、すべての人がこういう人になれるとも、なりたがるとも思えない。でも、**少数でもいいからこういう人々は人類のために必要だ。**教養教育はそういう人々の自己形成を手助けするためにある、と私は信じている。

II

教養の敵は何か、それとどう戦うべきか

現代イドラ論

第8章
教養への道は果てしなく遠い。だのになぜ歯をくいしばりキミは行くのか

『影の学問 窓の学問』にコーフンした私

第Ⅰ部では教養とは何かを**ビシッ**と定義し、なぜ教養は大事なのかに**バシッ**と明確に答えた。中学時代以来の悩みに答えが出たわけで、いやー実に爽快な気分だ。

次に考えなければいけないのは、**どうやったら教養への道を歩みだすことができるか**だ。「歩みだす」というところがミソ。なぜなら、すでに述べたように教養は自己形成のプロセスなので、これで終わりということがありえない。**教養への道は果てしなく遠い**。だからわれわれにできるのは、「こっちが教養方面かしら」という方向に向かってともかく歩み始めることだけだ。第Ⅱ部では、そのためにはどうしたらよいかを考えてみたい。順序よく考えるというのが本書のモットーなので、まずは、われわれが教養に向かって歩み始めるのを妨げているものは何かを明らかにすることから始めよう。

まずは大学生の時にいたく感激した本を紹介させてちょうだい。ダグラス・ラミスという、当時は津田塾大学で教えていた平和運動家が書いた『影の学問 窓の学問』（晶文社）だ。それはSFっぽい寓話から始まる。地球から1000年もかかる星に移住するため出発した宇宙船の話だ。かいつまんで紹介するとこんな感じ。

宇宙船は数千人が何世代にもわたって生きられるように設計された金属製の球体だ。しかし、当初の乗組員と同じ英雄的精神を子孫に期待することはできない。人々は虚無のただ中で一生を過ごすことに耐えきれず、船内の秩序は危機に瀕した。

そこで権力者たちは、真実を知る強さをもたない人々に神話を与えることにした。**宇宙船こそ全世界であり、われわれのために神が創りたもうたものなのだ**、と。「外部」という言葉は抹殺された。航行記録や修理手引書などは鍵のかかった図書室にしまいこまれ、最高位の聖職者しか見ることができなくなった。一方で、新しい宗教にしたがって書物はすべて書き換えられた。そして、こうした書物を微に入り細に入り註解する新たな学問が現れた。外部を撤廃してしまった学問である。

宇宙船にはもうひとつ立入厳禁の部屋があった。中を見たいという欲望の虜となったある若者が、鍵を盗み出して部屋に入ると、……**部屋にあったのは宇宙船でただひとつの窓だった**。窓を通して初めて外を見た若者は、自分が生まれ育った世界がすべてではなく、無限の宇宙の一部にすぎないのを覚った。「自分の世界」だと思っていたものは、虚空を飛び続ける宇宙船にすぎず、人々は嘘で固めた宗教によって真実から遠ざけられていることを知った。内部ではあらゆることが説明され、不可解なことなどありえない。「不可解」そのものの発見は若者に恐怖と同時に歓喜をも与えた。

……よくできた話だなあ。この寓話のポイントは「影の学問」と「窓の学問」との対比にある。影の学問は「**これが世界のすべてだ（外はない）。そして私は世界のありさまをよくわかっている。これ以上知るべきことはない**」という思い込みを強化し、人々を真理探求と理想追求から遠ざけ、現状肯定のまどろみの中に陥らせる。一方、窓の学問は、「世界の限界だと思っていたものの外部にも世界は広がっている。あるいは、この世界がただ一通りの世界のあり方ではない。世界はもっと異なったものになりうる。だからまだ知るべきことがいくらでもある」ということを、われわれを閉じ込めている厚い壁に窓を穿《うが》つことによって垣間見させてくれる。これによって、**現実批判の拠り所**を与え、人々の魂を解放する。

大学に入ったばかりの私は、この本を読んでそりゃもう猛烈にコーフンした。よし、いっちょ窓の学問をやったるぜ。……ほら、根が単純なものだから。この歳になって考え直すと、ちょっと違うなと思うところも出てきた。まず、影の学問と窓の学問がそれぞれ別個に存在するわけではない。影の学問は権力者の陰謀でつくられるとも限らない。むしろ、どんな学問も影になったり窓になったりする。影と窓は学問の種類というより、学問の二つの側面と言ったほうがよさそうだ。それに、権力の陰謀によらずとも、**担い手の姿勢しだいで学問は自ら影の学問に堕してしまう**。いとも簡単に（第14章を見てね）。

「窓」としての外国語

そういうお前は窓の学問をやれているのかと問われると、内心忸怩《じくじ》たるものがある。そうしたいという気持ちはあるんだけど……。なのでもっと偉い人の例を挙げてお茶を濁しておこうっと。寓話ではなく現実の例ね。加藤周一という戦後日本を代表する文学者・評論家がいた。この加藤周一が、渡辺一夫（大江健三郎の先生だった仏文学者）がなぜ戦時中に戦争批判を貫けたかについて、次のように発言している。

> しかし当然次の問題はそういう先生たちは何が支えであったのかということになりますね。それはね、そういう先生たちも、実は孤立していなかったからだと思います。
>
> 日本の中では極端な孤立ですが、しかし世界では、ことに欧米では、少なくとも知識層のなかでは圧倒的な多数派です。京都の久野収《くのおさむ》さんや、渡辺一夫先生、矢内原忠雄《やないはらただお》先生たちは、日本の外に一歩出れば自分たちの言っていることは多数意見なんだということを知っていたのです。（中略）それを知っていたのはフランス語が読めたからで、だからフランス語を習う必要があるんです。日本語だけではダメです。必要が生じたら、フランス語でもラテン語でも読めなきゃダメですよ。何を読むかは、小説がおもしろいというようなことだけではなくて、いったい日本のやっている戦争にどういう歴史的意味があるかということを考えるために大事なんですね。（加藤周一、ノーマ・フィールド、徐京植『教養の再生のために』影書房。傍点は引用者、以下同）

この発言を受けて、対談相手の徐京植《ソキョンシク》は次のように言う。

> まさにいまのお話が教養というものの本質の一側面を雄弁に語っていると思うんですね。そういう外国語ができるとか本が読めるということの他に、みずからを閉じ込めている国家とか社会とかいうものを外から見るような視点や視野を持ちうるかどうかということが、私は大事だと思うんですね。

渡辺一夫にとっての「窓」はフランス語だった。その窓から日本の外を見ることによって、自分たちを閉じこめている国家・社会、もっと一般化して言えば「思考の枠組み・限界」を相対化することができた、というわけだ。**窓を通して見た世界はとてつもなく広い**。いま自分があたりまえだと思っていることはちっともあたりまえではない。違った仕方で世の中を見ることができるようになる。いまとは違った社会の形がありうることを知る。違った幸せの可能性に気づく。

もちろんフランス語に限った話ではない。英語、ドイツ語、中国語、何語でもキミにとっての窓になる。ただし、窓を欲している人にとっては。これが教養という観点から見た外国語学習の最大の意義だ。[1]

洞窟の比喩

元ネタはプラトンにあり

ところで、われわれを閉じ込めている思考の限界の外部を垣間見させてくれる学問を「窓」に喩《たと》えるのはよいとして、どうしてそうでない学問が「影」になるわけ、という疑問が浮かんでくる。実は、ラミス自ら種明かしをしているように、これには元ネタがある。プラトンの対話篇『国家』に出てくる「洞窟の比喩」だ(2)。だいたいこんな感じの話。

洞窟の奥に閉じ込められている人々を思い描こう。彼らは物心がついたときからずっと縛られていて、そこから動くことができない。首も縛られて、つねに前の方(つまり洞窟の突き当たり)ばかり見ている。彼らの後方には火が燃えていて、その光が彼らを背後から照らしている。火と彼らの間には通路があり、そこをさまざまな道具や、人や動物の像などが運ばれていく。縛られている人々は後ろを振り返ることができないので、運ばれている実物は見えない。火の光が眼前にある洞窟の壁に投げかける影だけが見える。

話し相手のグラウコンくんが「奇妙な情景の譬《たと》え、奇妙な囚人たちのお話ですね」と言うと、「ぼく」つまりプラトンは「われわれ自身によく似た囚人たちのね」とクールに答える。これは**人間が置かれた普遍的状況の喩え**なんだね。そして対話はさらに進む。囚人はずっと影だけを見て生きてきたので、影のパターンだけが世界のすべてで、それこそが世界のホントの姿だ、オレは世界がどんなかを知っていると思い込む。だから、人々をこういう思い込みに縛りつけようとする学問を、ラミスは「影」の学問と呼んだわけ。

洞窟の比喩では、洞窟の壁面に落とされた影が「われわれが世界はこんなもんだと思っているところの世界（現象 appearance）」に、通路を運ばれていく実物が「われわれには見えない本当の世界のありさま（実在 reality）」に対応している。対話は、影の世界だけを見ることを強いている縛《いまし》めを解いてやって、火と光の方に魂を向け変えることが、学問であり教育だという話になっていく。

興味深いことに、プラトンはこの「向け変え」は容易なこっちゃないと強調している。囚人の一人が縛めを解かれ、立ち上がって首《こうべ》をめぐらしてみろ、火の方を見てみろと命じられたとしよう。どういうことが起こるだろうか。「わォ、いままでオレがホントの世界だと思い込んでいたのは偽物にすぎなかったんですね。これが本当の本物か。いまやオレは真実を知りました。正しくものを見ることができるようになりました。ありがとうッ！」ってなると思う？

そうは問屋が卸さない、とプラトンは言うわけ。まず第一に、立ち上がることも、首を回すことも、火の光のほうを凝視することも、その囚人にとっては苦痛だ。それに、これまで影しか見たことがなかったんだから、実物を見ようとしても、目がくらんでよく見定めることができないだろう。結局のところ、「彼は困惑して、以前に見ていたもの（影）の方が、いま指し示されているものよりも真実性があると考える」はずだ、と言う。

魂の向け変えに抵抗するものは、まずは当人のうちにある。苦痛だったり、困惑だったり、見定めることのできないものを凝視することのつらさだったり。このことは重要な指摘だ。**キミが教養への道を歩みだすことを妨げているものは、権力者の陰謀というより、まず第一にキミ自身なのである**。この苦い事実を掘り下げてみよう。

真実人間トゥルーマン

プラトンはわれわれの無知、自分が無知だと気づいていないほど無知な状態、「知らぬが仏」状態を洞窟に喩えた。ラミスはそれをSF化して鋼鉄の球体（宇宙船）で表象した。「無知＝知の奴隷状態」は閉鎖空間に喩えられる傾向がある。映画『トゥルーマン・ショー』（ピーター・ウェアー監督、主演はジム・キャリー）でも、無知の表象としての閉鎖空間が描かれる。

こんなあらすじ。「トゥルーマン・ショー」という長寿テレビ番組がある。赤ん坊のときにテレビ局に売られたトゥルーマンの人生を盗み撮りして、かれこれ30年近く、ただひたすら24時間放映し続けている。トゥルーマンが暮らす島は、実は**巨大な半球形のドーム**内につくられたセットである。住民はみんないい人。彼は仕事にも家庭にも恵まれそれなりに幸福に暮らしている。しかしまわりの人々は、両親や妻、親友にいたるまでみんな俳優である。それを知らされていないのはトゥルーマンただ一人だ。

放映されるトゥルーマンの人生は、つくりものの番組にはないリアリティがあると大評判になっている。熱心なファンは、一日中テレビに張り付くようにして見ている。中毒だ。ところが、当のトゥルーマンはふとしたことから自分の人生がニセものなのではないかと疑い始める。これまで何の疑いも抱いていなかった「現実」は、もしかして本物じゃないのでは。トゥルーマンは、真実を求めて島からの脱出を試みる。何度も挫折したあげく、ついに彼は恐怖に打ち勝ち、ヨットで恐ろしい海に出て行く。

トゥルーマンは究極の奴隷だ。自分が奴隷であることにすら気づかないでいたのだから。彼の人生は幸せで満ち足りているが、真理だけが欠けている。この「幸せな無知」の状況が「外部」をもたない巨大ドームとして視覚化されている。これも、プラトンの洞窟の変形バージョンだね。

しかし、この映画には一つの逆転が仕掛けられている。視聴者はこれこそ真の人生だ、リアルだと言って見ている(本当にいっつも見ているんだ。風呂の中でも見てる)。でも、彼らが見ているトゥルーマンは、テレビに映る画像つまり「影」にすぎない。それでも視聴者は「トゥルーマンはドームの中にいて真実を知らないが、外にいる自分たちはそれを知っている」と思いこんでいる。対してトゥルーマンは、島の外の世界はどうなっているのか、自分は何者なのか、世界のカラクリはなんなのかを、幸福な生活を捨て、身の安全を犠牲にしてまで追求しようとする。**真理を希求する態度**において、洞窟に閉じこめられているのはどっちだ？

現代の洞窟は洞窟に見えない。テレビやインターネットという「窓」らしきものがついているからだ。それを通じて自分は外部を見ていると思っているからなおさら始末が悪い。イーライ・パリサーは、『閉じこもるインターネット』（早川書房）で、フィルタリング技術の発展に警鐘を鳴らした。個人の好みにあわせて見たい情報だけを自動的にカスタマイズしてくれる技術のことだ。

それにしても世の中変わってしまったなあ、とため息が出る。私が教えていた情報文化学部（いまは情報学部になった）ができた当時、全く逆のことが言われていた。インターネットは、情報をフリーにし世界中の人々と語り合うことを可能にすることで、異なる意見を持つ人々を出会わせ、自由でオープンな公共圏を生み出す民主主義の味方、サイバーデモクラシー万歳！という具合。

しかしいまキミが「他者の意見」だと思っているものは、検索エンジンが取捨選択してくれた「キミの読みたいだろう意見」にすぎない。キミはそれを読んで、みんなも自分と同じように思っていると知って安心する。そうでない考えは頭のヘンな少数派の意見だ、と思うようになる。これでは、異質な他者との出会いも対話もあったものではない。このようにして私たちが閉じこもることになった新たな洞窟を、パリサーは「**フィルターバブル**」と呼んだ。バブルってシャボン玉だよね。やっぱり球体だ。透明なだけに閉じ込められているのに気づきにくくてよけい厄介な球体[3]。

キミはどっちの薬を飲む?

トゥルーマンは、「幸せな無知」と「その幸せを失うことによって手に入るかもしれない真理」とを天秤にかけて悩んでいた。幸福と真理の間で葛藤していた。この二つは、人間にとってどちらも重要な価値だ。ラッキーなことに、多くの場合二つは重なっている。つまり、本当のことを知れば知るほど幸せになれる。ひどい不幸に甘んじている人は、自分が陥っている状況についての正しい理解を得ることで、そこから脱出する糸口を見出せる。自分がパートナーからされてきたことって、ハラスメントだったんだと気づくとか。でも、ときとして二つが対立することもある。そのとき、どっちをとるのか。

どちらを選ぶ人もそれぞれいる。重要なのは、人類の歴史には、躊躇なく真理の方を選ぶ人が一定数いた（いまもいる）ということだ。トゥルーマンもその一人。この究極の選択を見事に映像化したのが『マトリックス』の一場面だ。主人公のネオはモーフィアスと名乗る謎の男に出会う。モーフィアスはネオに両手を差し出して次のように言う。片手に青いカプセル、もう一方には赤いカプセルが載っている。

青い薬を飲めばすべては終わりだ。目覚めたあとは自分の信じたいことをなんでも信じていける。赤い薬を飲んだら、お前は不思議の国に留まることになる。そしてこのウサギの穴がどこまで深いのかを見せてやろう。忘れるな、いま俺がお前にオファーしているのは真理、ただそれだけだ。（傍点は引用者）

「ウサギの穴」ってのは、ウサギ穴に落っこちてアリスが「不思議の国」に入り込むという話にひっかけた洒落《しゃれ》。**例によって日本語字幕ではカットだけどな。**ネオが幸せに生きていた世界はコンピュータが生み出した仮想にすぎず、現実世界では、人間はコンピュータに電源を供給する奴隷にされていて、幸せな仮想世界の夢を与えられて眠っている。きっとこの夢はひとりひとりの好みにカスタマイズされているんだろうね。究極のフィルターバブルだ。そして、夢から覚めた少数の人間がコンピュータと戦っている。しかし、追い詰められて全滅寸前。

こうして、青い薬は「幸せな無知」、赤い薬は逆に「不幸の知」を表しているわけだが、ネオはためらいなく赤い薬を飲む。現実世界で目覚めたネオにモーフィアスは「本当の世界にようこそ（Welcome to the real world.）」と言う[4]。

恐怖に打ち勝つ勇気をもって教養への道に一歩踏み出せ

キミがトゥルーマンに声援を送り、赤い薬を選んだネオに快哉《かいさい》を叫ぶとしたら、それはキミの中にもいくぶんかの「幸せを捨てても真理を選ぶ気持ち」への共感があることを示している。それさえあれば、教養に向かって歩み始めるのは簡単に思えるんだが、ところがどっこい、なかなかそうはいかない。

それを邪魔しているのはトゥルーマンの場合と同じ。苦痛と恐怖だ。キミの場合、トゥルーマンやネオのように、真実を知ったおかげで、幸せな生活が根こそぎになり、信じていた「現実」がパアになり、アイデンティティ《じぶんはなにものか》もひっくり返る、といった極端なことにはならないだろう。たぶん。だとしても、ちょっとばかりの苦しみ（プチ不幸）を味わうことにはなる。それを恐れる気持ちは誰にでもある。

まず、それなりに尊敬していた両親が世俗的な無知と偏見の代表に思えて、色あせて見えるかもしれない。恋人や友人と話が合わなくなってお別れすることになるかも。何よりも、子どもの頃からつくりあげてきた世界観が崩壊する（これは必ず）。それが崩壊してすぐに別の世界観が手に入ればよいが、しばらくは「何が正しいかわからなくなっちゃった」という寄る辺ない状態に耐えなくてはいけないかもしれない。そして何よりも、「ぼくは世の中がわかっている」という幼稚なプライドが傷つく。これって苦痛だし、怖いよね。それに加え、自分がどうなるかわからない、幸せの尺度じたい変わってしまうかもしれない、という「わからなさ」じたいが怖い。

だから、**教養への道を歩み始めるのにまず必要なのは、このプチ恐怖に打ち勝つためのほんのちょっとの勇気なのだ。**哲学者のイマヌエル・カントは次のように書いている。

> 啓蒙とは、人間が自分の未成年状態から抜けでることである、ところでこの状態は、人間がみずから招いたものであるから、彼自身にその責めがある。未成年とは、他人の指導

がなければ、自分自身の悟性を使用し得ない状態である。ところでかかる未成年状態にとどまっているのは彼自身に責めがある、というのは、この状態にある原因は、悟性が欠けているためではなくて、むしろ他人の指導がなくても自分自身の悟性を敢えて使用しようとする決意と勇気とを欠くところにあるからである。それだから「敢えて賢こかれ！」、「自分自身の悟性を使用する勇気をもて！」——これがすなわち啓蒙の標語である。（『啓蒙とは何か』篠田英雄訳、岩波文庫。傍点は引用者）

啓蒙ってのは、次のような呼びかけのことだと私は考えている。「みんな！ **キミらには生まれつき理性が与えられている**。なのになんでそんな惨めな生き方を強いられているのか。おのれの惨めさに気づけないほど惨めな生き方をしているのはなぜなんだ。迷信・偏見・宗教・古い価値観や世界観に縛られて、キミらがせっかく与えられた理性を使っていないからだ。ここいらで一つ、こういう邪魔者をぜんぶ取っ払って、理性をフル回転させて賢くなろうぜ！そうして惨めさにおさらばだっ」。

啓蒙の呼びかけは、あらゆる人に等しく与えられている理性を正しく使えばだれでも真理に到達できる、そして真理と幸福は一致する、という虚構《フィクション》に支えられている。カントは、キミたちはすでに賢いんだ、あとは勇気をもってその理性を使うだけだ、と人々に発破をかけている。

それにしても「敢えて賢こかれ」って耳慣れない日本語だ。これは、ラテン語の「Sapere

aude」に由来する。もともとは、古代ローマの詩人ホラティウスの言葉をカントが引用したものだ。英語で言うと「Dare to know.」という感じ。「勇気をもって賢くあろうぜ」だ。これって、**最高にカッコいい標語**じゃないだろうか。

第9章

教養への道は穴ぼこだらけ

カントの教えにしたがい、ちょっとばかりの勇気を奮い立たせて教養への道を歩み始めたキミの前途は洋々……かというと、そうはイカの何とやら。[5] 道は決して平坦ではない。行く手には、いくつもの落とし穴が待ち受けている。

そこで、キミが教養への道を歩んでいくのを妨げる穴ぼこ、つまり**知性の落とし穴**のいろいろについて、まずは気づいてもらおう。それと並行して、その穴に陥らない方法、穴からの脱出法を考えていこう。ようするに、「教養への道の歩き方」を少数の幸せな読者であるキミたちだけにこっそり伝授しようというわけだ。

第一の落とし穴は「友だち地獄」

『トゥルーマン・ショー』のトゥルーマンは、自分とは何者か、本当の世界はどうなっている

教養への道には落とし穴がいっぱい

のかの答えを求めて、島を出て行こうとするのだった。**最初の関門は恐怖心。**彼は幼いときに水難事故に遭って父親を失っており、そのせいで水恐怖症になってしまった（これも脚本の狙いどおり）。怖くて水で囲まれた島の外に出ることができない。それでも、なけなしの勇気を振り絞って、何とか島から脱出しようとすると、さまざまな邪魔がはいる。バスが故障する。対岸で原発事故が起こる……。その都度、トゥルーマンの試みは失敗に終わる。

　しかし、最も効果的かつ陰湿な妨害は、「親友」マーロンによるものだ。もちろんマーロンも俳優である。[6] トゥルーマンが人生に疑念を抱いたり、島から出たくなったりすると、マーロンは決まって同じ銘柄の缶ビールをもって現れる。どう？　一緒に飲もうぜ。そのとき、手にしたビールがいつも大写しになる。スポンサーの製品なのだね。こういう宣伝方法をステルス・マーケティングと言う。

ある日のこと、いよいよ島からの脱出を決心したトゥルーマンを引き留めようと、マーロンはこんな思い出話をする。

マーロン：トゥルーマン。オレは七つのときからずっとオマエの無二の親友だった。オマエとオレはいつも答案を見せっこしてテストを切り抜けてきた。ってことは、二人の答案はそっくり同じだったたってわけだ。そうだってことはわかってたが、オレはいつも安心してた。だって、答えが何であっても……
マーロンとトゥルーマン（声をそろえて）：正しいときも間違えるときも俺たちゃいつも一緒！（傍点は引用者、以下同）

別の映画の中で語られたらけっこう感動的な台詞かもしれないが、……コワイなあ。オレたち友だちじゃないか。一緒にアホでいようぜ。ずっとこの島にいろよな。**一人だけ賢くなろうとするんじゃねえぞ**、って言ってるわけだから。キミを幸せな無知＝知の隷属状態にとどめておこうとする力は、上位の権力として現れるとは限らない。

この会話が行われる舞台設定はなかなか凝っている。工事が中断していて向こう岸につながっていない橋の上だ。橋はこっち側とあっち側をつなぐものなので、しばしば主人公の成長を象徴するために使われる。たとえば『スタンド・バイ・ミー』は、子どもたちが冒険を通じて大人になる話だが、冒険の始まりに鉄道橋を渡る。対するに、トゥルーマンの島に架かる橋はずっと途切れている。それを渡って大人になることができない。永遠の子ども（無垢な魂）のまま、ずっと島に留め置かれ、視聴者に愛玩される存在。うわー、残酷。

マーロンはトゥルーマンの成長を助けるのではなく、島に留め置き成長させない監視役の仕事を見事にやってのけている。それがトゥルーマンの一番の「友だち」だというのは、何てイヤなエピソードなんだろう。「友だち地獄」という言葉が思い起こされる。

「友だち地獄」は、社会学者の土井隆義がこしらえた言葉だ。仲間から浮かないよう空気を読むことに汲々《きゅうきゅう》とし、友だち関係の維持にエネルギーを消耗している現代人の病理を表している。すごくインパクトのある言葉だ。ドキッとしたろう。正直に言いたまえ。

孤独な時間を通じてキミは自分を教養する

教養への道に開いている最初の大きな穴は、友だち地獄に通じている。この穴に陥ると、**友情は、互いの足を引っ張り、互いの成長（自らを教養するプロセス）を妨げるものに化けてしまう。**

大学に勤めて間もなく、一人の学生が真っ青な顔で飛び込んできて、こんな相談を持ちかけてきた。その日の朝、友だちに会ったとき、3時間目に出席するかと聞かれて、「やめちゃおうかな」と答えた。友だちは「じゃ、一緒にサボろうぜ」と言った。しかし彼は「ふと」その授業に出席してしまった。で、パニックになったというわけ。どうしよう、友だちを裏切ってしまった！　……ホントにあった話。まさしく友だち地獄！

彼の懺悔《ざんげ》を聞いてちょっと驚いたけど、わかる気もした。自分にも似たような経験があったからだ。高校3年生も1学期が終わると受験のことが気になりはじめる（ちょっと遅かったかもしれん）。でもなかなかエンジンがかからない。こうしている間にも周りは真面目に勉強しているのではないか。自分だけ不合格になったらイヤだなあ、と悶々とするようになる。

だからといって、「よし、毎日きっちり勉強するぞ。宇宙戦艦ヤマトの再放送を見るのはやめだ」とはならなかった。だって、**自分が勉強するより周囲《まわり》の足を引っ張ったほうが楽だもん。**

そして、そう思ったのは私だけではなかったんだね。というわけで、秋が過ぎても、みんなで毎日のように放課後キッサ店に入り浸《びた》り夜まで雑談、挙げ句の果てに、受験直前になってから交換日記を始めたりした。とにかく互いの勉強時間を空費させることに青春の貴重なエネルギーを注いでいたわけで、**まさしくアホの所業である。**ある日、友だちの一人が「ワルい。俺抜けるわ。こんなことしている場合じゃないから」と言ったので、みんな目が覚めた。

友だち関係というものは、互いに相手の成長の足を引っ張るものになることがある、つまり教養の敵になりうるということだ。だからといって、友情は良くない、友だちはつくるな、と言っているのではない。もちろん友情は良きものでありうる。しかし、そうでないこともありうる。だから、**友だちは無条件で望ましいものであるわけではない。**

友情は貴重なものだが何にもまして大切なものであるとは限らない。友情を、互いを高め合うような良い状態に保つために心を砕くべきだし、そもそものような友を求めるべきだ、というごく当たり前のことを言いたいのだ(7)。

「ともだちひゃくにんできるかな」と歌っている子どもがいたら、そんなにできないし、そんなにいらないよ、と言ってあげたい。友情はいいものだ。しかし、**孤独もまたキミにとって大切なんだ。**

第二の落とし穴は「パターナリズム」

トゥルーマンは、ついに自らヨットを操って島を脱出する。水恐怖症の彼にとっては大冒険だ。出て行かれては番組が成り立たないので、ディレクターは海に嵐を起こして邪魔をする。溺れかけたトゥルーマンがたどり着くのは、世界の果て、つまり彼を閉じ込めている巨大ドームの壁だ。自分には「外部」はないのか、と壁を叩いて慟哭するトゥルーマン。すると、番組の生みの親である大物プロデューサーのクリストフがモニター室から語りかける。

クリストフ：トゥルーマンと話がしたい。トゥルーマン。話していいぞ。私には聞こえるから。
トゥルーマン：あなたは誰？
クリストフ：私は創造主《クリエーター》だ。無数の人々に希望と喜びと励ましを与えるテレビ番組の。
トゥルーマン：じゃあ、僕はいったい誰？
クリストフ：君はスターだよ。

トゥルーマン：何もリアルじゃなかったってわけ？

クリストフ：君こそリアルだ。だからこそみんな君を観たがる。よく聞きなさい、トゥルーマン。君のために私がつくった世界には真実がないかもしれないが、壁の外に出たって真実などありはしない。同じ嘘、同じ欺きがあるだけだ。だが、私の世界にいるかぎり、君は何も恐れずにすむ。私は君のことをずっとよくわかっている。君が自分自身をわかっているよりもね。

トゥルーマン：僕の頭の中を覗《のぞ》くカメラなんてないくせに！

クリストフ：君は怖がっている。だから、君はそこを去ることはできない。いいんだ、トゥルーマン。私にはわかっているよ。私は君のこれまでの人生をぜんぶ観てきたんだからね……。君が生まれるところを私は見ていた。初めて歩けるようになったところも。入学1日目も。初めて乳歯が抜けた日のエピソード……。君はここを出ていくことなどできないよ。トゥルーマン。

モニター室はドーム（天球）のてっぺんにある。二人の対話は天上と地上の間で行われる。天にいてトゥルーマンを見下ろしているクリストフはまさしく創造主として描かれている。トゥルーマンはクリストフの作り出した作品だ。

だとすると、この場面では、被造物が造物主に対して、自分は何者なのか、何のためにあなたは私を作ったのかという問いを突きつけていることになる。ということは、ほらアレだ。フランケンシュタインの怪物が、自分の造り主であるフランケンシュタイン博士と対峙する場面の再現だ。被造物であるトゥルーマンが造り主に逆らうことによって、神ならぬ身で世界と人間の人生を思いどおりに創造しようとする傲慢さを告発している。

クリストフは神であると同時に父でもある。トゥルーマンの子ども時代を回想して語って聞かせるクリストフの表情は、優しさと慈愛に満ちている。クリストフは、トゥルーマンがドームから立ち去ることはないと確信している。ドームの中にいるかぎり彼は父の愛に守られているからだ。そこでは何も恐れずにすむ。だから、よい子のトゥルーマンは私の愛を決して裏切らない。

しかし、この**父の愛は恐怖による支配の裏返し**だ。クリストフは、水恐怖を植えつけることで、トゥルーマンの人生をコントロールしてきた。自立を促すようにではなく、ずっと島に留まって、より多くの視聴者を惹きつけるように。「父の慈愛に守られたパラダイス」イコール「外は怖いぞ。出ていくな」[8]だ。

私のコントロール下にいるかぎり、君を守ってあげる。何も考えなくてよい。**君にとって何がよいか、私が代わりに考えてあげよう**。そのかわり、黙って私の言うとおりにしなさい。そうしていれば、君は幸せになれる。こういう態度を「パターナリズム（paternalism）」という。「pater」というのは、ラテン語でお父さんのこと。子どもがまだ無知で無力な間は、ある程度のパターナリズムはどうしても必要だ。しかし、30歳近くのトゥルーマンにパターナリスティックな態度をとり続けるクリストフはグロテスクに見える。トゥルーマンが抗っていたものは、クリストフの肥大したパターナリズムでもあったわけだ。

反パターナリズムと啓蒙

トゥルーマンの闘いはキミに無縁のものではない。第一に、キミはいつかは親の支配を脱して、自分のことは自分で考えるようにならなければいけないから。第二に、**現代社会でまっとうな市民になろうとすると、パターナリズムに衝突せざるをえなくなる**から。

聖職者、官僚、政治家、法律家、学者（ひっくるめて専門家と呼ぼう）は、しばしばパターナリスティックな姿勢をとりがちで、人々もそれをよしとしてきた。「専門家の分業」は近代が生み出した効率的な問題解決の方法だった。専門家がいいように考えてくれるってんだから、何も言わずにお任せしておこう。信じてついていこう。

……これでうまくいっているうちはよかったんだが、ここにきて綻《ほころ》びが目立ってきた。使用済み核燃料の処分をどうするか見当もつかないうちに日本中が原発だらけになった。若者の人口が減り相対的に高齢者人口が増えることはとっくにわかっていたのに、年金が破綻寸前になるまで放っておいた……。こういうことを目の当たりにすると、「えっ。**考えてくれてたんじゃなかったの**」と言いたくなる。専門家は集団になると、ときに恐ろしいほどの無能さをさらけ出し、そしてそのことに責任をとろうとしないことが明らかになってきた。

だからといってフツーの人々は立派かというと、そうでもない。「専門家にお任せでいこう」に「あいつらがヘマをこいたら、文句を言ってやる」が付け加わっただけの人も多い。教養あるまっとうな市民（社会の担い手たる自覚のある人）だったら何と言うべきか。「それは私に関係する問題だ。だから**私も一緒に考えさせろ**」のはずだろう。「代わりに考えてもらおう」の反対だ。

これこそ、よく言われる「自分の頭で考えろ」の真の意味、カントの言う「他人の指導なしに自分自身の悟性を使用せよ」の真の意味だ。つまり、**自分の問題を人に考えてもらうことはイヤだと思えって**ことだ。僕の頭の中を覗くカメラなんてないだろう。これは僕の問題だ、だから僕に考えさせてくれと言えたとき、人は「未成年状態」から抜けでることができる。

「落とし穴」いろいろを集めて分類したベーコン

教養への道に穿たれた大小無数の落とし穴を片っぱしから指摘していこうとしているわけだが、そこで頼りになるのは、英国経験論の父祖にして啓蒙主義者の永遠のアイドル、フランシス・ベーコン（１５６１〜１６２６）である。ベーコンって、あまりプロの哲学者に人気がないのだが（わかりやすすぎるからかな）、本書を書くために読み直してみたら、けっこうイイじゃんと思ったのだった。どこが？

まずは「イドラ論」。これってかつて高校の倫理・社会の定番ネタだった（いまもそう？）。だから、そんなの先刻ご承知さ、という声も聞こえてきそうだ。でも、**これがなかなかスルドイんだ**。ベーコンは４００年も昔の人で、シェイクスピア（１５６４〜１６１６）と同世代だが[9]、イドラ論は現代でも立派に通用する。

「イドラ（idola）」は、古典ギリシア語の「エイドーラ」に由来するラテン語で、「幻影・虚構」といった意味だ。「エイドーラ」には「偶像」という意味もあって、「アイドルオタク」の「アイドル（idol）」の語源になっている。

本書を書くにあたって、ベーコンは「イドラ」をどんな風に定義していたっけ、と探してみたが、「イドラとは……」と明示的に定義しているところはどうやらないみたいだ。おおよそ、「もとから備わっているか、外からやってきたかは問わず、正しい認識を妨げ、われわれを誤謬に陥らせる可能性のあるものすべて」くらいの意味で使っている。ようするに、私がここで「穴ぼこ」と呼んでいるものとほぼ同じだ。

フランシス・ベーコン（1561〜1626）

で、ベーコンはこの穴ぼこの分類学《タイポロジー》とカタログ化を試みたわけ。それが「イドラ論」だ。まずはベーコンの分類を彼の言葉にしたがってざっと見てしまおう。イドラは四つに分類される。引用はすべて『ノヴム・オルガヌム』（桂寿一訳、岩波文庫）から。

（1）**種族のイドラ**（idola tribus）:「「種族のイドラ」は人間の本性そのもののうちに、そして人間の種族すなわち人類のうちに根ざしている。（中略）一切の知覚は、人間に引き合せてのことであって、宇宙〔事物〕から見てのことではない。そして人間の知性は、いわば事物の光線に対して平でない鏡、事物の本性に自分の性質を混じて、これを歪め着色する鏡のごときものである」。

ここでは2種類のものが念頭に置かれているようだ。ひとつはヒトが種として生得的にもっている**認知バイアス**である（事物の本性に自分の性質を混ぜて歪め着色する）。ベーコンは、ヒトが過度にことがらを抽象化・一般化しがちな傾向をもつことを例に挙げている。あるいは、われわれの知覚システムにもともと備わっている知覚の歪み（錯視とか）も種族のイドラと言ってよいだろう。

重要なのは、もうひとつのタイプだ。錯視みたいに世界を間違って見ていることが明らかな場合ではなく、ちゃんと見ている場合だって、「これが世界のあり方だ」と思っている知覚像は「**人間に引き合わせてのこと**」にすぎない。たとえば、ヒトは電磁波のうち、360から830ナノメートルまでの波長しか見えない。20から2万ヘルツまでの音波しか聞こえない。ミツバチは世界を違った仕方で見ているだろう。コウモリには世界が違った仕方で「聞こえている」はずだ。彼らがどんな経験をしているのかは決してわからないけど。

これらはヒトの生物学的なつくりに組み込まれてしまっているので、いまさら変えようがない。縦棒が横棒より長く見えるのは錯覚ですよとか、可視光より長波長・短波長の電磁波がありますよと知ったところで、**世界が違って見えるようになるわけではない**。

（2）**洞窟のイドラ**（idola specus）：「「洞窟のイドラ」とは人間個人のイドラである。というの

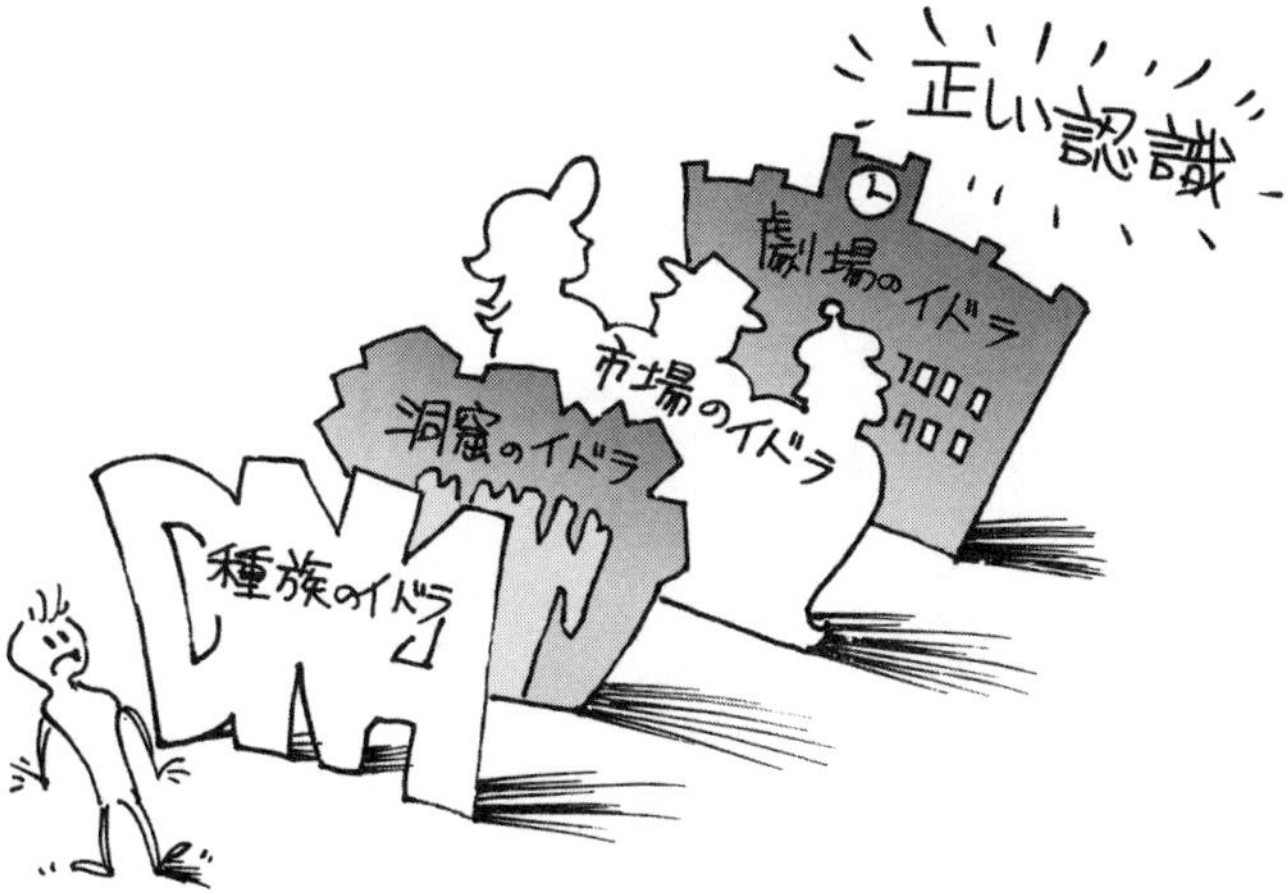

4つのイドラ

も、各人は（中略）洞窟、すなわち自然の光を遮り損う或る個人的なあなを持っているから。すなわち、或いは各人に固有の特殊な性質により、或いは教育および他人との談話により、或いは書物を読むことおよび各人が尊敬し嘆賞する人々の権威により、或いはまた、偏見的先入的な心に生ずるか、不偏不動の心に生ずるかに応じての、印象の差異により、或いはその他の仕方によってであるが」。

種族のイドラが全人類共通なのに対し、こちらは、個人の性格や認知スタイル、生育歴、うけた教育、読んできた本などによって生じる先入観を指している。「洞窟」というのはもちろんプラトンの譬え話から来ているのだが、オリジナルとはちょっと違うね。プラトンの洞窟にはすべての人間が閉じ込められていたが、これは一人ひとりがそれぞれ別の穴に入っている。**マトリックス型洞窟**だ。

（3）**市場のイドラ**（idola fori）：ベーコンはこれが最も厄介な（molestissima）イドラだと言っている。「またいわば人類相互の交わりおよび社会生活から生ずる「イドラ」もあり、これを我々は人間の交渉および交際のゆえに、「市場のイドラ」と称する。人間は会話によって社会的に結合されるが、言葉は庶民の理解することから〔事物に〕付けられる。したがって言葉の悪しくかつ不適当な定めかたは、驚くべき仕方で知性の妨げをする。（中略）言葉はたしかに知性に無理を加えすべてを混乱させる、そして人々を空虚で数知れぬ論争や虚構へと連れ去るのである」。

「fori」のもとの形は「forum」。ほら、「なんとかフォーラム」ってよく聞くでしょ。もともとは古代ローマ時代に街の中心部にあった公共の広場のことで、市がたったり、討論の場になったり、裁判が開かれたりした。これが英語にも伝わったんだね。手元にある英語辞典には、英語の「forum」の意味として、「特定の課題に関する考えや見解が交わされる集会もしくはメディア」という定義が最初に載っている。

ベーコンは市場のイドラを「人類相互の交わりおよび社会生活から生ずるイドラ」と言ったり、「言葉の悪しくかつ不適当な定め方」に由来するイドラと言ったりしている。ということは、市場のイドラということで2種類のものが念頭に置かれているようだ。第一にコミュニケーションの場（市場）そのもののあり方がもたらす知性の歪み。第二に、そのコミュニケーションの場で交わされる言葉（市場でやりとりされている貨幣や商品）がもたらす知性の歪み。

だとすると、もしベーコンが現代によみがえってフィルターバブルとかエコーチェンバーのことを知ったら、**「それこそ市場のイドラだよキミ」**と言いそうだ。

第二のケース、つまり言葉がイドラになる仕方も、さらにおおよそ2通り考えられているようだ。一つは、世間で流通している言葉（庶民の理解することからつけられた言葉）をそのままつかうことによって精密な考えができなくなる。第二に、言葉の不正確な定義によって誤解が生じる。これについては第13章で掘り下げてみよう。

（4）**劇場のイドラ**（idola theatori）：「最後に、哲学のさまざまな教説ならびに論証の誤った諸規則からも、人間の心に入り込んだ「イドラ」があり、これを我々は「劇場のイドラ」と名付ける。なぜならば、哲学説が受け入れられ見出された数だけ、架空的で舞台的な世界を作り出すお芝居が、生み出され演ぜられたと我々は考えるからである」。

ベーコンの時代「哲学（philosophia）」と呼ばれていたものは、いま文学部哲学科で教えられている分野としての哲学よりももっと広い。おおよそ「学問」と同義だと思ってもらえばよい。だとすると、ここでは学問や研究の装いをしたものを鵜呑《うの》みにすることから生じる誤解と混乱が意味されていることになる。ダグラス・ラミスはそういう学問を「影の学問」と呼んだ。**学問は知からあなたを遠ざけることもある。**

ベーコンはすごいことを言っているんじゃないだろうか。言葉も学問も、ヒトが動物には考えることのできないムズカシいことがらを考えるための媒体《メディア》だ。しかし、ほかならぬその言葉と学問が思考の妨げにもなる、というのだから。まさしく知性の自家中毒。

じゃあ、どうしたらよいのだろう。それを考えるのが第Ⅱ部後半の課題だ。でも、その前に現代科学の知見を頼りに、種族のイドラと洞窟のイドラについてもう少し深く理解しておこう。

第10章

科学が発展したら、人間はかなりアホだということがわかってしまったという皮肉

まずは小手調べ

手はじめにちょっとしたクイズに挑戦してもらおう。

第1問。今日、AさんはBさんにメールを送り、BさんはCさんにメールを送った。一方、Aさんはスマホを所有しているがCさんは所有していない。さてこのとき、「今日、スマホを所有している人がスマホを所有していない人にメールを送った」という命題の真偽はどうなるだろう。真である、偽である、これだけの情報ではわからない。さあこの三つのうちのどれだ？　まずは自分で考えてみんさい。

……第三の「わからない」を選んだのではないかな。かんじんのBがスマホの持ち主であるかどうかわからないんだからね。しかし、正解は「真である」だ。なぜなら……。Bはスマホをもっているかもっていないかのどちらかだ。そこでまず、もっているとしよう。そうすると、

B（もってる）がC（もってない）にメールしているから、命題はなりたつ。次に、もっていないとしよう。この場合は、A（もってる）がB（もってない）にメールしているから、やはり命題はなりたつ。いずれの場合もなりたつので、この命題は真である。

できるだけたくさんの人が間違えたならうれしい。というのも、私も最初ひっかかったクチだから。論理学の教科書を書いたことがあるのにだ。穴があったら入りたい。なので、それ以来、いろんな人にこのクイズを出しては溜飲を下げている。ということは滅多に正解する人がいないということだ。**われわれはかなり論理的思考がヘタクソ**なのである。

第2問。ある町で暴力事件が起こった。ひとりの目撃者がいて、容疑者は青い車体のタクシーで逃げたと証言した。この町には、青いタクシーを運行しているA社と、緑色のタクシーを運行しているB社の2社しかなく、外から別のタクシーが町に入ってくることはない。しかし、深夜であったのと、雨が降っていたので、色を見間違えた可能性がある。そこで、同様の気象条件・光条件でテストを行い、目撃者は90％の確率で、タクシーの色を正しく見分けられることがわかった。このことから、容疑者は青いタクシーで逃げたらしいと判断してよいか。

90％もの確率で見分けられる目撃者が青だと言ったんだから、そう判断してもいいんじゃないの、と思ったキミは残念でした。証言を信じてよいかどうかは、この町にどんな比率で青と緑のタクシーが走っているかによる。

極端に緑が多かったらどうなるか。試しに緑が95台、青が5台だとしよう。次の四つの場合が考えられる。（1）逃げたタクシーは緑色でそれを目撃者は正しく見分けた、（2）タクシーは緑で見間違えた、(3)タクシーは青で正しく見分けた、(4)タクシーは青で見間違えた。

このうち、目撃者が「タクシーは青だった」と証言するのは、(2)と(3)だ。それぞれの確率を計算してみよう。(2)のケースが起こる確率は、0・95×0・1＝0・095、(3)は0・05×0・9＝0・045だ。

そうすると、証言が「青」のときに、タクシーが本当に青である確率は、0・095＋0・045で0・045を割って、おおよそ0・32になる。一方、証言が「青」のときにタクシーが緑である確率は0・68で、こちらの方が大きい。緑のタクシーがやたら多いので、目撃者の証言が「青」であったとしても、それは見間違いで実は緑タクシーであった確率の方が高くなるのである。

じつはこの問題、試験に出したことがある。青と緑の比率がわからないとなんとも言えない、と期待どおりに答えてくれた学生は一人もいなかった。**われわれは確率的思考も苦手**なのである。

現代版イドラ論としての認知心理学

なんでこんなにヘタなのか。そもそもわれわれの知性(認知能力)はこういう思考をスイスイ間違えずに行えるようにできていないからだ。真理を見出すという仕事にかんして、人間の知性は端《はな》から欠陥品である。このことをベーコンは「種族のイドラ」という言葉で表現しようとしたわけだ。しかし、だとするとなんとも切ない話ではある。われわれは知性を使って真理に到達するしかないのに、ほかならぬその知性そのものがそれを邪魔するのだから。

20世紀中頃から爆発的に発展した心理学の分野に認知心理学がある。認知心理学は、ヒトの論理的推論や合理的思考の能力が思っていたほど上出来ではないことを示す知見を積み上げてきた。

そうすると知りたいのは、どうしてそんな風になっちゃったの、ということだ。この問いに対して認知心理学は次のように答えてくれる。それはね、**真理の認識にはめちゃくちゃコストがかかる**からだよ。

そもそも情報処理はタダではできない。時間とかエネルギーといったコストがかかる。ヒトの脳の重さは体重の2%なのに、摂取した全エネルギーの18%も使っている。一方、処理すべき情報は多様で大量。しかもまったなしだ。そうすると、正確さや厳密さばかりを求めてコストをかけすぎるのは有利な戦略ではない。何か恐ろしいものが飛び出してきたときに、正体を見極めようとしてエネルギーと時間を費やすような生きものはうまく生き残れないかもしれない。テキトーなところで情報処理を打ち切って、正体不明だがとりあえず全速力で逃げとけ、という生きものの方が生き延びやすいかも。

というわけで、ヒトも進化の産物だから、真理や厳密さや正確さをちょっと犠牲にしても、認知コストを節約して情報処理を効率化するようにできている。変化する状況の中でリアルタイムに判断して生き延びていくためには、その方が合理的なのだ。**進化的に合理的なので合理的思考が苦手**、という変なことになっている。心理学では、こうした人間像を「cognitive miser」と名づけている。認知的コストを惜しむ「けちんぼ（miser）」、という意味だ。

種族のイドラって、ようするに「認知バイアス」のこと

じゃあ、どんな仕方でヒトは認知コストを節約しているのだろう。心理学者は、心のコスト節約戦略のいろいろを見出し、整理してくれている。それをすべて紹介するのは止めておく。ここいらの話って、大学の入門的講義で心理学の先生が教える、いちばん美味しいネタだから。商売を邪魔しちゃ悪いでしょ[10]。なので二つだけ紹介しよう。「ヒューリスティクス」と「スキーマ」だ。どっちも知っておいて損はない。

ヒューリスティクスは、英語で「heuristics」と書く。もともとは古代ギリシア語の「εὑρίσκω（ヘウリスコー：私は発見する）」に由来する[11]。これが活用して「私は見つけたぞ！」になると「εὕρηκα（ヘウレーカ）」になる。アルキメデスがお風呂の中で浮力の原理を思いついて、ヘウレーカと叫んで飛び出したという伝説があるでしょ。これが英語っぽく読まれると、最初のhの音がなくなって、「ユリーカ」になる。そんな名前の評論誌があるよね。筑摩のじゃないけど。

そんなわけでヒューリスティクスは「発見法」とも訳される。心理学では、確実に正解に至ることができるわけではないが、ある程度の正解に短時間で達することのできる、直感的でアバウトな問題解決法のことを意味する。すべてのケースをきちんと調べ尽くす厳密な方法「アルゴリズム」の反対語だ。**ヒューリスティクスを使っても、たいていの場合はうまくいく。**でも、

10　科学が発展したら、人間はかなりアホだということがわかってしまったという皮肉

いつもうまくいくわけではない。うまくいかない場合、ヒューリスティクスは、認知の歪み、つまり「**認知バイアス**」をもたらす。認知バイアスは、**ヒューリスティクスという安直な方法を使っている代価**のようなものだ。

代表性ヒューリスティクスとそれがもたらす認知の歪み

ヒューリスティクスにはいくつかの種類がある。主なものを見てみることにしよう。まず、**代表性ヒューリスティクス**（representativeness heuristics）。これは、すべてを検討するのではなく、「典型例」つまりいかにもありそうな代表例だけに基づいて判断するという戦略だ。たいていはうまくいく。この世では典型的なことばかり起こるからだ。しかし、代表性ヒューリスティクスは副作用として典型例の起こる頻度を実際より過大に評価しやすい傾向（バイアス）を生む。

このバイアスの例とされているのは有名な「リンダ問題」だ。ヒューリスティクス研究の創始者であるダニエル・カーネマンとエイモス・ツヴァスキーが1980年代に考え出した由緒正しい実験である。[12] 実験参加者にこんな問題を出す。

リンダは31歳、独身で、遠慮なくものを言う聡明な女性です。大学では哲学を専攻していました。学生時代には、差別や社会的平等の問題に深く関わり、反核デモにも参加していました。

さて、次のどちらの方がよりありそう（probable）でしょうか？

（1）リンダは銀行員である
（2）リンダは銀行員であり、かつフェミニズム運動に参加している

正解は（1）。フェミニストの銀行員は銀行員の一部なので、リンダがフェミニストの銀行員である確率は、たんに銀行員である確率より低いからだ。しかし、かなりの人が間違えて（2）と答える。なぜだろう。カーネマンらによると、それはわれわれが代表性ヒューリスティクスを使っているからである。問題文のリンダの描写を読んで頭に思い描く典型例に、（2）の方がより合致しているので、そちらを選んでしまうというわけだ。この誤謬は、「**連言錯誤**（conjunction fallacy）」と呼ばれている。「連言」って論理学用語で「and」のこと。

もっとも、本当にこれが代表性ヒューリスティクスを使ったことによるバイアスの結果なのかは、議論の余地があるようだ。ドイツの心理学者ゲルト・ギガレンツァなんかは、「probable」の多義性のせいじゃないの、と言っている。[13] たしかに「probable」には確率が高いという意味もあるけど、「もっともらしい」とか「証拠がある」といった意味もある。つまり、「あるある！」ってヤツだ。こっちの意味で設問を受け取った人が（2）を選んだとしても、そんなにおかしくはない。というわけで、設問の文章を変えたり、いろいろ条件を変えて実験が繰り返されている。

もっとよい例はコイン投げについての確率判断だ。コインを6回投げて表が出るか裏が出るかを記録する。次のどちらの事象がより起こりやすいか。

（1）表表表表表表
（2）表裏表表裏裏

一瞬、（2）の方がより起こりそう、と思っただろう。**隠さずに白状しなさい**。6回も続けて表ばかり出るのはめったにないこと。それより表が出たり裏が出たりする方がありそうだ。そう思った人は、代表性ヒューリスティクスを使って判断したのだぞ。正解は「どっちも確率は同じ」だ。コイン投げの結果は、次にどっちが出るかに影響しない。だから、表が出る確率も裏が出る確率も常に2分の1。なので、（1）も（2）も2分の1を6回掛けた確率、つまり64分の1の確率で起こる。

にもかかわらず、（2）の方が起こりやすそうに思ってしまうのはなぜか。（2）は、表表裏裏裏表とか表裏表裏裏表とか、3回の表と3回の裏とが適当な順番で出てくる他のたくさんの例（20通りある）の**代表になっている**からだ。だから、その確率を過大に見積もってしまうのである。

利用可能性ヒューリスティクスも認知の歪みをもたらす

ヒューリスティクスの例をもう一つ挙げておこう。**利用可能性ヒューリスティクス**（availability heuristics）だ。これは、すべてを考えに入れるのをさぼって、思い浮かべやすい事例だけに基づいて判断する、というやり方だ。これも、たいていはうまくいく。この世で起こりやすいことは、同時に思い浮かべやすいことでもあるから。しかし、副作用として、想起しやすい事例の生起頻度を実際より過大に評価しやすいというバイアスを生む。

これについては、すごく印象的な体験がある。同僚の社会心理学者である唐沢穣《みのる》さんをゲストに招いて私の授業で講義をしてもらったことがある。唐沢さんは、いろいろな認知バイアスについて、学生さんたちに簡単なクイズを出しながら解説してくれた（実は、本章のネタの大部分は唐沢さんに教わったものなのである）。その一つに次のようなクイズがあった。

クラスに、あとで答えを聞くから考えてね、と言って問題を配る。実は、同じ問題と見せかけて、窓側の学生には問題Aを、廊下側の学生には問題Bを配る。それぞれ次のような問題だ。

問題A　英語で書かれた小説の4ページ分（約2000語）の中に、7文字の英単語で末尾がingで終わるものは、およそ何語含まれていると思うか、推測せよ。

問題B　英語で書かれた小説の4ページ分（約2000語）の中に、7文字の英単語で語頭から6番目の文字がnであるようなものは、およそ何語含まれていると思うか、推測せよ。

で、しばし考えてもらった上で、みんなに答えを聞いていく。もちろん、人によって数字はかなりばらつく。でも、全体として、問題Aへの答えの方が問題Bへの答えより大きな数になる傾向がある。**あまりに見事に違いが出たので、私は感心してしまった。**

でも、これってヘンじゃない？　だって、7文字の英単語でingで終わってるものは、語頭から6番目がnであるような7文字の英単語の一部だから、問題Bの答えの方が本当は多いはずでしょ。たとえば、bashing, cooling, mapping, meltingなんかは問題Aへの答えだが、問題Bの答えには、さらにcompany, tyrannyなども含まれる。

どうしてこんな逆転が生じるのか。「末尾がingで終わる7文字の英単語」の方が「語頭から6番目の文字がnであるような7文字の英単語」よりも**実例を思いつきやすい**言い方だからだ。4文字の動詞を考えてingをつければよいからね。そのため、問題Aの答えの頻度を過大評価してしまい、こちらの答えの方が本来大きな数字になるはずのBへの答えよりも大きくなってしまったのである。

スキーマ使ってラクラク認知

ヒトがもっているもう一つの代表的な認知コスト節約法が「**スキーマ**（schema）」だ。もともとは図形という意味だったが、図式とか概要という意味ももつようになった。心理学では、認知の対象について過去の個人的・社会的経験に基づいて体制化された知識構造、という具合に定義される。わかったようなわからないような……。それに、門外漢の目には、いろいろ**雑多なものがスキーマと呼ばれている**ように見える。だから具体例で説明しよう。私にとって、最も印象的なスキーマの例は次の「バルーン・セレナーデ」だ。[14]

【課題文】 風船が破裂してしまうと、すべてがあまりにも遠いから、音は目当ての階に届かない。ビルディングはたいてい遮音効果が高いから、窓がしまっていたら音は届かない。作戦のすべては電流が安定して流れるかどうかにかかっているので、電線が途中で切れても問題が起きる。もちろん、奴は大声を上げることもできるが、人の声はそんなに遠くまで届くほど大きくない。おまけに、楽器の弦が切れるかも、という問題もある。そうすると、メッセージに伴奏がつかないことになる。距離が近ければベストなのは明らかだ。そうすれば、問題の起きる可能性は低い。結局、フェイストゥフェイスでやるのが、問題がいちばん少なくてすむだろう。

実験参加者に、この課題文を読んでもらい、そこに書かれている内容を覚えてくださいと言う。しかし、覚えにくいよね。そもそも理解することだって難しい。書かれていることに文脈が見出しにくいからだ。断片的な雑多な情報の集まりに思えてしまう。ヘタな小説ってこんな感じだよね。

しかし、課題文が次ページの絵と一緒に与えられたとしたらどうだろう。ずっと覚えやすくなるし、あとで思い出しやすくなるだろう。この絵がスキーマに相当する。断片的なたくさんの情報を一定の枠組みに位置づけることで構造化し、認知（注意・記憶・推論など）を省力化・効率化する「**図式**」だ。

スキーマも諸刃の剣だった

スキーマはこの実験のように、心理学者によって明示的・一時的に与えられることもあるけど、多くの場合は、生きているうちにそれとは知らずに身についてくる。そしてそれが、認知コストを節約しすぎて、かえってバイアスをもたらすとき、「**ステレオタイプ**」と呼ばれる。そしてそれが個人的なものというより、社会的に形成されて共有されているとき「**偏見**」と呼ばれる。

米国では、人種的・性的・階層的偏見が認知の歪みに与える影響について、たくさんの研究がなされてきた。偏見の存在を前提しないとこうした研究は意味がない。しかしそうすると、その研究をすることじたいが偏見の存在を認めることになってしまうので、けっこう悩ましい。

唐沢穣さんにはこんな実験のことも教わった。階層的・職業的偏見が記憶に及ぼす影響を調

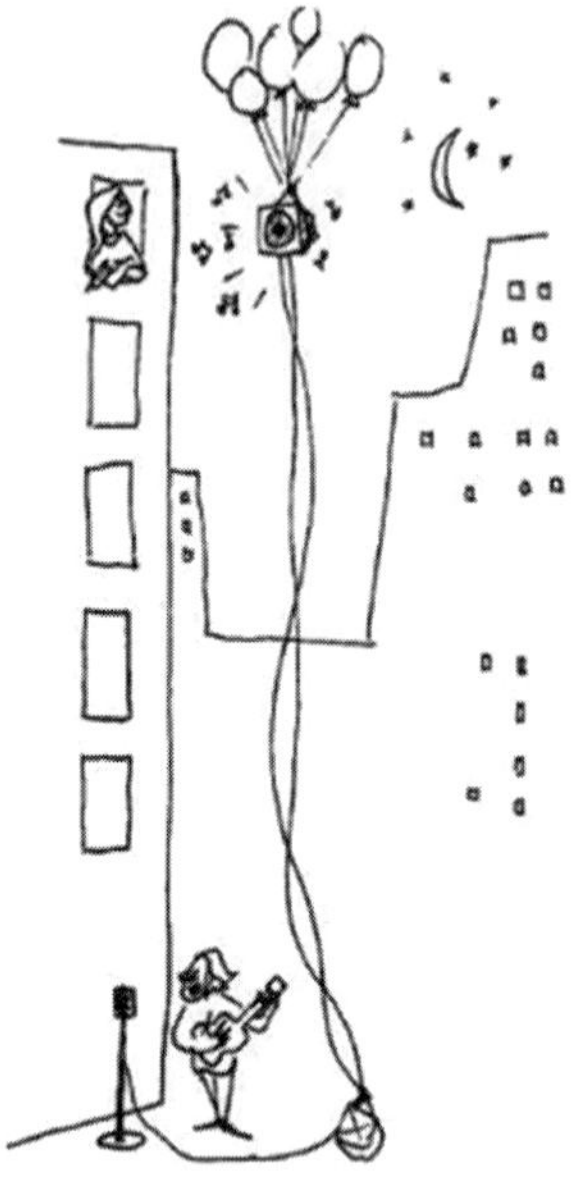

Balloon Serenade: Bransord and Johnson (1972), p.718

べた実験だ[15]。二つのビデオを用意する。どちらも、ある女性の日常生活（誕生パーティーの様子）を撮影したものだ。ビデオの中で主人公の女性はいろんな行動をするが、どちらのビデオでも、主人公はウェイトレスのステレオタイプ的振る舞い（ハンバーガーを食べる、ギターを弾く、ポップミュージックを聴く、ビールを飲む、ハーレクインロマンスを読むなど）と、図書館司書のステレオタイプ的振る舞い（ローストビーフを食べる、ピアノを弾く、クラシックを聴く、ワインを飲む、歴史の本を読むなど）を同じだけ示すようになっている。

実験参加者に、これら2本のビデオを見てもらう。それぞれのビデオを見るときに「これは司書のAさんの誕生パーティーです」とか「これはウェイトレスのAさんの誕生パーティーです」といった教示を与える。これがスキーマになるわけだ。そして、それぞれのビデオでAさんは何をしていたかを思い出してもらう。見る前に教示を与えた場合も後で与えた場合も、同じように、参加者はスキーマに一致する振る舞いの方をより多く思い出すことがわかった。**なんともエグい実験**だこと。

偏見を持っていると、その偏見に当てはまることばかり記憶して思い出しやすい。ちょっと、どころかスゴく嫌な話ではないか。特定のエスニックグループに、たとえば「あいつらは乱暴だ」といった偏見を抱いていると、その人々が起こした暴力事件ばかりを記憶して（別のグループだって暴力沙汰を起こしているのに）、そしてそればかりを思い出しやすくなる。これでは偏見は強まる一方だ。

認知心理学は現代版イドラ論である

ヒューリスティクスは進化的・先天的に心に備わっている情報処理の「やり方」の話だった。つまり「種族のイドラ」の現代バージョンだ。スキーマをつくったり使ったりして認知コストをケチる心の仕組みじたいは先天的に備わっていそうだが、その内容《なかみ》は、どんな経験を積んできたか、どんな社会に生まれ育ったか、どんな仲間と付き合ってきたかによって異なる。というわけで、スキーマのもたらすステレオタイプや偏見は「洞窟のイドラ」に分類した方がよいかもしれない。

ベーコンのイドラ論を読んでいると、これって現代の認知心理学者も言いそうなことだと思ってドキッとする箇所がしばしば出てくる。たとえば、

> 人間の知性は（中略）一旦こうと認めたことには、これを支持しこれと合致するように、他の一切のことを引き寄せるものである。そしてたとい反証として働く事例の力や数がより大であっても、かの最初の理解にその権威が犯されずにいるためには、〔ときには〕大きな悪意ある予断をあえてして、それら〔反証〕をば或いは観察しないか、或いは軽視するか、或いはまた何か区別を立てて遠ざけ、かつ退けるかするのである。（前掲書）

これなんか、ステレオタイプのもたらす認知バイアスの解説として、そのまま通用しそうだ。心理学者が実験を通じて明らかにしたことに、ベーコンは鋭い人間観察を通じてすでに気づい

ていたと言えそうだ。ベーコンは元祖《プロト》認知心理学者なのである。

認知心理学を学ぶことの意味

認知心理学は、われわれが陥る判断の歪みが、思ったより広範囲に及んでいること、そしてその歪みは、われわれに備わっている認知コスト節約の仕掛けのもたらすものであり、心の仕組みに深く根ざしているということを明らかにしてきた。そして、**これを取り除くのは容易なことではない**。おそらくわれわれの心が進化の過程で獲得したものだから。

しかし、**そういう歪みがあることを知っているのといないのでは大違いだ**。われわれには「考え直す」ということ（反省的思考）ができる。ヒューリスティクスとかスキーマとかについて知っていれば、「あれ、いまオレってステレオタイプ的な考えに陥っていないか」とか「思いつきやすい例で考えたから、起こりやすさを過大評価したかも」という具合に自分の思考をある程度チェックすることができる。

ベーコンもこう言っている。

　正しい「帰納法」によって概念や公理を作り出すことは、「イドラ」を遠ざけ取り除くためには、たしかに本来的な療法ではあるが、しかし「イドラ」を指摘することも大いに有用である。というのは「イドラ」についての教説は「自然の解明」に対して、あたかもソフィスト的論駁についての教説が、通常の論理学に対するのと、似た関係にあるからで

ある。(16)（前掲書）

つまり、学問とその方法論（自然の解明）：イドラ論　という関係は、正しい推論の方法についての学（通常の論理学）：誤謬推論や詭弁についての学（ソフィスト的論駁についての教説）という関係とパラレルだというのね。

正しい方法論によって知性を補完するのが本来のやり方だが、**イドラを指摘することで警告を与えることも同じくらい重要**だと言っておる。だから、認知バイアスをもたらす心のメカニズムについて教えてくれる認知心理学は「現代版イドラ論」なのである。学ぶべし。

第11章
ベーコンの後継者は誰か。彼らからわれわれが学ぶべきことは何か

人工物による知性の増強（エンハンスメント）というアイディア

というわけで、私たちの知性はけっこう頼りないということがわかった。じゃあ、どうしたらよいのだろう。そのヒントもベーコンが与えてくれる。本章ではベーコンの考えのポジティブな側面に注目しよう。

イドラ論が展開されたのは、1620年に出版された『ノヴム・オルガヌム（Novum Organum）』である。この著作は、ベーコンが若い頃から温めていた「学問の大革新（Instauratio Magna）」という大プロジェクトの第二部として書かれた。[17] ラテン語で「ノヴム」は新しいという意味だ。この「ノヴム」がイタリア語になって、『Nuovo Cinema Paradiso』（ニュー・シネマ・パラダイス）の「nuovo」になった。イタリア語ってのは訛《なま》りまくったラテン語だ。それを言うなら、フランス語もスペイン語もポルトガル語もそうだけど。一方、「オルガヌム」は

道具とか機関《エンジン》といった意味。楽器とか、水力機関とか、比較的小さく、つくりの簡単な機械類を指す。もっと大掛かりで複雑なのは「マキナ（machina）」という。「マシン」の語源ね。

というわけでこの本のタイトルは、『新機関』と訳されたりもする。それにしても「機関」ってなんじゃらほい。なんでそんな言葉を使ったのだろう。もうちょっと説明しよう。「オルガヌム」の語源は古典ギリシア語の「オルガノン（ὄργανον）」で、こちらも機械、道具、楽器、（感覚）器官といった意味をもつ。

古代ギリシアの哲学者アリストテレスによる論理学・学問方法論に関する著作が、死後に編纂されて『範疇論』『命題論』『分析論前書』『分析論後書』『トピカ』『詭弁論駁論』という六つの書物にまとめられた。これらを総称するため「オルガノン」、のちに「オルガヌム」という語が使われるようになった。「**真理探究のための道具**」というくらいの意味だ。

自分の著作を『**ノヴム**・オルガヌム』と銘打ったのは、アリストテレス以来ずっと使われてきたオルガノンは時代遅れ、ここはいっちょ私が新時代にふさわしい新しいオルガノンを打ち立てちゃいますよ、という自負の表れだ。野心的な書物なのだ。

それにしても、学問のための方法論が「機関」と呼ばれていたことには、けっこう重要な意味があるんではないかな。第一に、機関・機械は、自然界に最初からあったものではない。誰かがいつか発明した**人工物**（artifact）だ。だとすれば、学問方法論も人工物である。第二に、機関・機械は**人間の能力を増強するためのもの**だ。梃子や車輪は筋力を、算盤や計算機は計算能力を、望遠鏡や顕微鏡は視力を増強する。同様に、すぐれた方法論はわれわれの思考能力を増強する。

つまりこういうことだ。**一人ひとりをとると人間はアホである。**なぜなら、さまざまなイドラがうまく考えることを邪魔するようにできているから。そして、こうしたイドラを取り除くことは容易なことではない（種族のイドラなんて、おそらく遺伝子レベルの話だからね）。われわれは単体ではずっとアホのままだ。21世紀に生きる自分は、紀元前5世紀のソクラテスよりずっと頭がいいぞ、という人がいたら、名乗りを上げてほしい。そうはいないはずだ。

われわれはそれほど賢くない。だからこそ、人工物（学問方法論）によって思考力を補強してやらねばならない、というのがベーコンの発想だ。『学問の大革新』序言の劈頭《へきとう》には、こんな見出しが書かれている。

> 諸学の現状について、それが恵まれていず、大きく前進していないこと、そして精神が自然界に対して自己の権能を行使しうるためには、以前に知られていたとは、全く別の道が人間の知性に開かれねばならず、かつ別の補助手段（auxilium）が用意されねばならないこと（前掲『ノヴム・オルガヌム』、傍点は引用者）

オルガヌムつまり学問方法論は、**知性・思考の補助手段**だと位置づけられている。人間知性が生まれつき備えている合理性は限定的なものにすぎない。だから、さまざまな人工物によって人間知性を増強しなければならない。**これって、意外に現代的な視点だ。**

啓蒙主義者はもうちょい能天気

ベーコンより1世紀のちに現れた啓蒙主義者〔ヴォルテール、ダランベール、ディドロといった人たち〕は、ベーコンを再発見し自分たちの先駆者として称揚していた。たとえば、『百科全書』の序文にはこんな一節がある。

ある〔宗教〕裁判所（中略）が、ある有名な天文学者に、地球の運動〔地動説〕を支持したかどで有罪の判決を下して異端と宣告した。（中略）こうして世俗の権威に結びついた精神的権威の濫用が、理性をむりやりに沈黙させた。もう少しで人類は考えることすら禁じられるところであったのである。

学識が浅い、あるいは悪意のある反対者たちが公然と哲学と戦った間、哲学は幾人かの偉人の著書の中へいわば避難していたが、彼らは、同時代人たちの目から目隠しを取り払おうという危険な野心をもたず、いつか世界を気づかれぬ程度に少しずつ啓蒙してゆくはずの〔理性の〕光を、蔭で静かに遠くから用意していたのである。

こういう著名な人物たちの先頭には、イギリスの不滅の大法官フランシス・ベーコンが置かれねばならぬ。(18)

キリスト教信仰に支配され、理性による真理探究が弾圧されていた「暗黒の中世」の末期に、暗闇の中でひとり声を上げたわれらがベーコン、というイメージだ。ちなみに「ある天文学者」というのはもちろんガリレオのこと。ガリレオを宗教による科学の弾圧の犠牲者として祭り上げるのもここから始まっている。**ベーコンとガリレオが啓蒙主義の二大英雄だ。**

しかし啓蒙主義者には、理性は毀《こわ》れものだから人工物で補強せねばという発想はやや乏しいように思う。理性を邪魔している宗教や迷信・因習が取り除かれたら、人々が生まれつきもっている理性が自動的に作動し始めて人類はどんどん賢くなりますよ、という楽天的なところがある。これに対して、ベーコンは、「そううまくはイカの何とやら」とどこか醒めている。

オートメーションとオーグメンテーション

ベーコンの「人工物による知性の増強」という発想を継ぐ者は、20世紀になって現れた。主流の大型コンピュータ開発の裏に隠れていた「**オーグメンテーションとしての計算機**」という考えだ。

『オックスフォード英語辞典』で「computer」という語を引いてみよう。(19) まず最初に「天文台などで計算をするために雇われた**人**」という意味が記載されている。用例は1646年。ようするに職業名だったわけ。その次に、「計算する機械、とくに数学的ないし論理的操作を実行するための自動的な電子装置」という定義が来る。最初の用例は1897年。

電子計算機の開発プロジェクトは、人間のcomputerさんたちが手分けして手回し計算機を使ってやっていた軍事用の数値計算（いろんな意味で人間らしくない仕事）の自動化《オートメーション》として始まっている。[20] なので、最初の本格的に実用に供されたプログラム可変内蔵電子計算機は、EDVAC（Electronic Discrete Variable **Automatic** Computer）と名づけられたわけだ。**Automatic** Computerって「自動計算人《びと》」だ。あくまでも**人間がやっていた仕事の自動化**であり、**機械は人間の代役**なのだね。もちろん、自動化することによって、桁外れに正確さと速度が高まったわけだが。

これが、チャールズ・バベッジの階差機関《デイファレンス・エンジン》から、最初の実用電子計算機ENIAC、そしてEDVACに至る「計算機ってそもそも何ぞや」の基本理解だった。階差機関は航海に使う数表の作成の自動化、ENIACは弾道表（爆薬量・大砲や信管の特性などから砲弾の落下位置を推定するための数表）作成の自動化を目指したものだった。以上が、初期の大型計算機開発のメインストリームね。

ところが、これとはちょいと異なる計算機の捉え方の系譜が細々と続いていた。いま注目したいのはこっちの方だ。[21]

まずは、ヴァネヴァー・ブッシュという人物を紹介しよう。1890年生まれのブッシュは、もともとMITで教鞭をとる電気工学者だった。しかし、出世するにつれ、米国政府の科学顧問となり、科学政策の方向性を左右するようになっていく。

第二次大戦開戦直後の1940年に、先の大戦では科学者と軍がうまく協働できなかったという反省を踏まえて、ルーズベルト大統領に直談判の末、科学者たちを戦争遂行に動員するための組織である「国防研究委員会NDRC」（National Defense Research Committee）を設置させた。この組織は、翌年に「科学研究開発局OSRD」(Office of Scientific Research and Development)に改組された。ここが中心となって、原子爆弾開発のためのマンハッタン計画が実施されたことは有名だ。ブッシュは局長として計画のマネジメントに携わった。

というわけで、軍事研究推進派のテクノクラートという、ダークな面をもつブッシュだが、一方で時代を先取りした面白い発想を提案してもいる。**人間の思考を拡張する機械**である「**メメックス**(memex)」だ。これは、実現することはなかったが、インターネットに接続されたパソコンのようなものと言えばよいだろう。ユーザーの書いたメモ、絵などを写真にとって、マイクロフィルムとしてファイルしておく。本もレコードもすべて内蔵しておき、求めに応じて瞬時に検索し表示する。通信機能も備えている。

ブッシュの問題意識は鮮明だ。科学技術がどんどん進歩していくのに人間が追いつけなくなってきている(この話は第14章でじっくりと)。情報の洪水で知識の全体像が把握できなくなってきているからだ。そこで、必要な情報を個人がうまくより分けて手に入れる方法、情報検索機械によって人間の思考の質を高めてやる必要がある。つまりブッシュは、人間の知的仕事を代わりにやってくれる機械(オートメーション)ではなく、人間の知性を補完し増強してくれる情報処理機械(**オーグメンテーション**)こそ必要だと考えていたわけだ。

「考えている」のは誰か

次なる登場人物は、ジョゼフ・リックライダーである。1915年生まれ、ということはブッシュの子どもの世代だ。もともとは音響心理学者としてスタートしたが、研究上の必要性から徐々に情報技術に関わりを深めていく。

大きな転機は、1962年に「国防総省高等研究計画局ARPA」(Advanced Research Projects Agency)に設置されたある研究部門の部長に任命されたことで訪れる。翌年に、彼はコンピュータをつないだネットワークを構築しようというメモを残している。リックライダーのこの着想から、ARPANETが生まれ、最終的にインターネットに発展していったわけで、彼はインターネットの生みの親の一人である。

一方でリックライダーは、ブッシュの発想をさらに一歩進めるような先進的なアイディアを抱いていた。1960年に書かれた『人間 - コンピュータ共生体』という論文には、知性の増強装置としてのコンピュータという考え方が明確に示されている。しかし、それだけではない。さらに一歩を進めて次のように考える。

人間がそのような増強装置を用いて考えるようになったとき、**考えているのは果たして誰か**。「人間がコンピュータを用いて考えている」というより、思考は人間とコンピュータの協働作業になり、もはや思考の主体は「**人間とコンピュータの共生体**(Man-Computer Symbiosis)」と言うべきではないのか?[22]

しかし、共生体の実現にはいろいろなことが必要だ。コンピュータとユーザーが同じ言語を使わないといけない。両者のタイミングが合っていなければならない。両者がリアルタイムに対話しながら仕事を進めなければいけない。当時の大型計算機にはそれができなかった。

大量のパンチカードに孔を開けて、プログラムとデータをあらかじめ用意しておき、それをコンピュータに読み取らせたら最後、計算結果が出てくるまで人間はただ待つだけ。コンピュータは一度に一つのプログラムしか扱えないし、プログラムが実行されている間は、プログラマーは直接コンピュータと話ができない。間違いがあっても途中では修正がきかない。

あらかじめ定めた処理を一挙に行うこういうやり方を「バッチ処理」と言う。これでは、ヒトとコンピュータが「一緒に考える」なんてできそうにない。

そこで、リックライダーは、キーボードやディスプレイを通じて人間が直接に対話できるコンピュータつまり「**対話型コンピュータ**」の開発に向かう。彼がARPAでやった仕事は、対話型コンピューティングを実現するための基礎的な技術の開発だったのである。

マウスの発明は何のため？

知性増強装置としてのコンピュータという理念に「オーグメンテーション」という語を当てて、その重要性を強調したのが、3人目の登場人物、ダグラス・エンゲルバートだ。リックライダーよりさらに10歳年下の彼は、大学在学中に第二次大戦に徴兵された世代にあたる。彼も、米海軍に入隊しフィリピンでレーダー技師として働いている。

終戦直後に、ブッシュの論文「As We May Think」の要約版が『ライフ』誌に掲載された(23)。そこでは、メメックスが用いられるようになったとき、われわれの思考のあり方がどのように変わっていくかの未来像が語られていた。エンゲルバートはこれを読んで大きな影響を受けた。

とくに、項目同士が網の目のように関連づけられた「全く新しいかたちの百科事典」ができるだろうという予測が、エンゲルバートにハイパーテキスト[24]の着想を与えたと言われている。

エンゲルバートは、モニターとキーボードでコンピュータと直接対話できる現在のパソコンを支えることになったさまざまな要素技術の発案者・開発者として名高い。たとえば、ビットマップスクリーン、グラフィカル・ユーザー・インタフェース（GUI）、マウスなどだ。これには、レーダー技術がヒントを与えている。レーダーは、パンチカードや出力用紙ではなく、スクリーンに情報を表示することで、オペレーターがリアルタイムで適切な応答を選択することを可能にしている。これを応用すれば、人間とコンピュータが相互作用しながら「一緒に考える」ことが実現できるはずだ。

こうした数々の発明品を引っさげて、1968年にエンゲルバートが行ったデモンストレーションは、スタンディング・オベーション《観客総立ちでパチパチ》を受けるほどの大成功を収めた。この伝説的なデモのおかげで彼は「すべてのデモの母」と呼ばれている。人々は初めてマウスを見ることになったわけだし、そもそもコンピュータを使って画面に文字を表示させることじたい驚くべき発想だったのである。にもかかわらず、その後のエンゲルバートは、素晴らしいアイディアを実現するための資金が得られず、失意のうちにこの世を去った。

「人間知性の増強」とはいかなることか

ここで重要なのは、エンゲルバートの「哲学」の方である。彼は1962年に『人間知性を増強する：概念的枠組み』という論文を書き、対話型コンピュータによる知性改善の可能性を論じた。[25] 論文の冒頭でエンゲルバートは「知性の増強」を次のように定義している。

「人間知性の増強（augmenting human intellect）」によって、われわれは次のことを意味する。すなわち、複雑な問題状況にアプローチし、その都度の必要に応じた理解を獲得し、問題への解決策を導き出す人間の能力を高めること、である。さらに、こうした点において高められた能力とは、以下の能力の組み合わせを意味すると解釈される。より迅速な理解。よりよい理解。かつては複雑すぎた状況においても有効な程度の理解を獲得できること。より迅速な解決。よりよい解決。そして、かつては解決不可能に思われた問題に対しても解決を見出せること。（訳文は引用者）

なるほど。知性は、自分が置かれた状況を正しく理解することによって問題を解決するためのもの、と考えられているわけだ。そして、エンゲルバートはそれをさらに六つの要素的な能力に分析している。**いかにも工学者的なアプローチ**だ。面白いのはその次から。

知性増強装置のいろいろ

エンゲルバートは、知性増強は何もいまに始まった話ではなく、**人類はずっとそのための手段を開発し用いてきた**と考える。知性増強のための手段は次の四つのカテゴリーに分類される。

引用しよう。

1　人工物――人間の安らぎをもたらす、物体や物質を操作する、そして記号を操作するために設計された物理的対象。

2　言語――個人が自分の世界像を、心がその世界をモデル化するために用いるいくつかの概念と、個人がそれらの概念に割り当てその概念を意識的に操作する（「思考する」）際に用いている記号とに小分けして包装する、そのやり方。

3　方法論――個人が自分の目標を目指す（問題解決）活動を編成する際に用いる方法、手続き、戦略など。

5つの知性増強手段を使いこなせ！

4　訓練――人間が手段1、2、3を使うスキルを、実際に使って効果的なものにまで高めるために必要な条件づけ。

それぞれの定義もなかなかに味わい深い。私は、言語も方法論も人が作ったものなので、これら四つすべてをひっくるめて「人工物」と呼び、手段1は「**装置**」と呼んでおきたい。ま、これは言葉の趣味の問題。また、五つ目の手段として、私は「**制度**」あるいは「**ルール**」を付け加えたい。これも人工物だ。たとえば、学会発表の作法、学術雑誌の査読、学会の倫理綱領、単位や生物種や化学物質の命名法についての国際的な取り決めなどがそれにあたる。発表や投稿論文が複数の人々によるチェックに晒されることで、自分ひとりではありえない仕方で、より厳密に考えることができるようになる。

大事なのは、エンゲルバートが実現しようとしていた対話型コンピュータは、人類がこれまで開発・蓄積してきたさまざまな知性増強手段の一つにすぎない、と**彼自身が考えていた**ということだ。

ビブリオバトルも知性増強装置だった!

こうしたエンゲルバート的発想の最新バージョンは何かなと探してみると、あるある、ありましたよ。**キミはビブリオバトルを知っているか**? 読書促進とかプレゼン力向上といった目的で、学校や図書館、本屋さんなどでかなり頻繁に開催されているから、体験した人もいるはず。そうでない人のためにまずは簡単に紹介しよう。ようするに、自分の読んだ本を互いに紹介しあうのを、ゲーム仕立てにしたものである(知的書評合戦)。公式サイトによれば、そのルールは次のように定められている。

1　発表参加者が読んで面白いと思った本を持って集まる。
2　順番に一人5分間で本を紹介する。
3　それぞれの発表の後に参加者全員でその発表に関するディスカッションを2〜3分行う。
4　全ての発表が終了した後に「どの本が一番読みたくなったか？」を基準とした投票を参加者全員で行い、最多票を集めたものを『チャンプ本』とする。

補足として、レジュメなどは準備せず、パワーポイントも使わず、あくまでアドリブで語ろう、といったアドバイスがされている。これだけのルールで、「読書がスポーツに変わる！本を読むのが楽しくなる！　いろんな本に巡り会えてどんどん世界が広がる」というのが謳《うた》い文句だ。プレゼンチャンピオンを選ぶのではなく、あくまでも本を選ぶというところがよく考えられているね。

初めてビブリオバトルのことを知ったとき、私は、子どもたちになんとか本を読んでもらおうと案出されてきたさまざまな仕掛けの一つだろう、と高をくくっていた。その後、たまたま発案者の谷口忠大さんと出会うことができた。彼の話を聞いたり書きものを読んだりするうち、だんだんとビブリオバトルの背後にある谷口さんの思想がわかってきて、もしかしたらこれはすごいんでないの、**ベーコン的理念を継ぐものではないの**、と思うようになった。説明しよう。
谷口さんの専門は情報工学だ。自分で言葉を覚え概念を獲得するロボットをつくろうとしている（記号創発ロボティクス）。こっちが本業で、ビブリオバトルはいっけん趣味というか余技というか、本好き工学者のサイドワークのように見えるが、じつはそうではなかった。彼はビブリオバトルの提案を「**社会的相互作用場の設計**」の一つとして位置づけている。[26]

ところで「設計」とは何か。ある機能を目標において、それをうまく果たしてくれる人工物を考え出す、というプロセスだ。ビブリオバトルの場合、社会的相互作用場が目指す機能として、谷口さんは書籍情報の共有、プレゼンテーション能力の開発、良書の探索、書評というコンテンツの生成支援、分業化・定型化されておらず偶然を排除しないコミュニケーション（インフォーマルコミュニケーション）の支援を挙げている。ようするに、よい本を見つけ出し、それを共有し、情報発信するために共同作業をやろう。そのために参加者のコミュニケーション（プレゼン力も含む）の質を高めよう、というのが目指すべき機能だ。これって、もろにわれわれの知性の増強ではあーりませんか！　ただし、グループがもつ知性の増強だ。

そしてその機能をうまく果たしてくれるような「場」を設計しようとして生まれた人工物がビブリオバトルというわけだ。[27]　つまり、**ビブリオバトルは集合的知性増強装置の一つ**なのである。なんかすごい。

「自分の頭を使って考えろ」という決まり文句をためらいなく口にする奴は、実は何も考えていない

というわけで、ここで紹介した3人の「パソコンの父祖」、谷口さんのビブリオバトルのアイディア、ひょっとしたらメカニズムデザイン（なんせまだよくわかっていないので）……これらこそ、人工物による人間知性の補完・増強というベーコンの理想の正統な後継者とみなすことができる。

ベーコンが実際に提案できた知性増強のための人工物は、方法論的なものにすぎなかった。いかにも装置っぽいもの、たとえば計算尺が発明されたのは『ノヴム・オルガヌム』の12年後、パスカルが歯車式計算機を発明したのは25年後だ。ベーコンの新機関といっても、いまからみるとけっこうショボい。

ベーコンの頃に比べ、人類総体としての思考能力は格段に進歩したと言ってよい。科学技術の爆発的発展がその進歩を物語っている。しかしそれは、**われわれ一人ひとりの頭が良くなったからではない**。思考の補完手段（＝人工物）のレパートリーが質・量ともに充実したからだ。方法論をとってみてもそうだ。さまざまな統計理論が開発され、いまではそれが統計ソフトという形で自動化されている。そのおかげで、われわれはベーコンよりもはるかに上手に帰納的推論ができるようになった。

よく「自分の頭で考えろ」と説教される。これが、第8章ですでに述べたように、「自分の切実な問題を人に考えてもらおうとするな」という意味ならまったく正しい。また、「偉そうな人の言うことを鵜呑みにするんじゃない」という意味なら、これもまた正しい。さもないと劇場のイドラに囚われてしまうかもしれないからね。

しかし、「自分の脳みそだけ使って考えろ」とか「ものを考えるのには自分の脳みそだけあれば十分だ」という意味で言われているなら、全面的に間違っている。われわれの脳みそはそんなに上等ではない。単体ではアホなわれわれは、**知性改善のための人工物をフル装備してはじめて、まともにものが考えられるのである**。そして、知性増強装置を装備するためには、教育を受けなくてはならない、そして「ものを考えるコミュニティー」の一員にならねばいけない。逆に言えば、教育を受けるということはキミの知性を増強するということなのだ。そう考えると学校に行くのもまんざら悪くないでしょ。

第12章
どうやって、居心地のいい洞窟から抜け出すか

イドラ洞窟は岩風呂つきでご奉仕中！

「洞窟のイドラ」をおおむね次のように定義した。性格、認知の癖、家庭環境、生育歴、つきあっている友だち、受けた教育、受け取ってきた情報などの影響によって、人の心を縛るようになった偏見・先入見。

こうした洞窟＝先入見に深くはまり込んでいる人は、はたから見るとアホである。「俺は世の中のことをよーくわかっている。それをみんな現場で学んだ。学校の勉強なんて何の役にも立たない」とふんぞり返っている二流経営者とか。「わかったつもりになってる」「知った気になってる」「独善的」……こういう状態を蔑むための表現はたくさんある。たくさんあるということは、それだけ人間はこういう状態に陥りがち、ということだ。

洞窟の外から見ると滑稽でみっともないのに、みんなそこから出たがらない。それはなぜか。

「わかったつもり」はいい気持ち

……**居心地がいいからだ**。洞窟というと、暗く冷たくジメジメ・ゴツゴツしている感じがする。おまけにプラトンのオリジナルではがんじがらめに縛られてるし。でも、実はその逆だ。イドラの洞窟にはいい湯加減の温泉が湧いている。みんなそのプライベート温泉に浸かってまったり、というのが真実に近い。

なぜ居心地がいいのか。「わかったつもり」も、主観的にはわかった状態の一種であり、**われわれは何かがわかると気持ちよくなるようにできている**からだ。教育心理学者の西林克彦は『わかったつもり』（光文社新書）で次のように述べている。

後から考えて不充分だというわかり方を、「わかったつもり」とこれから呼ぶことにします。（中略）この「わかったつもり」の状態も、ひとつの「わかった」状態ですから、「わからない部分が見つからない」という意味で安定しているのです。わからない場合には、すぐその先の探索にかかるのでしょうが、「わからない部分が見つからない」ので、そうしようとしないことがほとんどです。

西林さんは麻柄啓一さんの興味深い研究結果を紹介してくれている。まず、実験参加者の大学生たちに木下順二の『夕鶴』の一部を読んでもらう。そしていくつかの設問に答えさせる。この中に、つうはなぜ美しい布を織ったと思いますか、という設問がある。学生たちの多数（63％）が「恩返しをするため」という答えを選ぶ。本文にはっきりと、よひょうといっしょにくらしたかったから、と書いてあるのに。

学生たちは、「あ、この話知ってる。つるが恩返しする話でしょ」とばかり、「わかったつもり」にはまり込んで、本文を探索する活動をやめてしまった。自信満々に「恩返し」にマルをつけているときの彼らの顔はきっと満足感と喜びに輝いていたろう。だとしたら、ずいぶんと悲しい実験結果だ（勝手に想像してるだけですが）。

わかったつもりは心地よい。これに対し、正解がわからないままに探求するのはつらい。心細い。わかったつもりを脱して、ちょっとはマシなわかり方を目指そうとすると、いったんは今より「わかっていない」状態を経由しなければならない。だからみんな洞窟風呂に浸かったままになる。なんせ外は寒い。こんな風にして、**わかったつもりは、さらなる探索活動を妨害し、イドラになる。**

自分の「世界を見る仕方」を相対化することが重要だ

わかったつもりから抜け出るためにはどうしたらよいのだろう。アルキメデスは「わかったぞ（ヘウレーカ）」と叫んで風呂から飛び出した。われわれに必要なのは、「わかってなかったぞ」と叫んで風呂を脱出するためのノウハウだ。私は**「相対化」という方法が有効**なのでは、と考えている。こいつをキミに伝授するのが本章の目的だ。

相対化とは何か。当たり前（だからわかってる）と思いこむことによって思考を縛っていることがらを、視点をずらして当たり前でなくしてしまう手続き。あるいは、唯一の可能性だと思いこむようになってしまったことがらを、いろいろありうる可能性の一つに格下げしてしまう手続き、と言えばよいだろう。

キミが身につけてきた偏見・先入見は、残念ながらキミの人格の一部になってしまっている。「洞窟のイドラ」を通してこの世を見て、そしてわかった気になる。それしかやりようがないのだ。だとしたら、洞窟から抜け出すには、キミのものではない視点から世界を眺め、キミのものではない視点から「キミが世界を眺めていたそのやり方」そのものを見直すしかないだろう。こうしてはじめて、「私はホントはわかっていなかった」と思うことができるからだ。

このための手続きを「相対化」と呼ぶ。そして、相対化のためにあえてズラした視点を**「相対化の視座」**と言うことにしよう。[28] そうすると次の問いは、どのようにしたらわれわれは相対化の視座に立つことができるのか、になる。

どこから見るかを変える

相対化の視座を獲得する方法は三つある。**視点を変える。「他者」と出会う。歴史を遡る。**順に詳しく説明するね。

視点を変える最もストレートなやり方は、文字どおり、**どこから見るかを変える**ことだ。世界地図を例にとろう。キミたちが最も目にすることの多かったのは、日本がほぼ中央に描かれ、右端にアメリカ大陸、左端にヨーロッパとアフリカ大陸が描かれているものだろう。だから大西洋は二つに分かれてしまっている。これがわれわれの世界認識を縛りつけている。

でも、これは「グローバル・スタンダード」ではないのだぞ。欧米の世界地図では、たいていヨーロッパが真ん中、右の一番端っこに日本があり、左にアメリカ大陸が位置している。これを見ると、ヨーロッパから見たアメリカは、大西洋を一跨ぎした「向こう岸」なんだなと気づくし、日本が極東（Far East）と言われたわけも腑に落ちる。

北極を中心にした地図も見たことがあるだろう。日本でもすでに天保8年（1837）に熊本藩士の小佐井道豪《こさいどうごう》が描いている。こういう地図を見ていると、なるほど、ロシアとアメリカは北極海を隔ててお向かいさん、お互い弾道ミサイルをぽんぽん打ち合うことのできる間柄だったのね。そりゃ冷戦も深刻化するわい、と気づいたりする。(29)

スケールを変えてみてみる

「相対化の視座」を獲得する3つの方法

視点を定めるのは見る方向だけではない。近づいて見るか離れて見るかも重要だ。ここではもっと一般化して、**ものを見る「スケール」**と呼んでおこう。これを変えることによっても、わかったつもりから脱出することができる。

地球の直径は1万2000キロメートル、と言われてもピンとこない。スケールを変換してみよう。地球の直径を1200ミリメートル（だいたい1メートル）に縮めたとする。1000万分の1の大型地球儀だ。さて、世界で最も高いチョモランマの標高は8848m。この地球儀では1ミリに満たない。われわれにとって地面はひどくデコボコしているけれども、実のところ地球はほんとにツルツルなのだ。あるいは大気圏の厚み。国際航空連盟では海抜100キロメートルをカルマン・ラインと呼んで、これを宇宙空間と大気圏の境界線としている。それってこの大型地球儀では1センチメートルになる。大気圏ってこんなに薄いんだ。この話を教えてくれた大学の同僚である佐野充さん（化学者）は、つねづね「われわれの生存は薄皮一枚に支えられている」と言っていた。

この種のスケール変換がもたらす気づきの印象的な例は、『世界がもし100人の村だったら』だろう。2001年ころからネット上でチェーンメールのようにして拡散した[30]。世界の人口を100人に縮小することで、世界の現状を直感的に理解しやすくしたものだ。たとえば、その村では6人がすべての富の約6割を所有し、その6人ともが米国籍であるとか。70人が文字を読めず、50人が栄養失調であるとか。大学教育を受けているのも、コンピュータを所有しているのもたった1人だとか……。

立場を交換してみてみる

視点を変換する第三の方法は、**立場・役割を交換してみる**ということだ。加藤周一が自伝『羊の歌』（岩波新書）に、こんなことを書いている。

米国では——太平洋問題研究所の会議で、クリーヴランドに集った学者たちが、日本は参戦しないだろうという議論をしていた真最中に、真珠湾奇襲の報らせがとどいた。学者たちはわが耳を疑ったが、気をとりなおすと、会議を中断し、「ファシズムの没落の確定した」ことをよろこんだ。東京市民は、世界中がよろこんでいることを知らなかったから、みずからよろこんでいたのである。

これが実話かどうかはわからない。かりに実話だとしても、当時22歳でまだ海外に出たことのない加藤周一がそれを知りえたかはもっとわからない。ただ、加藤はこの夜、見おさめと思って文楽を見物にいったという話だから、「みずからよろこんでいた」人々の中にはいなかったことは確かだ。

この記述は、同じ出来事でも立場を交換すると正反対の見方が可能だということを示す例として、とても印象的だ。多くの日本庶民の視点からは、提灯《ちょうちん》行列で寿《ことほ》ぐべき慶事に見えるものが、米国の学者の視点からは、ファシズム敗北の始まりに見えた。重要なのは、どちらが結果として正しかったかということではなく、想像上にせよ、**こうした視点の交換がキミにできるか**、ということだ。

この一節から学ぶべきもう一つ重要なことがある。「窓の学問」について話をしたとき、窓は、それを通して外を眺め、外の世界を知ることを可能にすると述べた。しかし、これはことがらの半分にすぎない。窓にはもう一つの重要な働きがある。それは、**外から自分を見る**のを可能にするということだ。窓の外には他者がいる。その他者と自分の視点を交換する。それによって、窓の外からは自分がどう見えるのかを知る。こうして自己を相対化することができる。

ガーフィンケルの伝説的宿題

「立場の交換」ということを学問の方法論に据えた人もいる。エスノメソドロジーという社会学の新潮流を創始したハロルド・ガーフィンケル（1917〜2011）だ。この人が学生に課した宿題は、もはや伝説の域に達している。「家に帰ったら、ずっと、家族の一員ではなく下宿人のように振る舞いなさい」という課題だ。

するとこういうことになる。自分の父母に「こんにちは皆さん、ご機嫌いかがですか」と挨拶する。これまで、冷蔵庫を勝手に開けていたのが、「冷蔵庫にジュースがあるみたいですが、いただいてもよろしいでしょうか」といちいち許可を求める。家族は、最初はふざけてると思って笑っているが、いつまでたってもやめないので、しまいに怒り出す。「家族」がぐちゃぐちゃになる。

ガーフィンケルの意図はもちろん学生の家庭を崩壊させることではない。そもそもエスノメソドロジーとは何か。中国語では「俗民方法学」って訳される。良い訳だ。エスノメソドロジーでは、社会というものがまずあって、その中にわれわれが暮らしていて社会と影響しあう、という具合には考えない。社会とは、そのメンバーが、発話や行為を通じてそのつど作り上げていく（構成していく）ものだと考える。家族も、メンバーが家族としてふさわしい振る舞いをすることによって、**その場その場でつくられる**ものだ。エスノメソドロジーは、フツーの人たち（俗民）がどんなやり方で社会を絶えず構成し維持しているか、その「方法」を明らかにしようとする。ちょっと異端の社会学だ[31]。

この宿題では、家族の一員が、家族を構成するゲームから断りもせずに「いち抜けた」となるわけだ。そのことによって、日常生活の中で私たちが家族をつくっているときに、知らず知らずのうちに従っている約束事が明らかになる。当たり前すぎて見えなくなっているものを可視化するための「役割の変換」だと言える。

他者との出会いは大切だ、という紋切り型はやっぱり正しい

相対化の視座を獲得する第二の方法は、「他者」と出会うことだ。カギカッコをつけたのは、現実世界にいま生きている他者に限らないから。これは読書の意義を論じたときにすでに述べた。本を通じて、過去の著者、虚構の人物にわれわれは出会う。これも「他者」だ。しかしここでは、実際によその土地へ出かけて行って実在の人々と出会うこと、しばしば「異文化との出会い」と呼ばれることがらについて、その意味を考えてみよう。

異文化との出会いと聞くといつも思い出すのは、クエンティン・タランティーノ監督の映画『パルプ・フィクション』のワンシーンだ。二人のギャング、ヴィンセントとジュールスが自動車でどこかに向かっている。[32] ヴィンセントは麻薬取引のためずっとアムステルダムに「赴任」しており、最近帰ってきたばかりだ。

ヨーロッパのいちばん面白いところはなんだかわかるか？

――何だ？

ちょっとした違いがあるってことさ。たいていはここと変わらねえんだが、あっちの奴らはちょこっと変わってんだ。

――たとえば？

そうだな……アムステルダムじゃ映画館でビールが買えるんだ。紙コップじゃねえ。バーみたくちゃんとグラスに入ったやつ。パリなんかマックでもビールを売ってる。そうだ。パリで、チーズの入ったクオーター・パウンダーのことをなんて言うか知ってるか？

――「クオーター・パウンダー・ウィズ・チーズ」じゃねえのか？

違うな。あっちはメートル法だから、クオーター・パウンダーってなんだかわからねえんだ。

――じゃ、なんて言うんだ？

ロワイヤール・ウィズ・チーズだとさ。

――ロワイヤール・ウィズ・チーズね。じゃビッグ・マックは？

ビッグ・マックはビッグ・マックさ。でもあいつらは**ル**・ビッグ・マックって言うんだ。

（中略。しばしバーガー・キングの話などあって）

オランダの奴らはフライドポテトにケチャップはつけねえ。代わりに何をつけて食うかわかるか？

――なんだ？

マヨネーズ。

――ガッデム！

「共感なき連帯」どうでしょう

「ロワイヤール……」のくだりが正しいかどうかは未確認。きっとヴィンセントの冗談だろう。でも、オランダでフライドポテトにマヨネーズがついてくるのは確かだ（出張したとき確かめた）。ジュールスはヴィンセントを介して異文化と出会っているわけだが、二つの重要なことを指摘できる。まず、異文化との出会いの意義は、キミのとは異なるやり方があることを知り、**キミのやり方は一つの可能性にすぎない**ことを理解することにあるってこと。ケチャップと決まってるわけじゃない。マヨネーズでも、酢でもよい（英国ではそう）。塩だけでもいい。第二に、**異なるやり方を知ってもキミがそれを採用する義理はない**ということ。ポテトにマヨは「ガッデム」でいいのだ（私もガッデム）。

というわけで、重要なのはまず、自分の考え方、物事の進め方が唯一の可能なやり方ではないということを理解すること。その上で、自分と違ったやり方をする人々と、同じになってしまうのではなく、それでも共存する道を探していくことだ。

あいつらはヘンな奴らだ。フライドポテトにマヨネーズをつけてやがる。腐って糸を引いた大豆を食べてやがる。舌にピアスをしてやがる。ったくどこがいいんだか。あいつらの気がしれない。オレはぜったいにそういうことはしない。でも、あいつらを追い出そうとも思わない。喧嘩しないで共存していこう、社会がバラバラにならない程度にはゆるーくつながっておこう。こんな風に考える人が増えることを私は望んでいる。つまり**共感なき**（「気がしれない」ってそういうこと）**連帯**（ゆるーくつながる）ということだね。国も地域社会もクラスルームもそうなるといいなあ。[33]

違いを保持したまま違いを乗り越える

というわけで「共感なき連帯」にもとづく社会が、私の暮らしたい社会なんだ。そして、教養というのはこの社会の一員になるのに必要な資質だ、と言ってもいいかもしれない。キミたちのなかからも賛同者を募りたいので、もうちょっとこの話を展開するね。[34]

「排除型社会」という言葉がある。新自由主義社会は自己責任と自助努力が原動力。そうすると、そこからこぼれ落ちる人が出てくる（「怠け者」、福祉に依存せざるをえないひと、犯罪者、能力が低いとみなされたひと）。これらを社会の生産性を下げる「敵」として排除することで社会を統治しようとする、そういう社会のことを言う。

で、政治思想史を専門とする重田園江さんの見立てでは、現代日本では新自由主義が早めに影響力を失った結果、スケープゴートを生み出し排除することによる統治ではなく、分断により人と人とのつながりが失われてしまう社会が現れた、というのね。つまり、生産性の低い者が社会の敵として積極的に排除されるのではなく、社会にいちおう受け入れられているのに、社会との接点を欠き、見えない存在になってしまうような社会だ。孤独死はその表れの一つ。

なので、分断に対置される社会イメージが必要だ、それが「連帯」だ、と重田さんは言う。利害や立場を異にする者たちが違いを超えて結びつき、「**違いを保持したまま違いを乗り越える**」のが連帯だ。美しい言葉だ。でもこれって、具体的にどうすることなのだろう？

共感で連帯しようとするのはやめたほうがいい

もうちょっと考えてみよう。連帯は「分断」に対置される概念だけど、「包摂」とも違う。包摂《インクルージョン》というのは、マイノリティをマジョリティに同化することだ。「なんだキミたち。最初はヘンなやつだと思ってたけど、キミらも俺たちと**同じように考え同じように感じているん**じゃん。**じゃあ仲間にしてあげよう**」が包摂ね。ここでしばしば働くのが「共感」だ。ところが、共感でつながるのはけっこうヤバイことなんだぜ。

それを明らかにしているのが、ポール・ブルームの『反共感論』（高橋洋訳、白揚社）だ。これを読んで私は、連帯にもとづく社会は共感を紐帯《きずな》としない方がいい、と思うようになった。ブルームはまず、こんな風に宣言して本書を始めている。

> 私は、世界をよりよい場所にしたい。共感に頼ることは、その目的にそぐわないと考えるようになったのだ。

その論拠は、共感が道徳的行動を促すことがあるのは確かだが、共感によらなくても道徳的行動は可能であるということ、そして共感は逆にしばしば道徳的行動をじゃまするということだ。ブルームは興味深い事例を紹介してくれている。２０１２年12月14日にコネチカット州で起こった、**サンディフック小学校乱射事件**（Sandy Hook Elementary School shooting）だ。当時20

歳のアダム・ランザ青年が、まずベッドで寝ていた母親を射殺した後、近所の小学校で20人の児童と6人の大人を射殺したのち、自殺したという事件。

ブルームが注目するのは、その後に起こったことだ。「子どもたちかわいそう」という感情にかられた過剰な慈善行為が町に大きな負担をかけることになってしまったのだ。市当局がもうヤメテケレと言っているのに、贈り物とおもちゃがつぎつぎと市に送られ、それを整理するためだけに数百人のボランティアが必要になった。結局、全米から数百万ドルが寄付された。この小学校区はかなり裕福なコミュニティであったにもかかわらず。ちなみに、この事件で亡くなった児童より、同じ年にシカゴで殺された（貧困地域の）児童の数の方が多い。

寄付をよこした人たちは、サンディフック小学校の子どもたちや親たちに共感（あるいは同情）したわけだが、こういうヘンテコな結果をもたらした。ブルームはそこから、共感のもつ問題点を指摘する。まず第一に、共感は特定の個人に焦点を絞る。第二に、共感には先入観が反映されやすい。第三に、共感は自分に近い者、自分と似た者に向けられやすい（裕福な人々が裕福なコミュニティに寄付をした）。第四に、共感は視野が狭く数的感覚を欠いたものになりやすい（この小学校とシカゴと）。

共感はごく狭い範囲にしか光を当てないスポットライトに似ている。共感にも「バイアス」があるということだ。そりゃそうだろう、共感能力も進化的に獲得したものだから、もともと自分と近い遺伝子の者を残すのに都合がいいようにできている。

「違いを保ったまま連帯する」のに必要なものは何か

共感が当てにならないとするなら、「違いを保持した連帯」のために必要なのは何か。連帯は包摂とは違うとはいえ、人と人のつながりである以上、連帯をもたらすにも何らかの紐帯は必要だ。その役割を果たしてくれるものは何だろう。これについてもブルームがヒントを与えてくれている。

「共感」とひとくくりにされているものには、実は二つのかなり違うものが含まれている、とブルームは言う。一つは**情動的共感**《エモーショナル》だ。つまり、あなたの苦しみを私の苦しみのように苦しむ、みたいな。つまり、ハートで共感するってことだね。もう一つは**認知的共感**《コグニティブ》。あなたの苦痛を自分で感じることなしに頭で理解するということ。そういう目にあったらそりゃ辛いでしょう、と考える。でも自分はちっとも辛くはない。この二つは脳の違う場所でやっているらしい。

ふつう、情動的共感の方がより深く、よりよい他者理解だとされている。「ひとの痛みを本当にわかるのが大事」みたいな。「うわべだけの同情なんているもんか」みたいな。そうじゃない、というのがブルームの言いたいことだ。情動的共感で他者とつながろうとするのは危ないよ。ましてやそれを社会の構成原理とするのはもっと危ない。なぜならそれはスポットライトだから。

というわけで、**「違いを保持した連帯」の紐帯として必要なのは認知的共感ではないか**と思う。情動的共感をもてない他者とつながるには、認知的共感があれば十分だ。とりわけ、「同じヒトという種だから、基本的なニーズ（食べ物・安全・ケア……）は私も他者もほぼ同じだろう。それが奪われれば他者も私と同じように苦しむだろう」と頭で理解しておけばＯＫ。

ガッデム！　のあとにわれわれが言うべきこと――「違いを保ったまま連帯する」のに必要なもの

大学生のころ、レゲエが好きだった。とくに硬派バンドのブラック・ウフルがお気に入り。ちょうどピューマ・ジョーンズという女性ボーカリストが加入して、バンドは絶頂期をむかえていたんだ。彼らのレパートリーに、まさに「Solidarity」つまり「連帯」というタイトルの曲があった。いま思い出してみると、その歌詞にいま私が齢60にして達した結論がすでに歌われていたことに気づいた。がーん。

「みんな、どうしちまったんだ？　What's the matter, people?」という叫びで始まる曲は、「どんなヤツも望むものは同じじゃないのか」と問いかけ、それを列挙していく。曰く、ハッピーエンド、週末のスポーツ観戦、友だち、食っていくための仕事、子どもが凍えないこと、嵐をしのぐシェルター……。そうして、「ほら、俺たちは同じ大地（common ground ＝共通基盤）の上を歩いているだろう。だから争いあう必要なんかない。俺たちに必要なのは連帯だ」と続く。ここまで書いてきたことは、この歌詞への注釈のようなものだ。

というわけで結論。ジュールスの「ガッデム！」に続けてわれわれが言わねばならないこと。それはこうなる。

ガッデム！　フライドポテトにマヨだと。信じられねえ奴らだ。オレは金輪際マヨはつけねえし、それが美味いとも思わない。そんな風になりたいとも思わねえ。でもまあ、あいつらには美味いんだろう。オレにとってケチャップが美味いようにな。**誰でも美味いものを食いたいからな**。だから、許しといてやらあ。でも、もしあいつらが、オレにもマヨをつけろだの、それが美味いと思えと強制してきたら、**そんときゃ頭をぶち抜いてやる**。

こういう連帯の作法がありうることを知るために、異文化体験は大切なんだ。

インチキ伝統主義者を嗤うためにこそ歴史的センスを磨こう

相対化の視座を獲得する三つの方法のうち、視点の変換と「他者」との出会いについて説明してきた。残るのはもう一つ「歴史を遡る」だ。

歴史を学ぶことは大切だ。これに反対する人はほとんどいない。でも、なぜ大切なのかの理由はさまざまだ。歴史を学ぶことじたい楽しいじゃないですか。自国の伝統文化や歴史を知らないと海外で恥をかきますよ。過去の成功・失敗から教訓を学んで未来に活かすためです。……ぜんぶ正しいね。でも、もう一つ重要な理由が残っている。自分を「わかったつもり」から救い出す**相対化の視座を獲得するために、歴史を遡ることは役立つ**。

というのは、われわれを「わかったつもり」にして独断と独善に陥らせる一つの重要なレトリックが、歴史にかかわっているからだ。つまり、「これはわれわれの伝統だ」「昔からそうなっている」、だから「これ以外の可能性はない」と信じさせるというやり方だ。ここでは、こうしたレトリックを悪い意味での伝統主義、インチキ伝統主義と呼んでおこう。最近では「日本人のDNAに刻み込まれている」みたいな恐ろしく頭の悪い《バカまるだし》表現も流行っている。

歴史を遡ると、**「新しい」は古く、「古い」は新しい**という発見がしばしばある。エリック・ホブズボウムとテレンス・レンジャーという歴史家の著作『創られた伝統』（紀伊國屋書店）に、おおよそこんなことが書いてある。伝統というといかにも古くから受け継がれていると思われがちだが、その多くはごく最近、近代になってからナショナリズムや帝国主義的イデオロギーのために人工的に創られたものにすぎない。

たとえばスコットランドでは、「民族衣装」としてタータンチェックのキルトが有名だ。それからバグパイプ。しかし、これらは18世紀初めにイングランドとの合同《ユニオン》[35]が成立した後の産物なのである。合同への抵抗の象徴として「われわれの伝統文化」が発明されたというわけだ。これらの文物は昔からあるにはあったが、実のところ、合同以前の大多数のスコットランド人は、それを野蛮な地方人の風習として軽蔑していた。

フランスの批評家ロラン・バルト（1915〜1980）は、「歴史を自然に移行させること」を**神話作用**と呼んだ。今では自然に思われること、「昔からそうなっている」ように思われること、「われわれのDNAに書き込まれている」かのように語られていることも、歴史の中で誰かによってつくられたものであるかもしれない（しかもわりと最近になって）。インチキ伝統主義者のレトリックはそのことを覆い隠し、**歴史の産物を自然の事実であるかのように**

装う。こういった**悪しき伝統主義者を嗤《わら》うためにこそ歴史を学ぶ必要がある。**決して、「200年以上にわたって独自の歩みを遂げてきた国家と国民の壮大な叙事詩」とやらが与えてくれる疑似アイデンティティにうっとりして、自らを慰めるためではない。自分を相対化するために学ぶんだからね。[36]

日本にも同様の事例がたくさんある。桜が日本を代表する「国の花」として認識されるようになったのは日清戦争の頃からだとか。正座が作法にかなった唯一の正しい座り方とされるようになったのは昭和になってからだとか。たかだか明治以降に人工的につくられた疑似「伝統」が、はるか昔から日本人に連綿と受け継がれてきたかのように語られる。[37]

「良妻賢母」と「全然」を私はずっと誤解していました

私にとって最も驚きだったのは「良妻賢母」という言葉の歴史だ。「良妻賢母」は儒教的女性観にもとづいている感じがするので、中国語由来だろう、そして中国には古くからあるのだろうと思いこんでいたが、事態はまるで逆だった。[38]

中国語には確かに「賢妻良母《シエンチーリヤンムー》」という語があるが、それが生れたのは20世紀初頭で、それも、日本語の「良妻賢母」を輸入してつくられた。当時、国家存亡の危機に直面して富国強兵策を模索していた中国知識人が、これまで教育から遠ざけられてきた伝統的女性像を批判し、女性も学校教育を受けて国家に寄与できる人材になるべきだと主張するために創造した言葉だったのである。当初、「賢妻良母」は、儒教的女性像どころか**新時代の女性像を表していたわ**

けだ。

逆もある。最近の現象だと思っていたら、そうではなかったという例だ。これについては苦い経験がある。「こっちの方が全然美味しい」みたいに、肯定文の中で「全然」を使うのは、最近になって生じた「言葉の乱れ」だと思っていた。タレントとかがそういう言葉遣いをしているのを耳にすると、「ったく、教養ねえ奴はダメだなー。全然は否定文で使うもんだぜ」と(心の中で)つぶやいていたし、子どもには「真似しちゃだめだよー」と言っていた。ところが……。

漱石の『坊っちゃん』を読んでいたら、「一体生徒が全然悪るいです」という一節に出会った。がーん。それ以来、気にしていると、明治の書き物の中には、同じような用例のイヤモウ多いこと。「全然」を肯定文の中で用いるのは全然オーケーなのでした。恥ずかしい。

というわけで、歴史を遡ることによって、私の「わかったつもり」は見事に粉砕されたわけだ。歴史を学ぶ一つの重要な意義は、キミに植えつけられた「常識」を相対化する視座を獲得し、洞窟から脱することにある。……とは言っても、またすぐに穴ぼこに落ちるわけだけどね。

だから何度でも繰り返さなきゃダメだ。

第13章
批判的思考《クリティカル・シンキング》って流行ってるよね。でも、何のためにそれが必要なんだろう

まずは、ここまでに明らかになったことをまとめておこう

真理探究という観点からすると、われわれの知性はそれほど出来がよくない。単体ではアホ（認知的けちんぼ）である。バイアスや思考の罠に陥りやすい。そういう風にできているんだからしょうがない（つまり、種族のイドラ）。というわけで、人間が生得的に備えている唯一の真理探究の道具が真理探究を妨げることがある。

なので、われわれの心をさまざまな人工物で補ってやる必要がある。教育とか、言葉とか、学問方法論とか、コンピュータとか、ネットワークとか。ところが、こうした**知性の拡張・補助手段が逆にわれわれの妨げになることがある**ので困っちゃう。洞窟の、市場の、劇場のイドラだ。こうした人工物の二面性に気づいていたベーコンってホント偉いと思う。

批判的思考とは何か

「それなしではうまく考えられないんだけど、下手すると考えることの邪魔にもなりうる思考の補助手段（人工物）」とどうつきあうべきか。答えは明白かつシンプルだ。**賢く使うしかない。**だけど、賢く使うというのはどういうことか。知性そのもの、あるいはその増強手段の限界と悪しき副作用をわきまえつつ使うということだ。

知性（理性）の限界を見極める作業のことを「批判（critique）」と言う。この意味での「批判」という言葉の使い方を広めたのはカント。『純粋理性批判』という本があるでしょ。そのタイトルにある「批判」ってこっちの意味だ。

「批判」と言うと、相手の主張をコテンパンにやっつけることだと思うかもしれない。たしかに、この言葉はそういう意味でも使われる。「よってたかって批判された。悔しい」みたいな。でも、もっと大切でもっと生産的なもう一つの意味がある。自分の思考そのもの、そして自分が考えるのに使っている言葉、メディア、方法論などなどを対象として、それは適切に使われているか、本来の限界をはみ出して使っていないかということをチェックする、という意味だ。ようするに**自分で自分の思考にツッコミを入れること**だね。

このセルフツッコミを「批判的思考《クリティカル・シンキング》」と言う。けっして、議論《ディベート》で相手をやり込めて自分の考えを通そうとするためのものではない。**批判の相手はまず第一に自分自身**なのである。だから、批判的思考は自己相対化の一つのやり方であり、教養の不可欠の要素だ。

われわれはさまざまなことについて考える。しかし、批判的思考は、その考え方についての思考（いま自分はちゃんと考えているか？）を含むから、「**反省的な思考**」でもある。思考についての思考だから、レベルの一つ高い思考だ。これを指して「**メタレベルの思考**」とも言われる。思考能力は動物だってもっているが、反省的思考ができるのはどうやらヒトに限られるらしい。

具体的にどういうことをやればよいのかについては、第Ⅲ部に譲ることにする。ここでは批判的思考はなぜ重要なのかということを、イドラの話と絡めてもうちょっと掘り下げてみたい。まずは市場のイドラについて考えてみよう。

「サイボーグ」とは何か

……と言いつつちょっと脱線して、サイボーグについて蘊蓄《うんちく》を傾ける。[39] 哲学者のアンディ・クラークは、『生まれながらのサイボーグ』（呉羽真・久木田水生・西尾香苗訳、春秋社）の冒頭で、「わたしは、ゆっくりと着実に、サイボーグになりつつある。（中略）もしかすると、既にそうなのかもしれない」と宣言している。どういう意図でこんなことを言っているのだろう。

「サイボーグ（cyborg）」という言葉は、工学者のクラインズ（Manfred E. Clynes）と、精神分析医のクライン（Nathan S. Kline）によって、１９６０年に提案された。そのいかにもＳＦちっくなタイトルの論文「サイボーグと宇宙」は『宇宙航行学』という学術誌に掲載されたもので、人類が宇宙に進出するようになったら、その環境に適応するために人工的装置とヒトの共生体を開発する必要があるという趣旨の主張が展開されている。[40] オリジナルの定義はこうだ。

外部から何かを付加することによって拡張された組織的複合体（organizational complex）で、無意識的に統合的な恒常性維持システムとして機能するものを表すために、「サイボーグ」という語を提案する。

というわけで、宇宙のような過酷な空間においても、生体の内部状態を一定に保つ（それが恒常性《ホメオスタシス》の維持）ことができるように、人工装置とヒトの身体をつないじゃえという、**けっこう生理学的なレベルの話**なのね。そもそも、cyborgって、サイバネティックなオーガニズム（生体）の略だから。人工物との接合による生理機能の維持というのがもともとの発想だ。

これがポピュラー・カルチャーに移植されたときに、そもそもヒトに備わっていない機能を付け加える（まさにオーグメンテーションだ）というお馴染みのサイボーグ観が成立するようになった。空を飛んだり、全身が兵器になってたり、火を吹いたり、深海に潜ったりという例のヤツだ。(41) 仮面ライダーもそうだね。古いか。

生まれながら《ナチュラル・ボーン》のサイボーグと言葉

で、クラークは、われわれはすでにしてサイボーグなのだと言う。なるほどたしかにそうだ。コンタクトレンズを装着して視力を増強しているし、義歯やペースメーカーを埋め込んだりもする。

そしてクラークによれば、ヒトがサイボーグ化に向かって踏み出した最大かつ最重要の一歩は、言語の発明だ。たしかに、**言葉は人工物だ**。たとえば、いま私はサイボーグについて考えて語っているけど、「サイボーグ」という言葉は最初から存在したものではない。１９６０年にクラインズとクラインがつくってくれたものだ。それを自分のものにすること（脳の中に装着すること）によって、私は自分の思考を拡張できた。**これまで考えられなかったことを考えられる**ようになった。ギルモア博士がつくってくれた加速装置を装着することで、島村ジョー（サイボーグ００９）がマッハ５で走れるようになったのと同じだ（空気との摩擦で大やけどするんじゃないのというようなありがちなツッコミは却下）。

というわけで、言語を使って思考しているかぎりにおいて、私もキミもすでにサイボーグなのである。思考能力が拡張されることで、科学が可能になり、さらにコンタクトレンズやら何やら、ヒトのサイボーグ化に資する他の人工物が開発された。

言葉のもつ思考拡張・強化《エンハンスメント》の機能をバカにしてはいけない。たとえば「セクハラ」という言葉。この言葉ができる前は、性的マイノリティは日常生活で経験するさまざまな不愉快な扱いを、なんかイヤだなと思いながらも、主題化することができなかった。この言葉がつくられたことによって、その「何か」をはっきり意識することができるようになり、公的な議論の土俵に載せ、「みんなで考える」ことができるようになったわけだ。

「永山則夫」という名前を聞いたことがあるか？　１９６８年から翌年にかけて（19歳のとき）、拳銃で警備員やタクシー運転手ら４人を射殺し、１９９７年に東京拘置所で死刑が執行された（48歳のとき）元死刑囚である。この人の前半生は悲惨の一語に尽きる。家庭は崩壊状態、かつゴミ箱を漁って飢えをしのぐほどの極貧、親からは育児放棄、きょうだいからはいじめられて成長した。故郷を離れても何かから逃げるように職と住所を転々として暮らしていた。ところが、学校にも満足に通えなかった彼は、逮捕後、獄中で猛烈に勉強し始める。とんでもない量の読書。こうして、拳銃に代えて**言葉という新たな武器を獲得した**彼は、自分の犯した犯罪の意味、自分という存在を生み出した社会について徹底的に考えぬくことができるようになる。そして、自らの思索を大学ノートに書きつけるようになった。それは『無知の涙』というタイトルで出版された(42)。

キミもボクも少し言葉を知らなすぎるね

言葉は思考拡張装置だ。だとしたら、われわれは意識して語彙《ごい》を増やそうとしなければならない。英単語知らなきゃ英語で考えることなどできない。これと同じで、日本語でも自在に使える語を増やさなければ、まともな思考はおぼつかない。日本に生まれて日本に生きてりゃ、自動的に日本語ができるようになると思ったら大間違いだ。

『永沢君』という『ちびまる子ちゃん』のスピンオフ漫画にこんな場面があった。タマネギ頭の永沢くんと、唇の色の悪い藤木くんが、「キミもボクも、少し言葉を知らなすぎるね」「その通りだね」と会話している。語彙の少なさを自覚している永沢と藤木は実に偉いなあ、と感じ入ったものだ。クリティカル・シンカーの二人にエールを送りたい。

あるいは映画『アルフィー』（1966年）。主人公のアルフィーは色事師[43]だ。美男子で最先端の高級ファッションに身を包んでいる。いつも複数の女性にモテモテ。彼女たちの間を渡り歩いて暮らしている。邪魔になると冷たく「さよなら」をし、次の獲物を探す。反省なし。後悔なし。このどうしようもないやつが、だんだんと自分の人生に疑問を抱くようになる、という映画だ。そんなの面白いの？　と思うだろう。……微妙。でも、歳とってから観るとなかなか味わい深い。

これにはリメイク版（2004年）があって、オリジナルとほぼ同じなのだが、ひとつ興味深いひねりが加わっている。アルフィーは毎朝、家を出るときに日めくりカレンダーを一枚破る。そのカレンダーが「New Word for the Day（今日の単語）」というやつなのだ。難しい英単語とその意味が一日一語ずつ学べるようになっている。もちろんアルフィーは、自分を賢く見せて上流階級の女性を引っかけようというヨコシマな狙いでやっているんだけど、とにもかくにも意図的に母語の語彙を増やそうとしているわけだ。冒頭のシーンでは「ostentatious（これ見よがしな、見栄っ張りな）」、その次は「resilience（弾力性、回復力）」を覚えている。

面白いのは、その語彙の増強がアルフィーの自己反省の深まりとシンクロしているという点だ。あたかも、**語彙を増やしたために反省的思考能力を獲得したかのように**見える。つくり手はそこまで意図したのだろうか。もしそうだとするなら、ずいぶん教育的配慮に富んだ映画だこと。

ところで、キミは日本語の語彙を増やすために何かやってる？　やってなくて、自然に増えるのを待っているだけなら、アルフィーの方がキミよりずっとエライね（少なくともこの件に関して言えば）。

母語で難しいことを考えることのできる幸せ

われわれは**誰かがつくってくれた言葉を借りることで、ようやくまともにものを考えられるようになる**。そういう意味では、日本語の使い手は幸せだ。先人が、初めは中国、次いで西欧からどんどん言葉を借用し翻訳して、母語の語彙に組み込んできてくれたからだ。明治期に西周がつくった言葉の数々についてはすでに触れた。そのほかにも、「社会」「個人」「美」「自然」「自由」「恋愛」などの語が、幕末から明治にかけて西欧語から翻訳され日本語の語彙に付け加わった。

これらはみな抽象概念だ。スマートフォンという具体的な物品が入ってきたので「スマホ」という語が使われるようになった、のとはわけが違う。たくさんの抽象語が日本語に取り入れられたおかげで、われわれは抽象レベルの高いややこしいことがらを考え、互いに議論できるようになった。**しかも母語で。**

これって、本当に幸運なことなんだ。かつての植民地には、現地語は庶民が日常生活を送るための言語、高等教育を受けるにはかつての宗主国の言語（英独仏語とか）という具合に分かれてしまっている国々がある。そうすると、公共性や正義について原理的・哲学的に考えようとしたり、科学や人類の未来について抽象的なことを考えようとすると、現地語にはそのための語彙がない、ということも起こりうる。こういった難しいことを議論するには、西欧語を学ばないといけない。そして、それを学ぶことのできたエリートだけが、そういう議論に参加できる。[44] 英語で自分の意見が語れないのは不便（inconvenient）だが、母語で自分の意見が語れないのは悲劇的（tragic）だ（内田樹『呪いの時代』〔新潮文庫〕を参照）。幸い、**まだ**日本はそういう社会ではない。

言語を破壊することで知性を破壊する

われわれが多少なりとも込み入ったことを筋道立てて考えるためには、言葉という人工物を補助手段として使うことが不可欠だ。だとするなら、人々を考えないようにさせる、つまり**アホにさせるための一番の近道は、言語を奪うこと**になるだろう。

ジョージ・オーウェルが1949年に出版した小説『一九八四年』（高橋和久訳、ハヤカワepi文庫）は、陰鬱な近未来世界を描いている。「ビッグ・ブラザー」が率いる、全体主義的イデオロギー政党イングソックに支配された国家「オセアニア」が舞台。[45]

この国家は究極の管理社会だ。人々は、家庭に据え付けられた双方向テレビ「テレスクリーン」によってつねに監視されている。テレスクリーンからは定期的に「一斉体操」や「二分間憎悪」の指令が発せられる。そのとおりにしないと、思想犯罪の科《とが》で逮捕され、ときには社会から「蒸発」させられる。主人公のウィンストンは党員として真理省記録局という役所に勤務し、歴史の改竄《かいざん》に従事している。[46]

で、この真理省にはもう一つ重要な仕事をしている部署がある。調査局だ。そこでは、人々が、余計なこと、とりわけ体制批判的なことを考えないよう、新しい人工言語（ニュースピークと呼ばれる）が開発されている。ある場面で、調査局で働く歴史言語学者サイムは、ランチを食べながらウィンストンにこう語って聞かせる。

> おそらく君はわれわれの主たる職務が新語の発明だと思っているだろう。ところがどっこい、われわれはことばを破壊しているんだ――何十、何百という単語を、毎日のようにね。（中略）麗しいことなんだよ、単語を破壊するというのは。言うまでもなく最大の無駄が見られるのは動詞と形容詞だが、名詞にも抹消すべきものが何百かはあるね。（傍点は引用者、以下同）

サイムの仕事はまさしく、言語の破壊による思考力の破壊なのである。ニュースピークは**思考を破壊するための言語**だ。そうすると、体制に徐々に不満を募らせているウィンストンが行う最初の「反抗」が秘密の日記をつけること（自分の言葉を保つこと）だというのもうなずける。

ニュースピークに学ぶ「言葉の悪しくかつ不適当な定め方」

大事なのは、ニュースピークは単に言葉を破壊しているわけではない、ということだ。破壊したあとに新しい言葉（だからニュースピーク）を与えるのだ。ニュースピークは思考の範囲を拡大するのではなく縮小するために考案された**言語**だ。あくまでも言語なのである。さて「市場のイドラ」論の教えるところによれば、思考の重要な増強手段である言語そのものが、ときとして思考の妨げになる。ベーコンはこんな風に言っているぞ。

> 人々は、その理性能力（ratio）が言葉を支配すると信じているが、しかしまた言葉がその力を知性に向けて働かせ、はね返すこともあって、これが哲学および諸学を、単に言葉を弄ぶ働きのないものにしてしまう。（前掲『ノヴム・オルガヌム』）

知性が言葉を支配するのではなく言葉が知性を支配することがある。言葉が知性を束縛して、われわれを正しく考えることから遠ざけてしまう、というわけだ。スルドイなあ。

だから、われわれは自分の使っている言葉に対して、つねに批判的・反省的眼差しを向け、それをチェックしていかねばならない。というわけで、言語についての批判的思考のポイントは、**自分がいま使っている言葉がニュースピークに近づいていないか**、と吟味することになるだろう。

ニュースピークって具体的にどんな言語だろう。『一九八四年』は巻末に附録が付いている。「ニュースピークの諸原理」という匿名の記録文書を擬したものである。これがすごく面白いんだ。まず、ニュースピークの目的について、「イングソック以外の思考様式を不可能にすること」としたあとで、次のように書かれている。

ひとたびニュースピークが採用され、オールドスピークが忘れ去られてしまえば、そのときこそ、異端の思考（中略）を、少なくとも思考がことばに依存している限り、文字通り思考不能にできるはずだ、という思惑が働いていたのである。

なるほどね。そして、実例として「free」という語が挙げられている。ニュースピークでは、この語は「この犬はシラミから free である」という用法しかもたない。「カロリーフリー」の「フリー」。なぜなら、政治的自由、精神の自由という概念はこの社会では異端思想であり、概念として存在するべきではないから。というわけで、ニュースピークの特徴の第一は「**語彙の極端な切り詰め**」だ。

こうした序論のあと、文書はニュースピークの語彙を3種類に分けてその特徴を詳しく記述していく。まず、日常生活のためのA語彙群。その特徴は、極端な規則性だ。動詞と名詞は区別しない。「cut」は廃止して「knife」で「切る」を意味しちゃう。こうした動詞＝名詞から形容詞や副詞を派生させるのも、やり方はただ一つ。「速い」は「speedful」、「速く」は「speedwise」という具合に、「-ful」をつければ形容詞、「-wise」をつければ副詞になるといった具合。当然、「think」の過去形は「thinked」だし、「man」の複数形は「mans」だ。合理的だねえ。学校で習った英文法がこんなだったらどんなに助かったろう。

だんだんイヤな話になってきますよ。まずは極端な二分法

この辺までは「それもええんちゃう」と思えるのだが、次の話からちょっとイヤーな感じになってくる。語彙を減らすために、ニュースピークはこんな方法を使うんだ。「cold」と「warm」があるのは無駄だから、「warm」は「uncold」(非寒い)にしてしまおう。「dark」は「unlight」(非明るい)にしてしまおう。ここにニュースピークの第二の特徴を見出すことができる。何事もナントカと非ナントカに区分しようとする**「極端な二分法」**だ。

さらに、形容詞を強めるのに「very cold」やら「superlatively cold」とかいろいろあるのも煩わしい。それぞれ「pluscold」や「doublepluscold」にしてしまおう。ちなみに訳者の高橋和久さんは、「pluscold」を「超寒い」と訳している。ぜったいに、何でも「チョー」とか「激」を付けて済まそうとするわれわれの言葉遣いに当てこすりをしていると見たね、私は。

微妙な違いを考えられなくするには

さて、第二の区分はB語彙群、「政治目的のために意識的に案出された語」からなる。たとえば、「honor」「justice」「morality」「internationalism」「democracy」といった語は消去され、自由や平等という概念に関連していた語はすべて「crimethink(犯罪思考)」、客観性や合理性に関連していた語はすべて「oldthink(旧思考)」という語にまとめられる。なぜなら、思考の「精密さの度が増すのは危険」だからだ。ここに現れたニュースピーク第三の特徴を、「**微**

妙に異なるものをひとくくりにすることによる差異の消去」と呼んでおこう。

言語の反省的機能を破壊するには

残るC語彙群は科学技術用語からなる。これはA語彙と同じような文法的単純化を施されるが、おおむねそのまま保存されている。専門用語がなければ科学研究も技術開発もおぼつかないし、どのみちフツーの人は使わないんだから。でも、すごく興味深いことが書かれている。「科学」の機能を、そのなかの特定の分野に関係なく、心の習慣なり思考方法として表現する語彙はなかった。実際、「科学（science）」に相当する語は存在しなかった。

「発がん遺伝子」とか「ナトリウム」とか「青色発光ダイオード」といった語はニュースピークでも残る。消去されているのは、**思考法としての科学の働きを述べるのに使う言葉**だ。「科学」という語は、じつは科学研究を進めていくのに必要な言葉ではない。科学について話をするための語、科学について反省をするために必要な語だ。「これって、十分に科学的なやり方だろうか」「このことを決めるのに科学だけに頼ってよいのだろうか」「科学的な思考法ってなんだろう」……。こういうことを考えるための語なのである。だとすると、ここで言う「科学の機能を思考方法として表現する語彙」には、「証拠」とか「データ」「根拠」「仮説」「検証」「予測」「確からしい」「説明力」「論理的」「合理的」といった言葉も含まれることになるだろう。つまり、思考について反省するための「メタ的な語」だ。

ニュースピークはこうした語を消去することによって、考え方について考えることを不可能にする。つまり、批判的思考を破壊する。思考を狭めるだけでなく、自分の思考は狭いんじゃないかと思うことすらできなくなる。「**メタ的な語の消去による反省の禁止**」。これもニュースピークの特徴だ。

われわれは自らニュースピークに陥っていないか?

ニュースピークの四つの特徴を取り出したが、これらはもちろん互いに関連している。語彙を切り詰めて一つの語にさまざまな概念を包括させ微妙な違いを思考不能にする。それによって人々の思考を極端な二分法に押し込める。しかもメタ的な語を消去することで、人々がそれに気づくのを邪魔する。

幸いなことに、私たちの社会は「オセアニア」のように、支配者の陰謀によって、組織的、体系的、計画的に言語と思考の破壊に勤しむ社会ではない。だけども、人々は**ニュースピークに自ら陥ってしまう**ことがある。精密で批判的な思考を可能にする豊かな語彙は、精神の自由を獲得・維持するために、前世代がわれわれに託した貴重な贈り物であるにもかかわらず。

たとえば「ムカつく」という語はどうだろう。いろんなものがいろんな仕方で気に入らない。それは、義憤なのか、屈辱なのか、反感なのか、趣味が合わないのか、軽蔑なのか、嫉妬なのか、八つ当たりなのか。なるべく正確にどこがどんな風に腹立たしいのかを述べる努力を放棄して、ミソもクソも一緒に「ムカつく」一語で済まそうとすると、人々は自分からニュースピークに陥っていく（語彙の極端な切り詰め）。「生理的にムリ」もそうだ。こういった語を使っていると、世の中は嫌いなことと好きなことに単純に二分され、貧しくつまらないものになる。自分のムカつきは理由のある正当なものなのかを反省することもできなくなる。

あるいは、「愛国」と「反日」とか。国を愛する仕方はいろいろありうる。どこが好きかも人それぞれ。おおむね気に入っていても、批判して改善すべきところがないわけではない。しかし、こうした言葉は、人々を2種類に分類し、対話を不可能にする（差異の消去と極端な二分法）。これって、政治的信条に関係ない。左翼の方々もかつて「反革命」とか「反動的」という言葉を使って、自分たちと路線の異なる者たちをみんなこのカテゴリーに押し込んで批判していた（ときには暴力を振るった）。こうして行き着く先は、敵味方のはっきり分かれた単純な世界だ。**そういう世界がお好みの方々もいらっしゃるようだが、私はご免こうむりたい。**「オマエ紅組と白組とどっちの味方だ」という問いに、「そもそも運動会なしにしたいんだけど」と答えられる世の中が好きだ。

自分の言葉をチェックせよ

われわれの思考を拡張してくれる言葉があるかと思えば、むしろ思考の妨げになり、われわれを市場のイドラへと誘い込む言葉もある。だから、**自分の使っている言葉に敏感になろう。**とはいえ、具体的にどうすればよいのか。そんなに難しいことじゃない。こいつアホだなあと思う言説があるだろう。そこでの物言いを真似しなければよい。そこで使われているキーワードを自分は使わないぞ、と決心して、もっといい言い方はないか、と探せばよい。とくに、最近やたらと流行りだした言葉（バズワード）に飛びつくのはやめよう。だいいち、その言葉、来年は誰も使っていないって。「ソサエティ5・0」とか。[47] だいいちこのオレが使うもんか（批判したり皮肉るとき以外は）。

「私の嫌いな言葉」という話題で友だちと話をするのもアリだ。いろいろ気づかせてくれる。オレは「Win-Win」という言葉が嫌いだ、と言う人がいた。なぜ、と聞いてみたら、だって、**どこかに二人分負けている人がいる**ってことでしょ。それを隠しているからイヤなんだ、と言っていた。なるほど、と思った。[48] その人をちょっと見直したね。「Win-Win」は、もしかしたらいるかもしれない敗者について思いをめぐらすことを邪魔するイドラなのかもしれない。気になる言葉について、それが何を見えなくさせているかを考えてみるのもよいね。

ようするに、意識的に語彙を増やす一方で、新しく知った言葉を吟味して「これは私をアホにする」と思ったら使わない。使わないことを規矩にする。どうしても使わざるをえないときは、**頬を赤らめ恥ずかしそうに使う**。これを繰り返していけばいいんじゃないかな。

第14章

最後のイドラは「学問」だって。だったらどうすりゃいい？

われわれが学問をもっていることの意味

ここまでの話を貫くメッセージはとても単純だった。われわれは「万物の霊長」とか言ってふんぞりかえっているけれど、**一人ひとりをとってみるとかなりアホ**、ということ。論理的思考は苦手。バイアスや偏見にとらわれやすい。信じたいことを信じていたがる。ヒトの脳みそはそれだけとってくると、論理的で反省的で厳密な思考に適しているとは言えない。

大学で行政仕事《アドミニストレーション》の末端にいると、国際的に活躍する立派な学者のはずなのに、専門外の話になるとどうしてこんなに理性的じゃなくなるの？　という方々がけっこういる（これを読んでるウチの先生で、ドキッ、俺のことかと思った人。あなたのことではありません。ここで私が悪口を書いているような人々は、反省的思考が苦手なうえにむやみに自己愛が強いので、自分はアホかも、などと思うことが**そもそもできません**）。

にもかかわらず**人類は全体としてはかなり賢い**。月面に飛行士を送ったり、加速器で新元素を生み出したり、自分の遺伝暗号を解読したり。科学、もっと広く言えば学問のおかげだ。学問という合理的・論理的思考を必要とする営みが可能になったのは、人類が個人のアホさ加減をうまく乗り越えるためのやり方を発見したからだ。

一つは、**人工物をつくって、それと一緒に考える**。ベーコンの言うオルガノン、思考の補助《オーグメン》装置《テーション》だ。書き言葉で記憶を増強し反省を可能にする。方法論的規則を立てて思考をコントロールする。観測機器で知覚を増強する。データベースで頭に入りきれないほどの情報を保存し伝える。解析ソフトに代わりに計算してもらう。

第二に、**共同作業と分業で考える**。三人寄れば文殊の知恵。たくさんの人がいれば、たくさんのアイディアが出てくる。その中には正解に近いものがあるだろう。一人のアイディアに他の人がツッコミを入れる。本人が気づかない思考の落とし穴や間違いを他の人が指摘してくれる。これによって、一人では不可能だった思考の修正ができるようになる。これを組織的に行うための場として「学会」が発明された。そこでのコミュニケーションの方法として「論文」があり、その論文にみんなでツッコミを入れるために「査読」とか「追試」といった制度がある。

科学での共同作業と分業は、かなり徹底している。たとえば、ある心理学者が、恐怖などの強い情動が生じたとき、脳の扁桃体《へんとうたい》という部位が活性化していることを見出したとしよう。どうしてそう言えるの、と証拠を求められたので、その心理学者は、実験参加者に恐怖刺激を与えたときの、機能的核磁気共鳴画像法（ｆＭＲＩ）による脳の画像を示した。なるほど、扁桃体のところが赤く色づいて見える。ここまではよいとしよう。だけど、さらに突っ込まれたら？　なぜ、ｆＭＲＩ画像で赤くなっていたら、その部位が活性化したと言っていいの？　それは、赤くなったところは血液がたくさん集まっていることを示すからですよ。なぜ、血液が集まったところはｆＭＲＩ画像で赤くなるのさ？　それはね……。どうして？　それはね……。どうして？　**ねえ、どうしてですか**？

……という具合に続けていくと、その心理学者じしんには証拠を出せなくなるときがくる。機能的核磁気共鳴画像法の原理をちゃんと説明しようとすると、核磁気共鳴の話をしなければならない。核磁気共鳴の話をするには、スピンとかの物理学のかなり難しい話をしなければならなくなる。それは心理学者にはできない。物理学者に任せてある。同様に、ｆＭＲＩ画像を得るには、核磁気共鳴によって放出される電磁波の信号を捉えて、コンピュータで統計処理と画像化を行う必要がある。はたして、電磁波をちゃんと装置が捉えたか、コンピュータが正常に仕事をしたか、使った統計処理の方法が適切だったか、画像化するプログラムにバグがなかったか。これに答えることができるのは、その心理学者ではない。装置を設計したエンジニア、プログラム開発者、統計学者などなどにお任せになる。

こんな具合に、**科学者は自分の発見の証拠立てを、最終的には他のたくさんの科学者・技術者たちに委ねている**。たくさんの顔も知らない他の研究者を信頼してはじめて、研究が成り立つんだ。

個人の不正をチェックするのもまた科学

個人個人をとると、うっかり間違いをするし、先入観で突っ走るし、ひどい場合は不正をする。ときどき研究不正のニュースが世間を賑わせる。[49] そういう報道に接したときに「ほれみろ、だから科学は信頼できない」と思うのは間違っている。なぜなら、**その不正を発見して暴いたのも科学だから**だ。むしろ研究不正が明るみに出ることは、集団としてのセルフツッコミ装置が正しく作動していること、科学が健全に営まれていることを逆説的に示している。

「自分たちがちゃんとやれているかを自分たちでチェックする仕組み」が備わっていない組織は別にある。日本では中央官庁がそうかもしれない。「政策が成功だったか失敗だったかを検証する作業をつねに自発的にやっております。その結果、政策を変えました」という話は聞いたことがない。それどころか失敗が明るみに出そうになると、データを捨てたりする。

時間をかけないと学問は成り立たない

個人のアホさを乗り越える第三の方法は、**時間をかける**ということだ。ある世代の人々が途中まで考える。それを次の世代が引き継いで続きを考える。前の世代の成果を受け継ぎながらその一部を修正してちょっとずつ進んでいく。そうこうするうち、一人の脳みそではとても成し遂げられないことが成し遂げられる。

なのに、科学の歴史をわかりやすく感動的に描こうとすると、つい英雄史観に陥る。英雄が登場する前はアホばっか。みんな間違いを信じてた。そこに真理を体現する英雄が現れ、弾圧にめげずに粘り強く訴え続け、みんなの考えをガラッと変えました。めでたしめでたし。

科学史を学ぶ意義は、こうした英雄史観から逃れることにある。たとえばチャールズ・ダーウィン（１８０９〜１８８２）。「あー進化論の人ね」なわけだが、彼が進化論にどういう貢献をしたのかを正確に言える人はそんなに多くない。かなりの人が、生物が時間とともに進化すると最初に主張したからダーウィンはエラい、と思っている。

そうではない。生物進化という考え方は、当時の英国で一種の流行思想になっていた。進化がなぜ起こるのかの仕組《メカニズム》みについての説明も、すでにラマルク（１７４４〜１８２９）が試みていた。また、ヒトの先祖がサルであるという大胆なことを述べて宗教界に殴り込みをかけたからエライと思っている人もいるかもしれない。それもちょっと違う。ダーウィンは、ヒトの起源について何か言うのをずっとためらっていた。ヒトの起源はサルと同じですよと言ったのは、「ダーウィンの番犬《ブルドッグ》」を自称していた、トマス・ハックスリー（１８２５〜１８９５）だ[50]。

第一、ダーウィンが打倒したとされる「神が創りたもうた生物の種は不変だ」という考え方、つまり**種の固定性説**（species-fixism）ですら、進化論にとって、なくてはならない前提条件だった[51]。というのも、固定性説が成り立つ前は、生物は種の垣根を超えて勝手にどんどん変わりうるという考え方（transmutationism）のほうが常識だったから。たとえば、ラクダとヒョウが掛け合わさってキリンになるとか、木の実が水に落ちるとフジツボに、陸上に落ちるとガチョウになるとか。ウナギは泥から生じるとか。雑種も変態も進化も自然発生もごたまぜ。無秩序。

これに対して、交配実験にもとづいて、生きものはそんな簡単に変化しませんよと主張した固定性説は、18世紀生物学の偉大なる進歩とみなされていた。英国王立協会は、当時の科学のすぐれた業績をリストアップする際に、万有引力の発見、魔術の否定とならんで種の固定性の発見を含めていた。

種はそう簡単には変化しない。むしろ固定している。一方、自然界には多様な種が存在し、互いに似通ったところと異なったところがあって、全体として体系をなしている。どうして、不変であるはずの種がこんなにいろいろあって、見事なパターンをなしているのだろう。これを説明しようとしたのが進化論だ。ダーウィンの主著のタイトルは「生物進化の仕組み」じゃなくて「**種の起源**」でしょ。彼が答えようとしたのは、種の固定性をいったん経由しないとそもそも抱くことのできない問いだ。ダーウィンは「宿敵」からさえ多くを学び、継承している。

アイザック・ニュートン（1642～1727）も、誰もが名前を知っているが何をやったのかじつはよく知らない科学者だ。そのニュートンがこんなことを言っている。

私がさらに遠くを見ることができたとしたら、それはたんに私が巨人の肩に乗っていたからにすぎません。（1676年2月5日　ロバート・フック宛書簡）

学問は先人たち（巨人）が成し遂げてきたことの上に、ちょっとずつ付け足すことで進んでいく、ということだ。ニュートンのような超大物に言われちゃうと、われわれとしては「ハハ

ーッ仰せのとおり」って承るしかないよね。(52)

学問は個人のアホさを超えるためのもの。ああそれなのに……

日本学術会議のパンフレットによると、日本には約87万人の研究者がいる。**これがみんな天才なわけがない。**にもかかわらず学問が実りをもたらしているのは、個人のもつわずかな賢さを増幅してまとめ上げる、以上のような仕組み（人工物、協働と分業、通時的な継承と批判）が働いているからだ。だからこそ、単体では「こいつアホちゃうか」というような人でも、学者がつとまるのである。

こうした仕組みが不調をきたすと、個人個人のもつ愚かさの方がむき出しになり増幅されて、学問は死んでしまう。もしくは、影の学問、御用学問、病的科学、逸脱科学、ジャンク科学（こうなっちゃった学問の状態を表す言葉はいっぱいある）になってしまう。これが、現代人のわれわれにとっての「**学問がイドラになる**」の正体だ。(53)

宇宙物理学者の池内了《さとる》さんが、『疑似科学入門』（岩波新書）のなかで、疑似科学を第一種から第三種までの三つに分類している。これがなかなか興味深い。第一種疑似科学とは、オカルトや超心理学（テレパシー、念力、透視能力などいわゆる超能力の研究）。あるいは血液型人間学とか「水からの伝言」とか。狭い意味では、本来こういうのを「疑似科学」と呼ぶ。(54)第二種疑似科学は、科学を誤用あるいは乱用して、科学的装いはしているが何ら根拠がない主張をしてみたり、商品の効用・性能があたかも科学的に証明されたかのように装う（つまりインチキ商品)。マイナスイオンや各種健康食品、「ナントカ水」は健康にいいよと売り込むウォーター・ビジネス《みずしょうばい》。

で、興味深いのは「第三種疑似科学」ってやつ。第一種はトンデモ系の人がやる。第二種はペテン師がやる。これらに対し、第三種は**科学者自身がやってしまう疑似科学**なのね。池内さんによると、これは地球環境や生態系、あるいは人間のように複雑なシステムを対象とした場合に生じやすい。こうした複雑な系については、因果関係を突き止めることは容易ではない。こういう場合に、科学的に白黒を完全につけることなどできないのに、一方的に結論を決めつけてしまうと疑似科学っぽくなる。あるいは逆に、問題の原因について「これが怪しいのでは」と思われているときに、「科学的根拠なし」と主張して、真の原因の所在をあいまいにし、それを探求する活動を妨害すると、疑似科学っぽくなる。これが池内さんの主張だ。

科学者じしんが「疑似科学」をやってしまうのはなぜ？

そういう風になってしまった状態の科学を「疑似科学」というカテゴリーにひっくるめていいのかどうかはちょっと疑問がある。もっとよい呼び名があるのではないかと思うが、この際、言葉遣いの問題は置いておこう[55]。大事なのは、どうして科学者みずからそういうことをやってしまうのかという問いだ。原因はいろいろだろう。定説と違ったことや極端なことを主張して注目されたい、という「目立とう精神」による場合もありそうだ。研究者は基本的に目立ちたがり屋だからね（私もそう）。

もっとありそうなのは、科学者が置かれた社会的立場、**科学者を取り巻く社会のシステムによるもの**だ。たとえば、科学的知識を必要とする政策を立案するとき、政策立案側は科学者を審議会などに招いて議論する。あるいは科学者からなる委員会に報告書の作成を依頼する。これって、結論があらかじめ決まっていることがある（こういうのを「結論ありき」と言う）。それに都合のいいことを科学者は言わされる。あるいは科学者の発言のうち、結論に都合のいいことだけがつまみ食いされる。そうすると、科学者は**意図に反して**、極端なこと（絶対安全！とか）を言わされるか、科学的根拠はないから対策とらなくてよし、誰にも責任なし、という判断にお墨付きを与えてしまうことになる。[56]

ときには、科学者**みずからそういう役割を買って出る**こともある。お上《かみ》の権威に弱いから、利権に弱いから、権力にすり寄ると自分も偉くなったような気がして虚栄心が満足されるから、いろいろ理由はあるでしょう。こういう風になってしまった人々は、世間から「御用学者」と呼ばれるようになる。[57]

キミたちは「水俣病」を知っているだろうか。１９５０年代から熊本県水俣市で気づかれはじめた公害病だ。新日本窒素肥料（新日窒、またはチッソと呼ばれている）水俣工場の工場排水に含まれていた有機水銀化合物による中毒であることが、いまでは明らかになっている。１９５９年には、すでに熊本大学医学部の調査班が工場排水中の有機水銀が原因ではないかと指摘していた。これはチッソや化学工業協会、さらにはお国にとってたいへん都合が悪い。

そうすると、そうした企業・業界団体・政府の意に沿って、有機水銀説を根拠不足として否定し、原因を曖昧にしようとする研究者たちも現れてくる。貧弱な現地調査で、あるいはそもそも調査すら行わず、原因物質は有機アミンであると主張した研究者もいた。こうした人々のおかげで被害も患者への差別も拡大してしまった。おかげで彼らの名前は、死後も「御用学者」の典型例として、ずっと記録にとどめられることになった。そのときには気分よかったかもしれないが、結局は歴史に裁かれる。**なんともはや。**

では、集団で個人の愚かさを乗り越えられるか？

その昔は、学問をすることのできる人は神に選ばれた特別な人間だと考えられていた。啓蒙主義の時代を経て、みんな理性があるからその気になれば誰にでもできる、ということになった。19世紀に、大学が学問研究の担い手を効率的に大量生産するシステムをつくりあげ、じっさいにたくさんのフツーの人々が学問研究に携わるようになった。

なので、研究者といってもフツーの人だ。フツーの人々が誰でももっている弱さ、愚かさ、汚らしさをみんな備えている。個人は弱い。だから、思わず知らずイドラとしての学問に陥ってしまう。こうした個人の愚かさを学問は、いくつかのやり方で乗り越えてきた、と述べた。その一つが「共同作業」だ。みんなでやれば、個人のダメなところを補い合うことができそうだ。これがどのくらいうまくいくのか考えてみよう。

たしかに、集団になると個人を超えた賢さが「創発」する（集合知）。そして学問はそれをうまく利用して発展してきた。しかし逆に、個人のときにはなかった新たな愚かさが創発することもありうる（集合愚）。**集団でやる、ということは諸刃の剣**だ。心理学者のアーヴィング・ジャニスが行った研究が参考になる。優秀な閣僚を擁したケネディ政権とジョンソン政権が、ベトナム戦争を泥沼化させたり、キューバ危機によって核戦争一歩手前の事態を招いたのはなぜか。「最良の最も聡明な人々《ベスト・アンド・ブライテスト》」を集めたはずなのに、なぜかくも愚かな決定をしてしまうのか。ジャニスは、彼らが犯した政策ミスを分析して、誤った政策決定につながる集団のダイナミクスをモデル化し、それを**集団思考**（Groupthink）と名づけた[58]。

ジャニスは、八つの心理傾向で集団思考を特徴づけている。主なものだけ紹介しよう。過度の楽観やリスク負担を促す「俺たち負けないもんね幻想（Illusions of invulnerability）」、「自分たちの正しさを疑わなくなる傾向（Unquestioned belief in the morality of the group）」、これにより自分たちのやることがどういう結果をもたらすかを気にしなくなる。敵対する相手を軽蔑すべき邪悪な愚か者とみなす「ステレオタイプ化」、集団の合意に自分の意見を合わせようとする「自己検閲」、黙っていると多数派に賛成したことになってしまう「全会一致の幻想（Illusions of unanimity）」。ねー。「あるある」でしょ。

集団思考に陥ると、利用する情報が限られ、偏ったものになってくる。代替案を充分に検討せず、いったん捨て去ると再検討しない。採用案のリスクを考慮しない。非常事態への対応計画を策定できない……となって、結果としてひどい決定につながる。どんな集団でもこういうことは起こりうる。クラス、クラブ、生徒会、ＰＴＡ、自治会、企業、政党、内閣……。

相互チェックの仕組みがもっと制度化されている学問や科学技術は、その他の世界よりは集団思考が起こりにくい。でも、起こるときには起こる。私がジャニスの研究を知ったのは、技術者倫理の教科書を通してだ[59]。大規模な技術事故や企業不祥事の原因の一つとして集団思考があげられていた。技術者はチームで仕事をするため、良いチームプレイヤーであることが望まれる。それにより、集団思考に陥りやすくなる。これが行くところまで行って、分野全体が集団思考に陥ると、その分野は「ナントカ村」と呼ばれるようになる。

ジャニスは、どういう条件のもとでグループが集団思考にハマるかを教えてくれている。凝集性と均質性の強い集団が、規範の欠如やコミュニケーション不全などの構造的欠陥を抱え、外部からの批判・脅威などストレスの高い状況に置かれたとき、だそうだ。少数の学閥からなるボス支配された集団が反対運動にさらされながら研究を続けるとどうなっちゃうか。われわれは2011年にその結果を目の当たりにした。

なぜ「劇場のイドラ」と呼んだのだろう

というわけで、学問は人類が発明した最強の「アホさ乗り越え装置」だ。基本的には良きもの、なくてはならないものだ。でもときどきイドラと化す。ところでなぜそれが「劇場」に喩えられているのだろう。おそらく「世界劇場（theatrum mundi）」が念頭にあったはずだ。文字どおり、この世は劇場で演じられるお芝居だ、という喩えである。ベーコンの同時代人シェイクスピアの『お気に召すまま』にも「この世は舞台、ひとはみな役者」というセリフがある。当時の流行ワードだったんだ。

ベーコンはこれをちょいとひねって使う。学問は「世の中はこうなってますよ」と語る。世の中は階級闘争で動いていますよ、この宇宙はビッグバン以来どんどん膨張しています……という具合。ようするに**世界観を与えるのが学問の大事な機能**だ。しかし、学問が描き出す世界観が現実離れした虚構《フィクション》にすぎないとき、ベーコンの言い方を借りると、学問は「架空的で舞台的な世界を作り出すお芝居」になる。いっとき、私たちを楽しませ慰めを与えてくれるが、それは本物ではない。

劇場のイドラが見せてくれる、うっとりするような世界に騙されちゃダメだよ

そうした「架空の想念」の具体例として、ベーコンは「天界においてはすべてが完全円の運動をする」という、いわゆる天動説のコアにある考え方を挙げている。そして、こういうフィクションにハマってしまう心理を分析して次のように言う。

まず、ヒトの知性は、**実際以上の秩序と斉一性を事物のうちに想定する**ようにできている。だから楕円ではなく真円を描くと思いたくなる。その方がキレイでスッキリしているから。そしてさらに、「**いったんこうと認めたことには、これを支持しこれと合致するように、他の一切のことを引き寄せる**」傾向（現代の言い方では確証バイアス）も備わっている。そのため、都合の悪いデータが現れても、それを無視したり軽視したりして、ますます自分の確信を強めてしまう。……このあたりのベーコンは、現代の認知心理学者も顔負けの鋭さだ。

イドラに堕した学問は、ニセモノの世界像をわれわれに信じ込ませることによって、知性の

妨げになる。天動説を嗤《わら》っている場合じゃない。われわれもつい最近まで、プレート沈み込み帯に位置する日本なのになぜか15メートルを超える津波は起きることがなく、津波が来てもなぜか全電源喪失という事態には至らず、緊急炉心冷却装置が作動しメルトダウンは起こらない。使用済み核燃料を無害化するか未来永劫安全に保管する技術をいつか誰かが開発してくれて、喜んで埋めさせてくれる自治体が見つかって、それを安全に管理する政府が世界史の常識を破って数千年にわたって続く、その間、未来世代の人たちはよろこんでその費用を負担してくれる、そしてそれを掘り出して核兵器やテロに使う奴は決して現れない、って信じてたわけだから。

こう書いてみると、**すごい世界を信じていたなあ**。「久々に登場した大型ファンタジーの世界」って、こういうのじゃない？　なぜこんなことを信じていたのか。一言で言えば、**慰めになるからだ**。将来の不安を忘れることができるし、敗戦国かつ被爆国の国民として、われわれは核の平和利用でリベンジだ！　というのは、愛国心もくすぐる。頭を空っぽにして身をゆだねたくもなる。

学問の加速ぶりはものすごいことになってる

みんなでやることによって賢くなろうというのが学問のモットーなのだが、集団が変調をきたすと学問はイドラになる。ところで、学問はもう一つ、時間をかけてじっくりやることでアホさを乗り越えようというモットーももっていた。こっちは大丈夫だろうか。

大丈夫じゃない気がする。いきすぎた競争のおかげで、学問研究のペースはどんどん速まり、それがさらに競争を加熱させ……という悪循環にはまりこんだように見えるからだ。

科学の加速ぶりを示す例を二つばかりあげよう。いまも残る最古の学会誌は王立協会のPhilosophical Transactionsだ。創刊は1665年。これから現在までの間に、学術誌の出版点数はとんでもないスピードで増え続けてきた。1700年代にはまだ一桁だったものが、1800年代にはおよそ100、1900年代には1000から1万のオーダー、2000年代には10万のオーダーという具合。もう、どの大学図書館もすべてを購読することは諦めた。お金がもたんよ。(60)

もう一つの例。2015年の6月末に、世界最大の化学物質データベース(CAS REGISTRYSM)に、1億番目の化合物が登録された。こっちも登録数は指数関数的に増加している。現在、おおよそ2分半に1個の割合で新しい化合物がつくられ登録されていると聞いた。ちょっとクラクラする。

買い切れないほどのジャーナルが発行されるようになった、ということはそれだけの論文が書かれているということだ。どうしてそんなに書かれるのかと言えば、論文の数が研究者の評価に直結しているから。就職も、昇進も、研究費の獲得もどれだけ論文を書いたかによって決まる。もちろん質も重視されるけど、それもある程度の量をこなしてからの話。他の評価の方法もありえたし、学術情報の他の流通のさせ方(雑誌論文ではない仕方で、ということ)もありうる。実際、いろいろ試された。でもやっぱり主流は、雑誌論文偏重で、研究評価も論文数を基礎にした数的評価のままだ。なので、**電子ジャーナル問題は研究者の自業自得**、といった見方もできる。集合愚の一例かもしれない。

「サラミ出版」という言葉がある。レシピはこう。一編の論文になるくらいのネタを用意します。それをうーんと薄切りにします。それぞれをたくさんの論文に分けて出版し業績数を稼ぎオイシクいただきましょう。研究倫理の定番ネタで、剽窃《ひょうせつ》の一種とされる。

授業で紹介したところ、幾人かの大学院生から、ボクらのやってることはサラミなんじゃないでしょうか、と相談された。「そうだよ」と言うわけにもいかず困った。他分野からはサラミに見える出版形態がごく普通になっている分野も確かにある。サラミは、その分野が量的業績評価と競争に適応して身につけたサバイバル手段だ。

学問がこのまま加速し続けたらどうなっちゃうんだろう、と空想してみる

いくつかの分野では、論文生産速度はもう人間の読む能力を突破してしまった。そしてまだ加速し続けている。こんな調子でいくとどうなるか。まず、**論文が増え競争が激化すれば研究不正も増加する**。先に、研究不正が暴露されることは、かえって科学の健全さを示している、と述べた。ところが、論文数の爆発が続くと、このチェック機構が働かなくなるかもしれない。研究不正を暴いて告発するのは同業の学者たちだが、せいぜい等差級数的にしか増加しない。そうすると、気がつかれずに通用する研究不正の件数もまた爆発的に増加することになる。

そして、自分の研究に関係する論文を通覧することが、いつか人手では不可能になる。そう

なると、研究のヒントを得ることも、自分のアイディアをすでに誰かが公にしているかどうかを確認することも難しくなってくる。どうしよう。ベーコンだったら人工物に頼りなさい、と言うだろう。実際、データベースから論文を抽出し、サーベイをまとめてくれる人工知能を開発している研究者がいる。さらには、実験ロボットの開発も進みつつある。ロボット化された工場はざらにあるから、全自動実験室（実験室自体がロボット）も夢ではない。毒物や病原体を扱う実験にはもってこい。しかも24時間休みなし。

次のステップは、こうした技術を組み合わせて研究の全プロセスを自動化することだ。論文データベースを検索して、まだ行われていない研究テーマを見つける。次に、CASデータベースを探索して、有望な化合物をピックアップする。それに少し手を加えた化合物候補を複数生成し、ヒトゲノムやら何やらのデータベースからの情報と合わせて、それぞれの薬効をシミュレートする。いちばん良さそうな化合物の構造をもとに有望そうな合成法をサーチし、実験室ロボットに命じて片っ端から試させる。いちばんうまくいった結果をデータベースに登録する。

このあたりまでは全自動化できそうに思える。そうすると、論文を英語で書く必要もなくなる。機械が処理しやすい人工言語で書くか、生データをたんにデータベースに登録して、あとはAIがマイニングしてくれればいい。そうなると、量が多すぎて読めない時代も終わりだ。そもそも人間に理解できる言語で書かれていないんだから。

気がかりなのは、**こうなったときに人間に何かやることが残るのか**ということと、**残るとして、**

それってやりがいのある楽しい仕事なのかということだ。ＳＦ映画には、よく未来の研究室が出てくる。ロボットやＡＩに囲まれて、人間の科学者が働いている（相変わらず白衣を着てる）。彼らはいったい何をやってるんだろう？　この点、リドリー・スコットの『エイリアン』は鋭いよね。**研究はもっぱらアンドロイドがやる。**ヒトも研究に参加しているんだが、それはエイリアンの卵を植えつけて地球に運ぶための「培地」としてである。

しばしば「科学の終焉」について語られてきた。それは、究極問題が解かれて、もう研究することがなくなってしまう、という話。これとは違った科学の終焉のシナリオがありうる。問いは依然として残るものの、科学が人の手の届かない営みになってしまうことによって、あるいは科学がちっとも面白くない営みになることによって、終焉を迎える可能性だ。学問の「スローサイエンス化」を進め、学問を楽しい人間的な活動に保つことにもっと心を砕くべきだ、と私は思う。科学において人間にしかできないことがひとつだけある。それは研究を楽しむということだ。こればっかりはＡＩにはできない。

教養を大切にして学問をやってください

何だか学問の暗黒面《ダークサイド》について書きすぎたような気もしてきた。だけど、これはやっぱり知っておいてほしいことなのね。本書の想定読者は高校生と大学新入生、そして背伸びした中学生だった。だから、これから学問の世界に入ろうとしている人もたくさん含まれている。私も含め、大学教員は手を変え品を変え、キミたちを学問の世界に誘おうとする。科学は楽しいよ。

研究人生は素晴らしい。学問で人々に貢献するのは気高いことだよ……。学問の明るい面《ブライトサイド》を一生懸命宣伝して、「こっちの水は甘いぞ」と誘い込む。

だけど、これってちょっとアンフェアじゃないすか、と思うわけだ。すでに明らかにしたように、学問は素晴らしいものにもそうでないものにもなりうる。現に素晴らしいところとそうでないところが共存している。良いことも困ったことも起きる。ちょっと気をぬくとイドラに転落する、塀の上をおぼつかない足取りで歩いているようなものだ。けっこう危なっかしい。

にもかかわらず学問は、人類が生得的な愚かさを克服してさらに幸せになるために不可欠で、かなり強力な、もしかして唯一の装置なんだ。われわれがキミたちに手渡すことのできる学問は、理想的というには程遠いものだけど、**それでも貴重なものだ**。だからわれわれは、キミたちを学問という理想郷に誘い出そうとしているのではない。情けないところも多々あるが、それでも大切な学問をさらに発展させると同時に、それが新たなイドラにならないように健全な状態に保ってくれ、とキミたちに懇願しているのだ。**キミたちに学問と人類の未来を託そうとしているのである**。

いまある学問のお尻にくっついて、なんとか業績を上げて競争に勝ち抜くためには、それほど教養は必要ない。たぶん、学力、忠誠心、勤勉さ、プライド、コミュ力、体力の方が大事だろう。でも、これらの「美徳」は、ザ・ベスト・アンド・ブライテストの方々がこぞって集団思考に嵌まり込み、愚かさを生み出すのを妨げることはできなかった。それを防ぐのは、より普遍的な価値を希求し、それに照らして自己を相対化し、「こんなことをやっていていいのだろうか」と反省する能力、**つまり教養だ。**

もう少し一般化しよう。われわれの心に備わった認知バイアスは適応の副産物だ。だから、いまの世の中を渡っていくためには、バイアスや偏見の虜になっていた方がむしろ楽かもしれない。しかし、そういう人々にできないことが一つある。世の中をよくすることだ。**世の中をよくするという仕事は、教養への道を歩み続ける人々にしかできない。**キミたちの健闘を祈る。

III

教養への道の歩き方

お勉強の実践スキル

第Ⅲ部のねらい

第Ⅲ部ははっきり言って**オマケである**。第Ⅰ部と第Ⅱ部で言いたいことは言ってしまったから。でも、オマケの方が嬉しいというのが、グリコ以来ビックリマンチョコを経て今日に至る商品の王道である。なので、知っているとちょっと嬉しく、ついでに役に立ついろいろをキミたちに伝授しよう。題して「教養への道の歩き方――お勉強の実践スキル」だ。

すでに述べたように、教養は、これだけ身につけたら「ハイお終《しま》い」というものではない。身につければつけるほど自分の小ささ・足りなさが自覚される、といった類のものなので、きりがない。してみるとわれわれは、教養という「ここではないどこか」を目指して終わりのない旅を続ける旅人のようなものだ。世の中には教養のある人とない人がいるのではなくて、この旅に出ようとする人とそうでない人の2種類がいる。

バックパッカーにとっては人生そのものが旅である。松尾芭蕉みたいなものですかね。教養も似ている。教養への旅から帰ってきて、さあ日常生活に活かすぞ、というものではなく、**日常の生活を生きることがすなわち教養に向かって旅することにほかならない**。というわけで「教養への道の歩き方」という題をつけた。旅のガイドブックに入出国の手続きとか交通事情、安全管理について書いてあるのと同じように、ここでは教養への道を歩くときに役に立つ実践スキルを集めてみた。私の経験則にすぎないが、それでもいくぶんかは、旅立つキミたちの足元を照らすことができると期待して書いている。

第15章

大学に入っても、大人になっても語彙を増やすべし

語彙が足りないと泣けてくる

市場のイドラについて述べたときに、語彙を増やさないとダメよ、という話をした。ホントにそうなのだ。私じしん苦い思い出がある。今でこそ異文化体験は大事だとかエラそうに言ってる私ですが、**恥ずかしながら35歳になるまで海外に出たことがなかった。**家族で海外旅行なんて時代じゃなかったし。

で、いきなり米国のピッツバーグという街で暮らすことになったわけですが……。ひと月くらいたったころ、アパートのバスタブの排水が詰まったらしく、水が流れなくなってしまった。これではシャワーを浴びることができない。そこで、排水管の詰まりをとるバコバコを買いに出かけた。わが家では、さきにゴムのカップがついてるアレを、代々「バコバコ」と呼んでいたのだ。

近所の日用雑貨店に入って探しても見当たらない。そこで店員さんに聞いてみようと思い、カウンターで「Hi!」と声をかけて、さあ困った。そういえば**アレって英語で何て言うんだろう？**　すっかり動転した私は、カウンター越しに曖昧な笑みを浮かべながら、アーウーせざるをえなかった。さぞかし気味の悪い客だと思われたことだろう。結局、「Sorry.」と言い残して店を出た。きっとうっすら涙目になっていたはず。

飛ぶようにしてアパートに帰って、リベンジとばかり和英辞典を引こうとして、また困った。**アレって日本語で何て言うんだ？**　まさか「バコバコ」ではあるまい。というわけで、その日はシャワーも浴びずにふて寝した。ところが、天は自らを助くるものを助く。翌日は日曜日。分厚い朝刊を何の気なしに眺めていたら、猫のガーフィールドの顔にアレがはまり込んでしまうというギャグの連載漫画が載っていた。そして、アレのことを「plunger」と書いてあった。

その日の午後、同じ雑貨店で買ったプランジャを肩に担いで意気揚々とフィフス・アヴェニューを闊歩する私が目撃されたのは言うまでもない。ちなみに、日本語で何ていうんだと思い、こんどは英和辞典で「plunger」を引いてみたら、「プランジャ」って書いてあった……。

何を言いたいのかはきわめてシンプル。単語を知らないと、とりわけものの名前を知らないと致命的だ、ということ。こう言うと、「plunger」なんて知らなくても構わない、知っている単語を使ってなんとか説明すればよい、という人が現れる。**そんなことあるもんか**。「あのね、アパートのバスタブの排水が詰まってしまって。なんとかパイプの詰まりを取り除きたいから、棒の先にゴム製のおわんみたいのがついてる掃除用具あったらちょうだい」って英語で言う方が、**よっぽど大変**だ。「plunger」を知っていれば、一発でことが足りてしまうのに。

語彙増強ってとても大事

ことほど左様に語彙は大切。ところが多くの大学生は、受験勉強のときはせっせと英語表現を覚えようとするのに、大学に入ってしまうとほとんど覚える努力をしなくなる。どんなにリスニングとスピーキングの訓練をしたところで、**語彙を増やさなければ英語は使えるようにならない**。聞き取った言葉の意味がわからないでどーすんの（だいいち知らない言葉は聞き取れない）、ということだ。

うちの大学では入学したときと1年次の終わりに英語力の試験（TOEFLとCriterion）をやっている。リスニングとライティングは伸びる。だって、そこに力点を置いた授業をやってるからね。英語の先生方の努力に感謝。だけども文法力と語彙力が落ちている。新しい単語を覚えるどころか、受験勉強で覚えたものも忘れちゃうということだ。で、語彙力を高めるのは授業じゃ無理だ。個人の努力にかかってる。

まして、多くの学生の母語である日本語の場合、語彙を意識的に増やそうとつねひごろ努力しているなどというひとはまずいない。みんな、日本に暮らしていれば自然と増えてくると思っているみたいだ。**そんなオイシイ話はありません**。試しに、次の日本語表現の意味がわかるか、チェックしてみたまえ。

①炯眼　②卒爾ながら　③狷介　④分限者　⑤岳父　⑥わくらば　⑦たまずさ　⑧月夜に釜を抜かれる　⑨水茎の跡　⑩金城湯池

全部わかった読者がいたら連絡ください。記念品を差し上げます（ウソです）。でも、これくらい知らないと、落語も、いま流行りの講談も、昭和時代の小説もわからんぞ（そんなに特殊な言葉ではない、ということ）。

米国では、母語である英語の語彙を増やすことを「vocabulary building」と言って、けっこう重視している。本屋に行くと、そのための教材のコーナーがあった（いまは本屋そのものがなくなった）。子ども向けだけでなく大人向けのものもある。アルフィーが使ってた日めくりカレンダーもそうだ。なぜ、母語の語彙を増やすべきと考えられているのか。おそらく理由は二つ。まず、**語彙は社会階層と結びついている。**どういう言葉を使うかで、そいつが属する社会階層がばれてしまう。もう一つ。こっちの方が重要だと思うけど、**語彙は思考と結びついている。**語彙が貧弱だと思考も貧弱になる。複雑なことをうまく考えられなくなる。どちらも、米国社会で暮らしていくには不利だ。日本でも状況はほぼ同じ。

語彙増強に近道はない――手作り単語帳のススメ

というわけで、ヴォキャブラリー・ビルディングは大事だ。大名古屋ビルヂングも大切だが、それよりもっと大切。でも、大学に入ったとたんに誰もやらなくなる。受験のときはあんなに

私の手作り単語帳（中段に「印税 royalty」の文字が…）

必死に覚えたのに。これって考えてみると不思議だよね。みんな、目の前の必要がなければオレは決して勉強しないと心に決めているんだろうか。というわけで、大学に入っても単語帳をつくろう、一生作りつづけよう、というのが私のアドバイスだ。

かく言う私も、学生時代からずっと単語帳をつくり続けている。もう数十年になって何冊もたまってきた。受験のときは、誰かがつくってくれた出題頻度順の『試験に出る英単語』の類を覚えた。キミたちもやったろう。そのあとは、**自分でつくっている**。これが大事だ。

本や論文を読んだり、映画を見たり、旅に出かけたりして出会った言葉で、これは覚えておこうというものをエントリーする。だから、英語も日本語もフランス語もドイツ語も中国語も韓国語もカタロニア語もチェコ語もラテン語も……なんでも出てくる。しかも順不同。試験対策で覚えるわけではないので、旅先で美味しかった食べ物の名前とか、早口言葉なんかも記録してある。というわけで、たとえばフランス語の「ミネラルウォーター」は「eau minerale」、というエントリーの次は、網脈絡膜症《もうみゃくらくまくしょう》だったりする。これは読もうとしたらうまく舌が回らなかったので、早口言葉候補になるんじゃないかと思って書いておいた。

手作り単語帳はいいよ。自分が実際に出会って、これは覚えておこうと思った表現なので、使われる文脈がわかっている。気になってピックアップした表現なので、印象が鮮明だ。他人が作ってくれた無味乾燥な単語リストを端っこから覚えていくのは苦痛かもしれないが、これなら覚える気になる。私はスマートフォンをもっていないので、電車や飛行機に乗っているときに自家製単語帳をめくっていると、いろいろ思い出も甦って、よい暇つぶしになる。

最新のエントリーは英語の「mook《ムーク》」だ。アメリカ俗語で「くだらないやつ」という意味。マーティン・スコセッシ監督の『ミーン・ストリート』で出くわした。ちなみに、和製英語で雑誌（magazine）と本（book）の中間形態をmook（ムック）と言っていた。新しい言葉を作るんだったら**せめて辞書引けよ**、と言いたい。

というわけで、自ら語彙を増やす努力をしないのに、大学の外国語教育は役に立たなかった、とか言っているやつを見ると張り倒したくなる。自分の努力不足を教育システムのせいにするんじゃないって。**そういうやつこそムークの名にふさわしい。**

言葉を知ることと自ら使うことは区別せよ

私は「mook」を覚えた。きっと他のギャング映画で出くわすはずだ。そのときが楽しみ。だが、**この語を自ら使うことはないだろう**。何せ、映画ではこれを口にしたらイキナリ乱闘になってたし。というわけで、新しい言葉を知ることと、自分でそれを使うことは別だ。語彙を増やしつつ、その中から自分の使う言葉を選んでいくというプロセスが次にくる。ここに、キミの人となりが滲み出てくる。

「Win-Win」とか「ソサエティ5・0」みたいなビジネス界のバズワードを振り回す奴は、あーそういう奴なのね（あんまり深く考えない人なのね）と思われてしまう。だから、私はこの言葉を**知っているけど、自分からは使わない**ことにしている。批判するときは別。

自分を教養する過程では、自分自身に規矩を課すことが重要だという、村上陽一郎さんの見解を紹介した（第6章）。村上先生が己に課している規矩すなわち「教養のためのしてはならない百箇条」には、言葉の選択に関するものが多く含まれる。詳しく見てみよう。

① 流行語を使わない。

② 略語、たとえば「冬のソナタ」を「冬ソナ」というが如《ごと》き、を使わない。

③ 外国語も略さない。ピアノフォルテをピアノと言うのはともかく、間違っても「ハリー・ポッター」を「ハリポタ」などとは言わない。

④　よその業界用語を使わない。寿司《すし》屋で、「ゲソ」だの「ギョク」だのと言うのも含めて。
⑤　あからさまにものを言わない、書かない。とりわけ、性について。
⑥　大袈裟《おおげさ》な表現は使わない。
⑦　クリシェを恥じらわずに使わない。

「クリシェ」というのは使い古された常套句ということ。いっけん、村上先生の個人的趣味にすぎないように見えるが、なぜそういう表現を使いたくないのかを考えてみると、もう少し**普遍的で一貫した方針**のようなものが見えてくる。

①や⑦は自分が自分の言葉として使う語彙は、主体的に選択してつくりあげろ、ということだろう。みんなが使っているという理由だけで安易に自分の語彙に取り込むな。⑤と⑥は、そういう言葉を使うと思考が雑になるぞということだと思われる。

②と③は、いくつかのポイントにまたがっている。「ハリポタ」のような略語はたいていの場合、流行語でもある。そうすると、①⑦と重なることになる。また、略語というものは、はじめ小さなサークルでつくられることが多い。たとえば、クラシックファンの間では、ブルックナーの交響曲第8番を「ブル8」と言ったりする。そういう略語は、同じ言葉遣いをする仲間を囲い込んで、他者を排除する。あるいは、その語が指す対象と自分との距離がとれていない。だから使わない、というんではないかな。そうすると、④とも重なり合っている。

④の業界用語や職人さんたちの符牒《ふちょう》を使わない、というのは私も叩き込まれた。祖父はうなぎ問屋を営んでおり、料理屋の職人たちと付き合いがあった。彼によると、素人が符牒を使うのは、通ぶっており「野暮」なのだという。「アガリ下さい」など言おうものなら、「お茶と言え、お茶と」と怒られた（さりげなく回らない寿司を食べに行ったことを自慢している）。ようするに客と職人の間に線が引けていないということで、互いにもたれ合い馴れ合った関係になってしまうからよくない、ということなのだろう。

キミたちもこうした方針をマネしなさい、と言いたいのではない。しかし、ヴォキャブラリー・ビルディングには、**自分が使う言葉を自ら選択する**という能動的で主体的な側面があるということ、どの言葉を使い、どの言葉を使わないかを選ぶことで、キミは自分の人格を作り上げていくのだということは覚えておいてほしい。

第16章
歴史的センスの磨き方

歴史オンチの私だからこそ

これについては、あまり偉そうなアドバイスはできない。というのも、まず**私は歴史学者ではない**。だから、本格的に歴史を学んだことがない。ましてや研究したことはない。あくまでもアマチュアだ。それに、いまの自分に歴史的センスがある、とも思えない。むしろ歴史オンチを自覚している。

それでも、歴史を学ぶことは仕事上必要だ。哲学をやっていると、哲学史を知らないといけない。哲学史をちゃんと勉強しようとすると、たとえばプラトンが生きていたころのアテナイってどんな社会だったのかとか、デカルトが活躍していたころ、ヨーロッパはどんなだったのかということを知っていると、哲学史の勉強じたいが楽しくなるし、哲学説の歴史がもっと生き生きとしたものに感じられる。さらに、私の哲学における専門分野は科学哲学だ。この分野は、科学史家が明らかにしてくれた、現実の科学がどのように展開してきたかについての知見を無視してはもはや成り立たない。だから、科学史の勉強もする。その勉強をするときも、科学以外のことがらの歴史を背景として知っている必要がある。

私は、世界の通史を学校で勉強したことがない。通っていた中学・高校がへんな学校だったからだ。世界史の先生はいたが、研究家肌のたいへんにマニアックな人だった。なので、中学1年生で学んだのは古代ギリシア史だけ。もう一回学ぶ機会があったが、そのときは歴史そのものではなく、歴史学方法論を勉強させられた。受験の世界史は自分で勉強すればいいじゃんという姿勢だったわけだ。それはそれでよいのだが、大学受験のとき世界史を選択しなかった私は、ついぞ世界史を通して勉強することのないまま、大学に入り、大人になってしまった。

ところが業務上、歴史を学ぶ必要が出てきた。というわけで、いまだに歴史の勉強を続けている。だから、ここに書いておくのは、歴史をちゃんと勉強したことのない、歴史を専門としない人が、あとから必要にかられて歴史を勉強するときのノウハウである。**はっきりいって邪道だ。**でも、これにも意義があるのではないかな。というのも、書店に行って「歴史の学び方」みたいな本を見てみると、たいてい歴史学科の学生さん向けに書かれているのね。史料の読み方とか。**そこまでやるつもりはないが、歴史をちょっと学びたい**という人へのアドバイスはじつはあんまりないんだ。

教養ある歴史のユーザーとして歴史を学ぶ

歴史学者になるわけではないのに歴史を学ぶ、ということはつまり、歴史学者が心血を注いで明らかにしてくれた成果を使わせてもらうということだ。私たちの大部分は歴史のユーザーとして歴史を学ぶ。歴史をどう使うかは人それぞれ。楽しみのためという人も多いね。こういう人はたいていの場合、ごく狭い範囲の歴史を深く知りたがる。お城マニアとか、戦史マニアとか、ルネサンス美術ファンとか。自称カツ丼の歴史研究家とか。これもいい。いいね、とあんまり言いたくない歴史の使い道もある。自分を慰めるため、という使い方だ。日本ってやっぱりすごい国じゃん。日本人に生まれてよかった、みたいな。自信が湧いてくるよね。やたらに元気が出てきそうだ。**覚醒剤みたいなもんだ**。こういうニーズに応えるために、ちゃんとした歴史学者じゃない人たちがけっこう歴史の本を書いている。まずは著者が自分じしんを慰めるために書いているんだろう。

ここでアドバイスしたいのは、**教養への道を歩くための歴史の使い方と学び方**だ。教養にとっての歴史の意義は第4章と第12章に書いておいた。まず、雑多な知識を構造化し、「自分は何ものか、どこから来て、どこに行くのか」を大きなスケールで考えるための座標系をもつ。このために歴史を学ぶことは役に立つ。もう一つは、相対化の視座を手に入れるために歴史は役に立つ。自分が当たり前だと思っていることがら、信じ続けていたいことがらについて、それを疑い、自己を相対化するための手段を与えてくれる、ということだね。

自己相対化とは、自己反省ということでもあるし、自己を一部分壊すことですらある。だから、教養ある人にとって歴史を学ぶということは、基本的にあまり気分のいいものではない。その居心地の悪さに耐えて、それでも歴史を直視することが、教養への道を歩くには重要だ。

まずはグローバル・ヒストリーを学ぶ

時間的にも空間的にも巨大なスケールの座標系を頭の中にもつ。このことをまずは目指したらどうだろう。となると、おすすめは**グローバル・ヒストリー**だ。これは、最近になって現れた歴史の見方である。日本史、イギリス史のような国別歴史ではなく、アジア史、ヨーロッパ史のような地域別歴史でもなく、世界をつねに一体のものとして見て、世界中の人々が文化交流と交易のネットワークで結びつきながら展開していく歴史を記述しようという試みだ。

グローバル・ヒストリーは扱う時間も空間も大きい。ヨーロッパ世界の視点から世界史を記述するのではなく、ヨーロッパを相対化する。たとえば、バスコ・ダ・ガマとかコロンブスが活躍した「大航海時代」は、これまではヨーロッパの世界進出と捉えられてきたけど、グローバル・ヒストリーでは「大交易時代」と呼ばれ、世界の一体化が加速した時代として捉えられる。だから、アジアの果たした役割も重要視される。また、病気とか気候変動、それらによる人口変化などの要因にも着目する。

グローバル・ヒストリーは広大な時空間を相手にするので、通史の教科書はほとんどなかった。タイトルにグローバル・ヒストリーを謳った本は、たいてい異なる地域と時代を専門としている歴史学者の共著だ。

これじゃあんまりグローバルじゃないなあと思っていたら、北村厚『教養のグローバル・ヒストリー』（ミネルヴァ書房）が出た。北村さんは、高校の世界史教科書に載っている史実（これは定説になっていると考えてよいだろう）を並べ直し、高校教科書をグローバル・ヒストリーの教科書にアレンジする、という冴えたやり方をとることによって、一人でグローバル・ヒストリーの通史を書くという離れ業をなしとげた。これ、すごく勉強になった。あとはもちろん、ジャレド・ダイアモンドの『銃・病原菌・鉄』（草思社文庫）も読んでおこう。

リン・ハント『なぜ歴史を学ぶのか』（岩波書店）は、国民史（日本だったら日本史、英国だったら英国史）とグローバル・ヒストリーとを対比的に特徴づけている。歴史というのは、国民・市民をつくるためのものだった。いまもそうである。国民史は、**国民としてのアイデンティティを形成し国民を統合する**という目的があった。だから、政治家がうちの国民史の教科書は自虐的記述が多くてけしからんとちょっかいを出したりするのは、洋の東西を問わない。ハント本にはその実例がたくさん紹介されている。よその国もやってるんだからうちでもやって構わないと考えるか、どの国でも権力者のやることは変わらないなと考えるかは、大きな分かれ目だけど。で、ハントによれば、グローバル・ヒストリーも市民性《シティズンシップ》を涵養するためのものだが、**その範囲は単一の国家を超えている**。

ひとを排他主義と自国の賛美に陥らせ、視野をますます狭める歴史の使い方・学び方があるかと思えば、自己反省能力を高め、他民族や他文化に対する寛容さと開かれた態度を涵養する歴史の使い方・学び方もある。自分は何のために歴史を学ぶのかをちゃんと自覚し、それを忘れないこと。これがいちばん大事。

自分の専門分野の歴史から拡げていく

歴史の素人が歴史を学ぶもう一つの方法は、自分の専門分野の歴史からはじめて、その社会的背景・政治的背景・グローバルな背景へと視野を広げていくというやり方だ。専門分野なら興味がわくだろう。そこだけとっても、目から鱗の発見はいろいろある。そしてそれは、専門分野の勉強や研究を進めていくのに役にも立つ。

たとえば科学の歴史。ボクらが勉強する科学は、**時間が消えてしまっている**。ずっと昔にわかっていたことと、わりと最近わかったことが一緒に並んで出てくる。

遺伝子の本体はＤＮＡという分子で、そこに塩基の配列という仕方で遺伝情報がコードされている。ときどき、その配列に突然変異が起こり、それがたまたま生き延びていくのに都合がよいと、その変異をもつ個体は自然選択され、進化が起こる。教科書にはおおよそこんなことが書いてある。

でも、自然選択説が提唱されたのと遺伝子の正体がわかったのとの間にはおよそ１００年の時間が横たわっている。その間、遺伝子ってなんなのか本当のところはわからないまま、遺伝学も進化学も進んできたんだ。わからないことだらけの状態に耐えながら、それでもちょっとずつわかる部分を増やしていくのが科学研究だということを実感できる。これはキミが行おうとしている研究にも当てはまる。

科学の歴史を学ぶといろいろ面白い発見がある。物質が原子からできているということが定説の位置を占めたのは、意外に新しい。ジャン・ペランが十数通りの異なる仕方でアボガドロ数（1モルあたりに含まれる原子の数）を測定し、それらの数字がきわめて近いことを示すことで、やっぱり原子はあるんだということになったのは、1913年のことだ。アインシュタインが特殊相対性理論を提唱したのが1905年だから、相対性理論の方が早い。学生時代にこれを知ったとき、**すごく驚いた**。

「理系」の学生さんには、科学史はとっつきやすいだろう。興味もてるだろう。そこから、科学の社会史（科学の歴史を学説の歴史としてだけでなく、それを取り巻く社会の歴史の中に置いて記述しようとする科学史の分野）にコマを進め、最終的にその時代の政治・経済・国際関係はどうだったかという仕方で関心を広げていけばよい。

自家製世界史年表をつくる

というわけで、私にとって歴史の勉強は、**まともな歴史学者**の書いた本を読む、ということに他ならない。専門家じゃないからそうなる。だけど、読みっぱなしだと忘れてしまう。それに、いろんな本で知ったことを総合することができない。そこで、単語帳と同じように、**自家製の世界史年表**をつくっている。これも自家製というところがミソだ。もちろん、出来合いの年表ももっている（山川出版社の受験生が使うやつと歴史学研究会の『世界史年表 第3版』岩波書店）。これは調べるために使う。自家製のやつは、それをつくることじたいが勉強になっている。

最初は手書きだったけど、すぐに書ききれなくなってしまうし、何度も書き直すのはめんどくさいので、途中からエクセルを使うようにした。各行をそれぞれの年にあてて、縦の列は世界の動き、生物学、物理学、哲学など各分野での業績や発見、あとは趣味の音楽やアートの列、自分の個人史の列も作ってある。これを眺めていると、時代のおおよそがイメージできるようになる。アインシュタインが物理学上の革命を引き起こしていた頃、ストラビンスキーが作曲を始め、ピカソたちがキュビズム運動を開始したなどということが一目でわかる。このあたりの時代に生きていたらさぞかしエキサイティングだったろうなあ、と思ったりする。

自家製の良さは、市販の年表には書いていないようなコメントとか、疑問とかも書き込めることだ。たとえば、映画『モダーンズ』の時代設定はこの頃、なんて書き込みもできる。個々のテーマについての情報だけとりだしたミニ年表もよくつくる。科学革命（17世紀）年表とか、ナチズムと科学者年表とか教養教育衰退の歴史年表とか。どうも私は、年表形式にまとめないと出来事の流れが頭に入らないようだ。私と同じような頭の作りの人は、ぜひお試しあれ。

第17章
種族のイドラと洞窟のイドラに抵抗するための具体策

生まれつき備わっている種族のイドラにせよ、生まれてから学習してしまった洞窟のイドラにせよ、私たちの認知には独特の歪みがあって、それが正しく知ることを妨げる。これにどう抵抗したらいいのか、いくつかの指針を伝授しよう。もっと詳しく知りたくなったら、すでに紹介した菊池聡さんの著作（第10章の注10）、もしくは拙著で申し訳ないけど『「科学的思考」のレッスン』（NHK出版新書）を見てちょうだい。

四分割表で錯誤相関から身を守る

ある病気Xにかかった人100人に納豆を食べさせてみたところ、90人が治った。このことから納豆はこの病気に効くと考えていいだろうか。90%もの人が治ったんだからすごい効果じゃないの、と思ったキミ。**おぬしは種族のイドラの餌食になっている**ぞよ。

かりに、Xは時間が経つと、何を食べていようがたいてい自然に治ってしまう病気だとしよう。だとしたら、納豆を食べたかどうかと病気の治癒は関係ない。両者に関係があるのかないのか。これを確かめるには、納豆を食べなかったX患者の治癒率も調べてみないといけない。かりに、表1のようだったとしよう。納豆を食べようが食べまいがほとんど治るか治らないかに違いはないことがわかる。納豆の摂取とX病の治癒の間には**相関・関連性**はない、と言う。

逆に、表2のようだったらどうだろう。納豆を食べても60%しか治らないのだが、食べない人たちの2倍も治っている。納豆を食べることはX病の治癒になんらかの関係がありそうだ。（食べた、治った）のセルが高い確率かどうかは、両者に関係があるかどうかを示しているわけではないのだ。

こういう表を**四分割表**とか**クロス集計表**と言う。「なんとかの何パーセントがかんとか！」と言われたとき、なんとかとかんとかに関係があると即断する前に、四分割表を描いてみるという習慣をつけるとよい。

どうして、最初の間違いをしてしまったのか。われわれは四分割表の左上、（食べた、治った）のセル、つまり二つの出来事が両方起きたセル（共生起事例という）にばかり注意が向き、他のセルはどうなっているかを考慮せずに関連性を判断するバイアスがあるからだ。このバイアスに

表1

	治った	治らない
納豆食べた	90	10
納豆食べない	89	11

表2

	治った	治らない
納豆食べた	60	40
納豆食べない	30	70

表3

	大学での成績上位	大学での成績中位以下
数学を受験科目にした	50.79%	49.20%
数学を受験科目にしなかった	43.36%	54.64%

よって生じる間違いを**錯誤相関**という。

別の因果モデルを考えてみ！

というわけで、二つの変数の間に関連があるかどうかを判断するときには、四分割表を使うようになったキミだ。そうしたら、次のような調査データに出会った。こんどは本当に行われた調査の例ね。大学受験の時に「無駄だ」とばかり、数学を受験科目から捨てた人は、大学での成績は低く生涯賃金も低く、転職しても賃金が上がらないという。けっこうショックかも。私立大学の経済学部出身者２２３９名（23〜60歳）を追跡調査した結果だ。

大学での成績についての関連を、四分割表の形で示してみると表３のようになる。それほどでもないけど、数学受験と大学での成績に関連性がありそうだ。生涯賃金についても転職後の賃金上昇についても、やや関連性があるという結果になっている（浦坂純子ら「数学学習と大学教育・所得・昇進」『日本経済研究』46号、２００２年）。

さてここから、数学ができることが大学での好成績や生涯賃金の高さの原因だ。高校で数学を勉強しておくことはやっぱり役に立つんだ、と言ってよいだろうか。そうかもしれないし、そうでないかもしれな

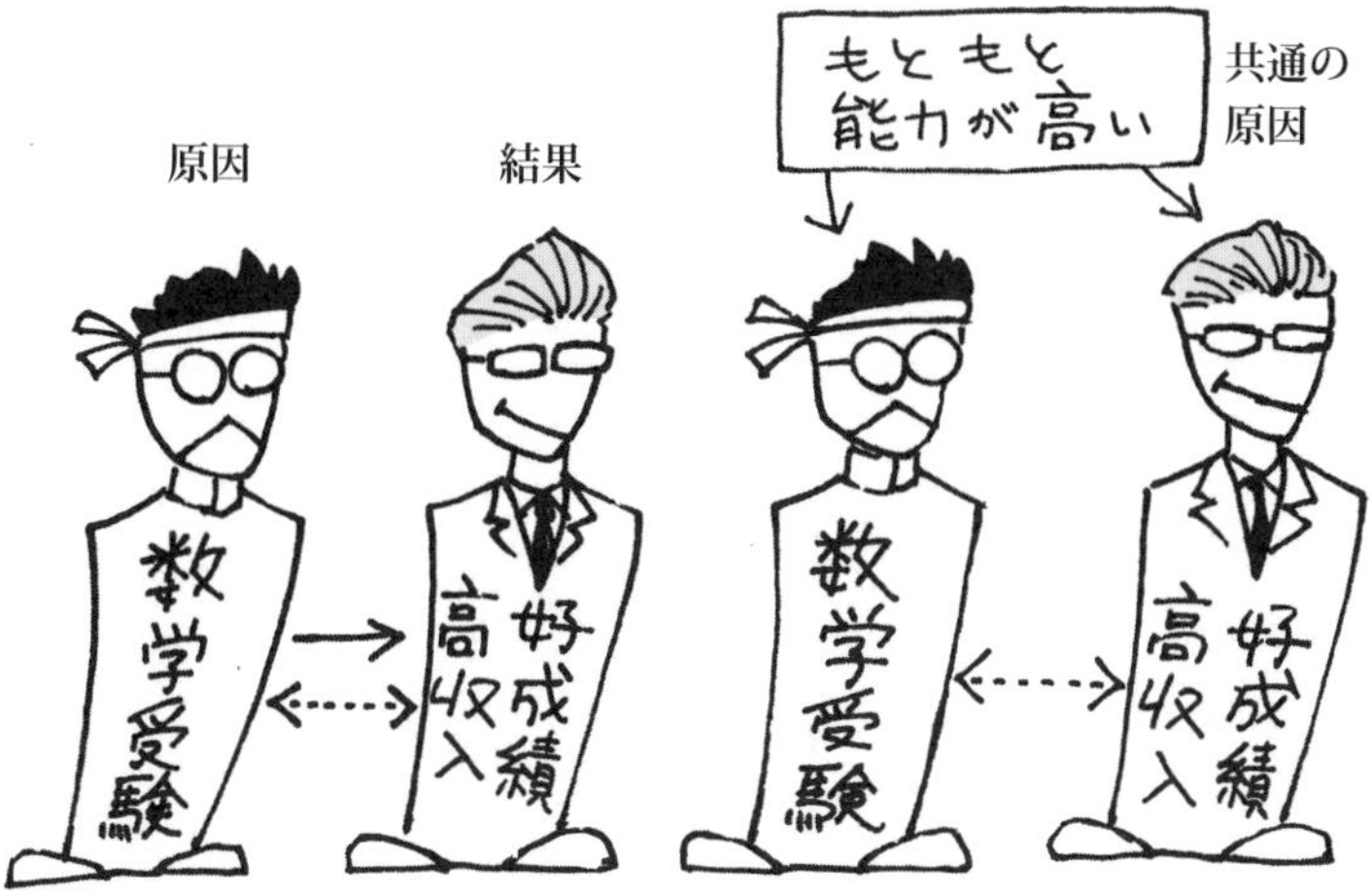

因果関係と相関関係を混同しない（——→は因果関係、←……→は相関関係を表す）

い、**これだけからはわからないというのが正解**だ。

高校で数学を学んだことが生涯賃金の高さの原因だ、という解釈はもちろん成り立つ。これを人的資本論的解釈と言う。でも、もう一つの解釈もあって、数学を最後まで捨てなかったことと生涯賃金の高さとの両方の原因があるとも考えられる。つまり、その人がもともともっている能力の高さだ。もともと能力が高いので、文系なのに最後まで数学を学ぶ余裕があったし、大学卒業後も賃金が高くなる。こっちの解釈をシグナリング理論と言う。数学を学んだことは高賃金の原因なのではなくて、真の原因（能力の高さ）のしるし《シグナル》、になってるという考え方だ。

人的資本論とシグナリング理論のどちらが正しいのか。おそらく両方だろう。どっちの要因もありそう。ここで大事なのは、二つの変数（数学受験したかどうかと生涯賃金）の間に関連性があったとしても、何が原因なのかはそれだけでは決められないということだ。
一般に、AとBとの間に関連性があったとき、それは一方が他方の原因だからかもしれないし、AとBに共通の原因Cがあるからかもしれない。関連性から因果関係を即断してはいけない。**違う因果関係の可能性をつねに考える**ようにしよう。

反証例を考えて確証バイアスから身を守る

もうひとつ、われわれの認知メカニズムに備わったバイアスを紹介しよう。「**確証バイアス**」だ。これは、「人が現在持っている信念、理論、仮説を支持し、確証する情報を求め、反証となる証拠の収集を避ける基本傾向」と説明されている。
なんで、これがいかんの？　認知心理学の世界で超メジャーになった「4枚カード問題」を例にとって説明しよう。こういう問題だ。

ここに4枚のカードがある。それぞれのカードには、片面に数字、その反対の面にアルファベットが書いてある。そのカードが図1のように机に置かれている（なので裏は見えない）。

さて、この4枚のカードについて、次の仮説が成り立っているかどうかを、カードをひっくり返して裏面をチェックすることによって調べたい。

【仮説】　片面に母音が書かれているカードの反対面には必ず奇数が書かれている

ただし、できるだけ最小限の枚数のカードをひっくり返すことによって調べたい。最低限このカードを裏返せばよいというカードはどれか（複数あってもよい）。

この実験をやった米国の心理学者は、有名大学の学生が対象だったにもかかわらず、あまりにも正解率が低いことに驚き、ここから人間の非合理性の研究が本格的にスタートした。こういう伝説のある実験だ。私も教室で学生に出題したことがあるけど、正解者は1割くらい（大多数は考えもせずに「わからない」と即答する。**おまいらいいかげんにせいよ**）。

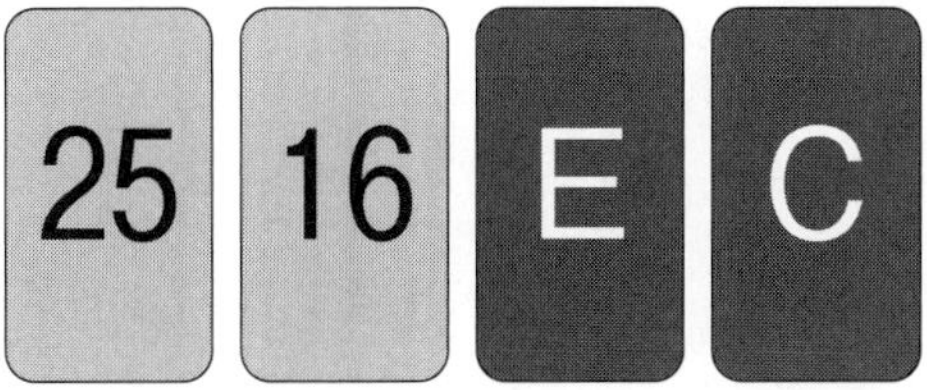

図1　4枚カード問題

正解は、Eと16だ。こういう風に考えるとわかる。この仮説が間違いになるのは、どういうカードが見つかったときか。母音の反対面に偶数が書いてあるカードだ。こういうカードが1枚でもあれば、仮説は間違いになる。こういうカードを仮説の「**反証例**」と言う。さて、この4枚のカードのうち、母音+偶数のカード、つまり反証例の可能性があるのはどれか。Eはそうだ。裏返して偶数だと仮説は間違いだ。もう1枚、16もそうだ。裏返して母音が出てくると、これが反証例になる。したがってEと16の2枚をめくればよい。

圧倒的多数の学生がEと25だと答える。でも、25はめくる必要がない。

めくって母音が出ても子音が出ても、それは反証例にならない。だとしたら、どうして25をめくりたくなっちゃうのか。それは、母音＋奇数のカードかもしれないからだ。こういうカードは仮説を満たす。われわれには確証バイアスがあるので、仮説を満たす事例、つまり仮説の**確証事例**を探したくなってしまうのだ。でも、この問題の場合、探さなければならないのは反証例なのである。

確証バイアスをもっているとどういうまずいことになるのか。菊池さんは血液型性格判断の人気を確証バイアスで説明している。血液型性格判断をちょっと信じるようになって、「B型は個性的だ」と思うようになった人は、B型なのに個性的でない人（反証例）をあえて探したりはしない。B型で個性的な人（確証事例）を探す。個性的な人に出会うと、あなた何型？と聞いて、B型だと知ると「やっぱりね」と思う。B型の人に出会うと、その人の個性的なところを見つけようとする。こうして、確証例ばかりがどんどん溜まっていき、その人の信念は強化される。

データ科学教育、よいのではないかな

錯誤相関、相関から因果への飛躍、確証バイアスは、すべてわれわれの認知メカニズムにもともと備わったイドラだ。だから、完全に取り除くことなんかできない。われわれにできることは人工物をうまくつかってイドラに抵抗することだけ。**そのための人工物が統計分析**なのである。もともともっている脳みそだけでなく、統計分析をつかって考えることによって、バイ

アスの餌食になることを避けることができる。

いま、データ科学を文理問わずすべての大学生に学ばせようという政策が進められている。データ科学の中身はプログラミングと統計学の初歩だ。それをみんなが学ぶようになれば、私がここに書いたようなことは常識になっていくだろう。結構なことだ。お国がデータ科学教育を推進しようとするのは、データの分析がお金儲けにつながることがわかってきたからだ。**日本も乗り遅れてはいけないので、**優秀なデータサイエンティストと、データ科学の素養のあるビジネスマンを育成する必要がある。そういう下心から行われる教育政策だけど、大丈夫でしょうか。みんなにデータ科学を学ばせるということは、**騙されにくい国民をつくる**ということでもあるわけで、それはあまりお国にとって好都合ではないんじゃないのかなあ、といらぬ心配をしてあげてますが、だからこそデータ科学教育の推進に私は賛成。

第18章　市場のイドラを再考する
――インターネットとの部分的つきあい方

人類史上最大規模の「フォーラム」としてのインターネット

「市場《フォーラム》のイドラ」では、情報交換と議論の場つまり言論空間が市場に喩《たと》えられる。その上で、ベーコンは二つのものを市場のイドラと名づけた。一つは、情報交換と議論の場そのものがもつ歪みのためにわれわれが真理から遠ざけられてしまうということ。もう一つは、市場で金銭がやりとりされるように、言論空間でやりとりされる言語が、われわれの思考を邪魔するということ。第Ⅱ部では主として後者のイドラ、つまり言語がもたらすイドラについてお話しした。

でも、前者について考えることも重要だ。そしてますます重要になってきている。なにせ、われわれはいま、人類史上最大規模のフォーラムであるインターネットとの共存を強いられているからだ。その気になりさえすれば、地球の裏側にいる人ともリアルタイムで議論ができる。ふつうの市民が世界中の人々に向けて情報発信できる。こんな時代はこれまでなかったわけで、将来グローバル・ヒストリーの教科書には、大交易時代の総仕上げとしてのインターネットが人類に何をもたらしたかについての章がかならず含まれることになるだろう。

われわれが情報交換と議論を行う場のなかで、インターネット空間の占める割合と重要性がどんどん高まっていくと、その空間のアーキテクチャーがもたらす思考の歪み、認知の歪みが無視できなくなってくる。フェイクニュース、フィルターバブル、エコーチェンバー、ポストトゥルースといった語は、そうした「歪み」を表すために作られた言葉だ。

道具から環境へ

私がインターネットに出会ったのは34歳のとき。出会う前を前期トダヤマ、出会ったあとを後期トダヤマと名づけるとすると、いまのところ前期トダヤマの方が長い。そのときたまたま渡米準備の最中だったので、電子メールの便利さはとてつもなく印象的だった。何という素晴らしいものができたのだろう、テクノロジー万歳って感じ。

というわけで、私にとってインターネットは人生の途中に出会ったものだ。人間はそれなしで暮らすこともできた、ということを体験的に知っている。インターネットは、**便利な「道具」**として私の前に現れた。

しかし、キミらデジタル・ネイティヴ諸君にとっては、そうではない。インターネットは**キミたちが生まれついた環境**だ。新しく導入された人工物《テクノロジー》が「道具」から「環境」になるということは、人間とその人工物との関係が大きく変わることを意味する。道具は基本的に便利なものだが、環境になると、その便利さは見えなくなって（だってそれが当たり前になるから）、むしろそこに暮らす人々にとって抑圧的な面が目立つようになる。うまく適応できない人にとっては、むしろ「問題」として立ち現れる。

私にとっても、電子メールが便利な道具《ビバテクノロジー》だったときはホンの短期間で、一日に数百通が届くようになると、むしろ不愉快な環境問題と化す。ぜんぶ読み終わらないうちに次のがどしゃどしゃ溜まっていくのはホントにいやだ。

だから、インターネットってどうよ、という問いは、キミたちにとっては「モンスーン気候って良いもんですか、悪いもんですか」という問いと同じように響くはずだ。良いも悪いも、そこに暮らしてる以上、そこから逃げることなんてできないんだから、そんなこと考えてもしょうがない。できるのは、高温多湿のモンスーン気候の土地で、少しでも安全に快適に過ごすにはどうしたらよいかを工夫することだ。

ネットも同じ。道具だったとき、「リテラシー」は、それを賢く使いこなすためのノウハウを意味していた。環境になると、「リテラシー」は、**どうやって、その中でうまくサバイバルしたらいいのか**のノウハウになる。キミたちが頭を使うべきなのはここだ。

デジタル・ネイティヴのためのブックガイド

環境としてのネットワークでどう正気を保って幸福に生き延びるか。これを教えてくれるメディア・リテラシー教育があるといい。あるといいんだが、まだ形をなしてはいないようだ。

これまでメディア・リテラシー教育が対象としてきたのは、主にマスメディア、新聞とテレビである。**影響力を失いつつあるメディア**じゃん。テレビのコマーシャルや新聞のニュース報道を批判的に解釈する。取材を体験してみる。ビデオを作成する。こんな内容が盛り込まれている。これはこれで大事だと思うが、やや時代遅れの感も否めない。しょうがないよね。教育プログラムの進歩より、インターネットの拡大と変質の方がずっと速かったんだから。

なので、これからつくっていくしかないんだろう。でも、**ごめんなさい**。**私には無理です**。というのも、私じしんがインターネットと賢く付き合うことができないでいるからだ。おそらく死ぬまでダメ。電子掲示板での議論に投稿したのは一度だけ。個人「ホームページ」をつくったこともない。ツイッターもフェイスブックもインスタも手を出したことがない。だから、料理屋で一皿ごとに写真を撮っているオヤジを目撃したとき、心底おどろいた。だいいちスマホを持っていない。むしろ、ネットからどう離れるかばかり考えている。こんな私にインターネット後のメディア・リテラシーについて講釈をたれる資格があるとは思わない。

新しいメディア・リテラシーはキミたちの世代がつくっていくものだ。60歳以上には無理無理。なのだが、それではあまりに無責任。サイバー空間でのサバイバル術としてのメディア・リテラシーの教科書として利用してもらえそうな良書を紹介しておこう。一つはすでに紹介した、笹原和俊さんの『フェイクニュースを科学する』(化学同人)。これを読んで、インターネットという市場《フォーラム》がどうしてイドラに化けてしまうのかのメカニズムを理解しよう。

続けて読むべきもう一冊は、ダン・ギルモア『あなたがメディア！——ソーシャル新時代の情報術』（朝日新聞出版）だ。「ソーシャル新時代の情報術」なんて頭の悪いビジネス書みたいな副題が付いているが、気にしない。原題は「Mediactive」。「media」と活動家を意味する「active」とをくっつけたギルモアの造語だ。受け身の消費者でいるかぎりインターネットはキミにとってイドラのままだ。メディアの「行動する利用者（mediactive）」になることによってはじめて、情報の濁流を泳ぎきることができるというメッセージの本。行動する利用者になるためにはどしたらいいのかについても具体的指針が示されていて、キミたちに勇気を与えると同時に実践スキルも身につけさせてくれる。

というわけで、インターネットと私の付き合いは限定的かつ消極的なのだが、それでもしばしば利用するサイトはある。アマゾンで本を注文する（配送センターの劣悪な労働実態を知るにつけ、なるべく利用しないようにしようと思うのだけど、古本と洋書についてはあまりに便利なのでつい使ってしまう）。ウィキペディアで調べものをする。「インターネット・ムービー・データベース（IMDb）」で、この俳優さんって他のどんな映画に出てたっけみたいなことを調べる。などなど。これらについては少しはまともなことも言えそうなので、学生さんもよく利用するウィキペディアとアマゾンのブックレビューについての考えを述べておきたい。

ウィキの編集方針を知っておこう

まずはウィキペディアだ。いちども使ったことのない人はほぼいないだろう。忘れてしまったことを思い出そうとするとき、不案内な分野でちょっとしたことを知りたいとき、うろ覚えのことについて語る羽目になったとき、実に便利だ。

私と同世代、あるいは上の世代の先生方の中には、学生がウィキペディアを使うことをひどくきらう人がいる。私はと言えば、自分でも使うし、学生にも使うことを勧めている。レポートに引用してもOKだ。なぜなら、ウィキペディアは「誰でも編集に参加できる」ということを謳っているけど、**記事の信頼性ができるだけ保たれるようなしくみ**を備えているからだ。

ウィキペディアで知りたい項目を検索したことのある人は多いだろうけど、ウィキのねらいや方針を説明した文書を読んだことのある人はあんまりいない。まずは読んでみたまえ。「Wikipedia：ガイドブック」という記事には、四つの方針として「著作権を侵害しない」、「検証可能性を満たす」、「独自研究は書かない」、「中立的な観点で書く」が挙げられている。

ここで重要なのは**検証可能性**だ。ここでいう記事の検証可能性とは、信頼できる情報源がすでに公表・出版している内容だけを書くこと、つねに出典・参考文献を明らかにして書くこと、という二つの要件からなる。おまけに、出典のない記述は、あとから編集する人に除去されても文句は言えない、となっている。

この方針がつねにきちんと守られているわけではなさそうだ。また、守られているからといって記事の正しさが100%確保されるともかぎらない。出典がそもそも間違っていた可能性もあるからだ。しかし、おおむねこの方針はちゃんと機能しているように見える。だとすると、ウィキペディアは、みんなが勝手に書き込んでいるように見えて、じつはすでに存在している書籍や論文、新聞・雑誌記事という紙媒体に掲載されていた、それなりに信頼できる記事をみんなでデジタル化している、と言った方がよい。

こういう方針（しくみ）のおかげで、ウィキペディアは、信頼性を高めるしくみの欠けた個人ブログや質問箱のQ＆Aとはまるで違うものになっているんだ。これらを**同列に扱うのは大きな間違い**。これが、私が「ウィキペディア使いたまえ」と学生に言っている理由だ。

ウィキと賢く付き合うには日本語だけではちと足りない

ところが、ウィキペディアを「情報の宝庫」として活用するには、実はある条件を満たしていなければならない。それは英語が読めるということだ。なぜか。本書の校正をしている2020年1月28日現在、ウィキペディア日本語版の記事数は118万7154件である。これに対し、英語版の記事数は600万5115件。およそ日本語版の5倍ある。そして、このところ差は拡大している。この数字をどう解釈すべきか。第二言語として英語を使用している人を含めた、世界の英語人口はおよそ10億人のオーダーと言われている。これに対し、日本語人口は第二言語としての話者も含め、約1億3000万人。ということは、10倍の開きがあるわけで、そう考えると、日本語版はかなり健闘しているとも言える。

しかし、**日本語しか読めない人は、英語も読める人のせいぜい5分の1の項目しかアクセスできない**。これもまた確かだ。ウィキペディアに関する限り、インターネットという「世界に開いた窓」と思われているものは、英語のできない人にとっては5分の4がカーテンで覆われていることになる。

これって悔しくないすか？　だったら、英語を勉強しよう。ペラペラ喋れるようにならなくてもいいけど、せめて英語版ウィキペディアの記事をなんとか読めるくらいを目標にしたらどうかな。その努力を惜しんでおきながら、インターネットは世界中の情報にアクセスすることができるツールだ、とか、ネットやっているから自分は世界のことがわかっていると言っている人がいるとしたら、**そりゃ相当おめでたく、また悲しい。**

記事のクロスチェックが大切

英語が読めるとよいことがもう一つある。10年ほど前まで、授業中にウィキペディアの信頼性検証という課題をやってみたことがある。同じ項目をウィキペディアの英語版と日本語版の両方で検索してみなさい。そしてそれぞれの記述に食い違いを見つけたら、それを報告しなさい。そうしたら、そのときは結構食い違いが見つかった。

たとえば、２００８年5月21日の段階では、「サルバドール・ダリ」の項目で、ダリがのちに「自分の人生の舵」とまで呼んだガラ・エリュアールと結婚した年が、日本語版では１９３２年、英語版では１９３４年となっていた。さっき確かめたら、両方とも34年になっていた。どうやらこの場合は日本語版が間違っていたらしい。どこかの段階で訂正されたんだね。

ウィキペディアはつねに、よく言えば発展途上、悪く言えば未完成の状態にある。かりにある項目の記載に間違いがなくなったとしても、誰かがさらに情報を書き足すと、そこに間違いが含まれる可能性がある。だとすると、何語版にせよ、おそらく間違いが含まれているだろうと用心してかかるのが得策だ。信頼性がどんどん向上していることには同意するけど、間違いがゼロになる日は決してこない。だから、一つの言語にだけ頼るのは危ないんだ。せめて、**日本語版で何かを調べたら、英語版でも同じ項目を調べてみて、クロスチェックにかけるのが望ましい**。

誤解しないでほしいんだけど、英語版の方が信頼できるよと言いたいのではない。英語版だって間違っているかもしれない。じゃあどうする。できれば、もう一つ外国語ができるといいよね。そうすればトリプル・クロスチェックができる。で、**これって思ったほど大変なことじゃないんだ**。

おそらくこれを読んでくれている大学生の半数くらいは、第二外国語の授業が必修だろう。でも、おそらくいまの大学の第二外国語の授業では到底ペラペラになるところまではいかない。いくらなんでも時間数が足りなさすぎる。だから、多くの学生が単位をとり終わると使わなくなる。そうすると、せっかく勉強したのに、大学卒業の頃にはすっかり忘れてしまうことになる。そして、第二外国語の授業は無駄だったとブツクサ言う。

ふざけるな、と思うわけだ。**無駄にしてしまったのはキミのせいだ**。まず、目標の設定が悪い。たとえばフランス語を数単位分学んだところで、フランス人相手に流暢にコミュニケーションできるところまではまず行けない。でも、ウィキペディアのフランス語版記事をグーグル翻訳を使いながらなんとか読み解くというところまで行くには十分だ。まずは、このあたりを目標にしたらよいのだ。私は、フランス語を第三外国語として学んだ。いまでも会話は「ぼんじゅーる」「しるぶぷれ」くらいしか出てこないという体たらくだ。でも、なんとか読むことはできる。それだけでもかなりの手助けになるし、学んでよかった思う。

やっぱり、フランスの風俗や文化について知りたかったら、ウィキペディアではフランス語版が最も頼りになるし、充実してもいる。私は、フランスの歌手・映画女優ヴァネッサ・パラディの大ファンだ。『エイリアンvsヴァネッサ・パラディ』なんてもう最高。彼女についていろいろ知りたい。けど、ウィキ日本語版の記述はじつにしょぼい。英語版はもうちょっと充実している。でもフランス語版にはかなわない。だから、フランス語で頑張って読むのだ。この程度の語学力に到達するのは、大学の第二・第三外国語の授業をまじめにやっていれば大丈夫。

何が言いたいかというと……ウィキペディアが役に立つのかという問いはアホであるということ。ウィキペディアを役立てられる人になれや、という話だ。さらに、ウィキペディアに役立つ人になれるともっとよい。大学で学んだ人は、くだらないブログやレビューをたれ流しているヒマがあるなら、ウィキの著者になるべきなんだ。**人々のために。**

ネット上の読書感想文は玉石混交

インターネットの最も大きな特徴は、それ以前のメディアでは決して表に出ることがなく、普通に暮らしているとおそらく目にすることのなかったような意見に出会うことができるようになったということだろう。言論空間がより民主的になったわけで、このこと自体は寿《ことほ》ぐべきことだ。たとえば、パレスチナから日本に来ている留学生の生《なま》の意見とか、台湾のひまわり学生運動（２０１４年）についての現地の人々の多様な意見とか、インターネットがなかったら、決して私の目に触れることはなかったはずだ。

でも、「これまでだったら目にすることのできなかった意見」には、「これまで目にしなかったようなレベルの意見」も当然のごとく含まれることになるわけで、キミが環境としてのネット空間で賢く生きるためには、そこで出会う**いろんな言説の質の良し悪しをどう見抜くか**ということが重要になる。そのためのノウハウを包括的に教えてくれるのが、さっき紹介したギルモアの『あなたがメディア』だ。ここでは、私の実体験に限って話をすすめる。

授業中、ネット通販業者アマゾンの「カスタマーレビュー」の信頼度チェックもやってみた。アマゾンのサイトで本やＤＶＤを検索すると、商品情報の下に、みんなの投稿した評価がズラッと並ぶ。学生さんは意外とこの評価を参考にしている。そこで学生さんと一緒に、何冊かの本のレビューを全部読んでみた。そしたら、いろんな発見があった。まず思ったのは、**明らかに読めていない人がけっこう書き込んでいる**ってこと。金井美恵子の『目白雑録《ひびのあれこれ》』（朝日新聞社）の感想文で、「文章の下手な人」というタイトルのものを発見したときは驚いた（２００4年8月23日の投稿、まだあった）。それにしてもすごいね、これを書いた人は。どうして自分には文章のうまいへたを判定する能力があると思っちゃったのだろう。「私の読解力では歯が立たない文章でした」と書くべきだろうよ。

水村美苗が２００８年に上梓した『日本語が亡びるとき』（筑摩書房）も調べてみた。これは、梅田望夫、小飼弾といったそのころ人気のブロガーたちが紹介したため、話題の本になっていた。ブームになると、普段はあまり本を読まない人も手に取ることになって、その結果、首をかしげるようなレビューの割合が高まってくる。

こんなレビューがあった。これは2009年に見つけて、いい教材になるわいと思ってコピーしておいたものだ。今回、存在を確かめようとしたが、見当たらなかった。アマゾンはときどきレビューを消去するらしい。「いつの間にか消されてしまったので、もう一度投稿します」といったレビューが複数あったし。

> 著者にとって「日本語」が大切なものであることはよく分かりました。しかし、それと同時に日本語は文学界では価値のない言葉のようで、フランス語や英語のほうが素晴らしいと考えているように感じます。水村氏は日ごろから小説家として文章を書いている方なので、率直な気持ちを述べておられるに過ぎないでしょう。結論としては日本語が亡びるという危機感をもっており、日本語がなくなることに危機感を持っておられる。しかしながら、私には言葉遣いや用法が変わっても、日本語がなくなって日本人が英語を公用語として使うようになるとは到底思えません。（中略）ただ単に、英語や仏語を話せることともどもご自身の身の上話をして満足したに過ぎないのではないかと感じた。故に最後まで読むことを断念しました。（傍点は引用者）

傍点を付した箇所は水村さんの主張とは大きく異なる。センター試験で、「筆者の主張に合致するものを選べ」という問題に使われたとしたら、明らかな誤答例になるようなレベルだ。第一に、日本語より西欧語の方が素晴らしいとは書かれていない。むしろ逆で、源氏物語を引き合いに出すまでもなく、日本語はフランス語や英語と同じように文学《リテレール》の伝統のある言語だと述べている。すべての言語がそうであるわけではない。母語は日常生活を送るための言葉で、文学や思想を表現するには外国語（旧宗主国の言語）を使わねばならない地域がたくさんある。アチェベについての話を思い出してちょうだい。

第二に、水村さんが危機感をもっているのは、日本人が日本語を使わなくなることではない。グローバルに発信するなら英語だよね、という風潮に流されて、文学をする人、あるいは「エリート」たちが英語に乗り換えてしまい、日本語が「現地語化」することを心配している。「ニュースピーク化」と言いかえてもよい。つまり、ややこしい抽象的なことを考えるのに適さないコトバに退化することを心配しているんだ。

水村さんを批判するなんてけしからんと言っているのではない。そうではなく、**批判するならちゃんと読んだ上でやった方がいいんでないの**、と言いたいのだ。

おそらく投稿者は『日本語が亡びるとき』というタイトルと、12歳で渡米、イェール大学の仏文科出身、パリにも留学したという経歴に惑わされて「わかったつもり」になってしまったのだろう。

日本に生まれて日本語の母語話者になれば、自動的に日本語で書かれた書物をちゃんと読めるようになる、と思っている人は多いみたいだ。**そんなことあるもんか**。もしそうだったら、現代国語の入試問題なんてありえない。きちんと書いてあることを読み取って理解することができる人と、それができない人がいるから、入試問題（人をふるいにかけるための装置）になりうるわけだ。

本を読んでなんだか腑に落ちない、つまらないときに、すぐに本のせいにするのではなく、まずは、たんに自分が読めていないだけではないのか、おもしろく読むだけの能力がまだないのではないか、という自己反省に向かうこと。それが教養のある人の態度だ。

というわけで書評のプロがついに怒った

こういう状況は、書評を生業《なりわい》にしている人にはカンに触るだろうなあ、と思っていたら、書評家の豊崎由美が『ニッポンの書評』（光文社新書）にこんなことを書いていた。

粗筋や登場人物の名前を平気で間違える。自分が理解できていないだけなのに、「難しい」とか「つまらない」と断じる。文章自体がめちゃくちゃ。論理性のかけらもない。取り上げた本に対する愛情もリスペクト精神もない。自分が内容を理解できないのは「理解させてくれない本のほうが悪い」と胸を張る。自分の頭と感性が鈍いだけなのに。（中略）都合が悪くなれば証拠を消すことのできる、匿名ブログという守られた場所から、世間に名前を出して商売をしている公人に対して放たれる批判は、単なる誹謗中傷です。批判でも批評でもありません。（中略）

批判は返り血を浴びる覚悟があって初めて成立するんです。的外れなけなし書評を書けば、プロなら「読めないヤツ」という致命的な大恥をかきます。でも、匿名のブロガーは？

私も何冊か本を書いたことがあるので、この気持ちはよくわかる。だいいち、誰かは知らんが、世の中のどこかに自分のことをたいそう嫌っている人がいるということを知るだけでも、ちょっと気分が落ち込む。ゾワゾワする。

それでもカスタマーレビューは本選びの強い味方になる

というわけで豊﨑さんには共感の嵐なのだが、さりとて、読めない奴はブログやレビューに感想を書くな、と言う気にはならない。さっきも述べたように、誰でも情報発信者になれるということは、ほんとうに素晴らしいことだ。それに表現の自由というものがある。誰だって、自分はこんなに読解力がありませんということを満天下に公表する自由と権利はある。それを侵害してはいけない。

だから、キミたちに身につけてもらいたいのは、**こういう玉石混淆のレビューを活かすためのワザ**だ。まず第一に、平均点には意味がない。平均が三つ星の本が2冊あるとする。両方ともソコソコの出来なのだろうか。そうとは限らない。一方は全員が三つ星をつけているとしよう。本当に可もなく不可もない本なんだね。もう一方は半分のレビュアーが五つ星、もう半分が一つ星かもしれない。すごく評価が割れている。これはおそらく論争的で刺激的な本だろう。

この場合は、レビューの中身をよく見てみる必要がある。どういう人がどういう評価をする傾向にあるかを調べる。ちゃんと本の読めそうな人が書いた文章かどうかはだいたいわかるはずだ。本をよく読む人なのかそうでないのかもわかるね。必要とあらば、極端な低評価（もしくは高評価）を与えているレビュアーが他にどんな本をどのように評価しているかを調べればよい。そうすると、**こういう種類の人たちにウケる本（もしくは嫌われる本）なのか**、ってわかる。こういう人が毛嫌いする本なのか、じゃ、買おう、というチョイスもありなんだ。要するにレビューを盲信するのではなく、意地悪い眼差しで眺めることによって、さまざまなレベルのものが混ざり合ったカスタマーレビューから有益な情報が取り出せるってわけ。

このようにレビューと付き合っていると、だんだん自分のお気に入りのレビュアーができてくる。私にも、「この人が勧めるんだったらきっと面白いだろう」というすぐれたレビュアーが幾人かいる。そういう人に自分の本をけなされたら相当へコむだろう。インターネットは匿名のクズ情報の集まりと斬って捨てるのはもったいない。うまく付き合えば、素晴らしい情報発信者との出会いの場になりうるんだ。

第19章
劇場のイドラに抗うための「リサーチ・リテラシー」

リサーチ・リテラシーとは何か

「リサーチ・リテラシー」という言葉がある。私の記憶では、2000年に出版された、谷岡一郎『「社会調査」のウソ』(文春新書)で、初めて出会った言葉だ。その前からあったのかもしれないが、人口に膾炙《かいしゃ》するようになったのには、この本が大きな役割を果たしたのではないかと思う。うっかりすると、リサーチをするために必要なリテラシー(研究能力?)のことかなと思ってしまうが、そうではない。**世の中で、調査・研究の結果ですよと称して出回っているさまざまなデータを鵜呑みにせず批判的に読み解くためのノウハウ**、という意味だ。

この本を推薦するかどうかは、いつも迷う。「調査」のどういうところに気をつけて読み解かねばならないか、そのポイントがすごくうまくまとめられていて、学ぶところがいまでも多い本ではある。

それは確かなのだが、ダメ調査の例が筆者のイデオロギー的立場に反する陣営のものからばかり選ばれているので、ちょっとフェアじゃない感じがするし、本筋とあまり関係がない女性蔑視的記述が散見され、読んでいて不愉快になるところもある。

でも、リサーチ・リテラシーのポイントがこんなにコンパクトにまとめられた本は現在でもあまりないので、「そういう本」だとお含みおきいただいた上で、やっぱり読んだらいいのではないかとも思う。

以下では、谷岡本も含めいろいろなリサーチ・リテラシー関連の書籍から仕入れた事例をもとに、調査データをもとに何かが主張されているときに、どこに気をつけて読み解けばいいのかをまとめておこう。きっと劇場のイドラに抗うための助けになるはずだ。

グラフはトリミングされるものと心得よ

まずは、図2を見てもらおう。警視庁の少年犯罪統計だ。

「凶悪犯」というのは、警察では殺人・強盗・放火・強姦の4種類に分類される。だから、一番上の曲線は総計を表していると思ってください。また、「少年犯罪」とは、少年法で定められている「少年」つまり、20歳未満の者が犯した犯罪のことだ。このデータによれば、少年犯罪のピークは1960年代だということがわかる。そこから比べるとずいぶん減っている。もちろん若者ぜんたいも減っているわけだが（グラフのピークは「団塊」の世代が少年だったころ。そもそも少年が多かったんだ）。で、最近になって若干増えている。が、その後あたまう

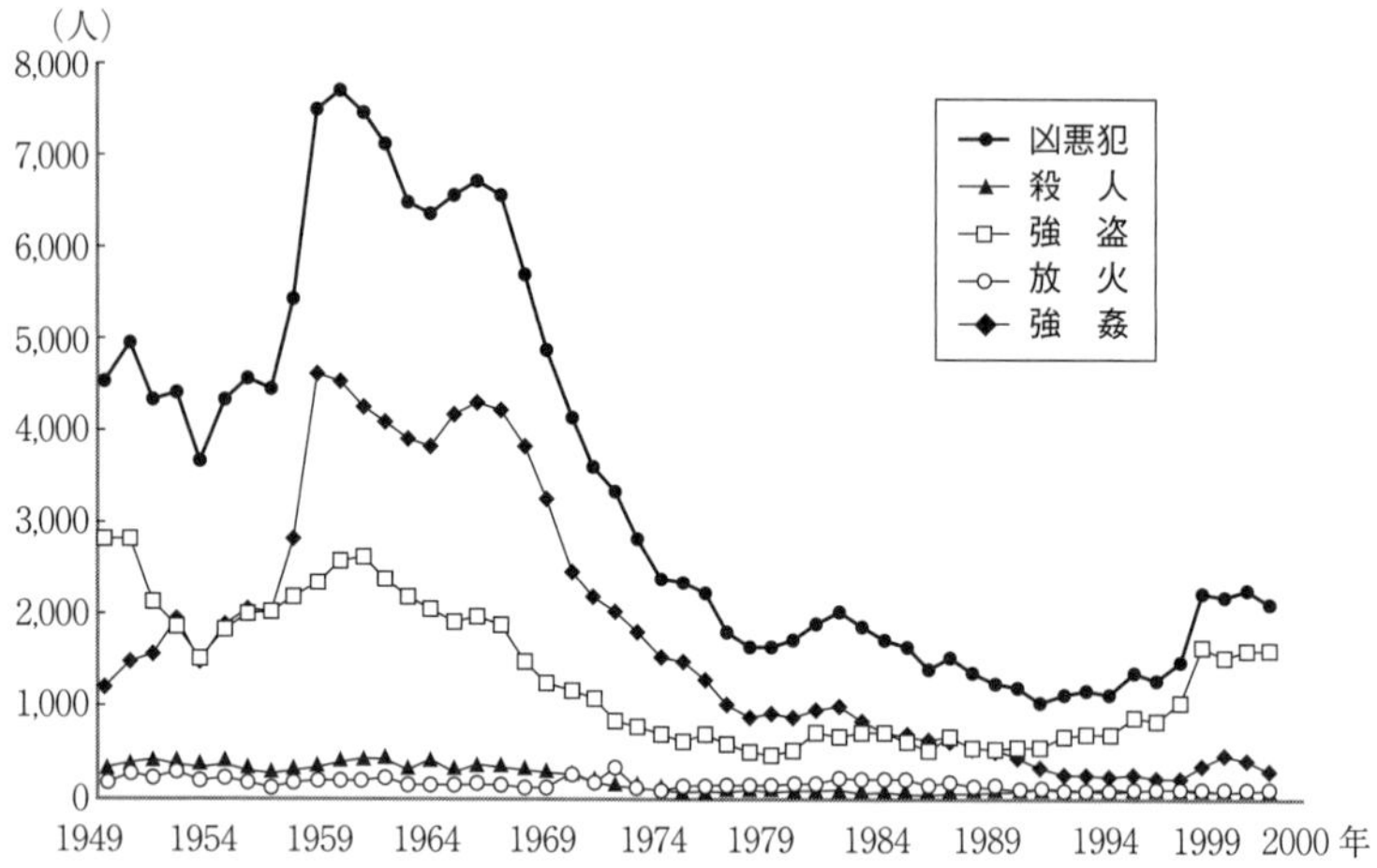

図２　少年犯罪件数の推移①

ちになっている。

さて、かりに私が、「少年犯罪にもっと厳しく対処しなければならない。がんがん取り締まって厳罰主義で臨み、子どもたちに遵法精神と規範精神を叩き込んでやらなきゃいかん」という考えの持ち主だとしよう。そして、統計データをもとに、少年の凶悪犯罪は増加の一途をたどっている。このままでは治安の悪化は避けられない。だから厳罰化すべきだ、と主張しようとしているとしてみよう。そのとき、私は図３を使うだろう。

さっきのグラフの１９９０年以降を切り取ったものである。うーん、こうやって見ると、確かにどんどん増加しているようにも見える。

だいじなことは、**私は嘘をついているのではない**ということだ。統計数字を改竄《かいざん》したわけではない。それに、経年変化を表すグラフは、どうしたっていつかの時点から始めざるをえないから、どんなグラフもデータの一部をトリミングしたものになってしまう。これはグラフの宿命だ。にもかかわらず、私はトリミングによって人々を真理から遠ざける《ミスリードする》ことができる。**われわれは虚偽によって他人を騙すことができるのと同じくらい、部分的真理によっても他人を騙すことができる**のである。

ここから得られる教訓はこうなる。グラフをもとに何ごとかが主張されているとき、そのグラフは切り取られてきたものだということを思い出し、もとのデータを探してみよう。1990年から始まる経年変化グラフがあったら、もっと前から（この場合1949年から）のグラフがないだろうかと探し、それをもとに主張の当否を判断しよう。

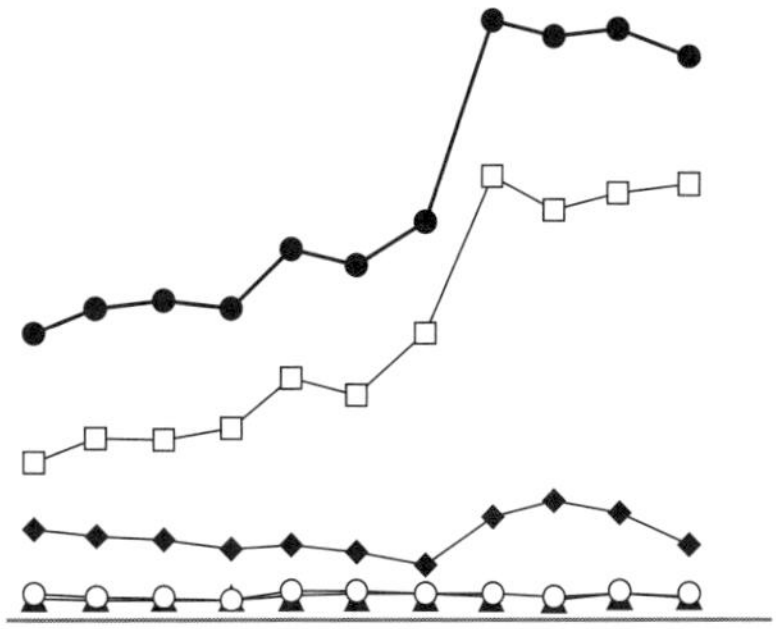

図3　少年犯罪件数の推移②

定義にもどってデータの解釈をチェックする

次の問いを考えてみてほしい。平成不況期に女性は男性ほど失業率が上昇していないというデータがある（これはホント）。このことから、女性の方が労働市場で有利と言ってよいか。答えはノーだ。

失業率は、労働力人口（就業者数＋失業者数）に対する失業者数の割合で定義される。で、失業者とは「**働く意思と能力があるのに仕事に就けない状態にある人**」を指す。だから、仕事探しをあきらめた人は失業者には含まれない。そして、働く意思があるとは、ハローワークに通って職探しをするなど仕事を探す努力や事業開始の準備をしていること、とされている。そうすると、女性は不況の影響を受けて、家事手伝いや専業主婦など労働市場から撤退して無業者になったために、失業者にカウントされなくなったことが考えられる。

もう一つ。厚生労働省の「毎月勤労統計」によると、労働者一人当たりの年間総労働時間は１９８０年には２１４５・６時間、２００５年には１８０２・４時間だった。長時間労働が解消したと言ってよいか。ノーである。この数字には、労働時間の短い非正規社員が含まれているからだ。非正規社員の比率が増えたために、一人当たり年間総労働時間が減ったのである。正社員のみの年間総労働時間は、２００５年には２０２８時間で、あまり変化していない。

ここからわかること。データをもとに何かを言うとき、そこには「なんとか率」とか「かんとか係数」とか「ほにゃらら数」といった概念が使われている。この概念の理解を誤ると、ちゃんとしたデータからでも間違った主張が導かれてしまう。というわけで、データを解釈するときは、そこに使われている**概念の定義とその測定法をきちんと調べてから**行わねばならない。

ややこしいのは、どこが調査しているかによって同じ統計量が、違った仕方で定義されることもある、ということだ。交通事故死者数は、警察庁の数字は厚生労働省の数字よりいつも少なめになる（およそ3分の2）。なぜなら「交通事故死者」の定義が違うからだ。警察庁の定義は「事故発生から24時間以内に死んだ人」なのに対し、厚生労働省の定義は「その1年のうちに、交通事故が原因で死んだ人」である。交通事故に遭って1週間後に亡くなった人は警察庁的には交通事故死者ではないのだ。

というわけで、少子化対策を論じるときに出てくる出生率、社会における所得分配の不平等さを論じるときに使われるジニ係数、国家公務員と地方公務員の給与額を比べるときに出てくるラスパイレス指数、消費者物価指数、平均寿命と平均余命……。これらの定義と算出法をキミは知っているか？　知ってた方がいいぞ。

選択肢の作り方が結果を左右する

平松貞実『世論調査で社会が読めるか』（新曜社）では、著者の平松氏が勤務校の学生を対象に行った実験が紹介されている。これがなかなか興味深いんだ。まず、調査結果は選択肢をいくつもうけるかに左右される。学生をランダムに二つのグループA、Bに分け、Aグループには A調査、Bグループには B調査を実施する。どんな調査かとその結果を次に示そう。

A調査　あなたは湾岸戦争についてどう思いますか

①武力行使は避けるべきだった　62％

②武力行使はやむを得なかった　38％

B調査　あなたは湾岸戦争についてどう思いますか

①武力行使は避けるべきだった　38％

②武力行使はやむを得なかったが最小限にとどめるべきだった　29％

③武力行使は妥当だった　19％
④武力行使はもっと徹底するべきだった　14％

二つの調査の違いは選択肢の数だ。「武力行使は避けるべきだった」と回答した人の率に注目してほしい。A調査だと62％なのがBだと38％になる。選択肢の数を操作することによって、武力行使に対する賛成と反対が逆転してしまうことがわかる。

A調査をやったA新聞は記事の見出しに「国民の3分の2「武力行使避けるべき」」って書きそうだ。B新聞は「「武力行使避けるべき」約4割にとどまる」って書くかもね。それだけ見て判断したらすごくまずいことがわかる。というわけで、教訓。選択式回答の調査結果が示されたとき、かならず**どんな選択肢がいくつあるかを確認**すること。

次に、それぞれの選択肢をどのように表現するかによっても、結果が大きく左右されることがある。同じように、A調査、B調査の内容と結果は次のとおり。

A調査　あなたは次のどちらのタイプの先生がよいと思いますか
①学生の面倒はよく見るが、講義の内容はあまりよくない　20％
②学生の面倒はあまり見ないが、講義の内容はたいへんよい　77％

B調査　あなたは次のどちらのタイプの先生がよいと思いますか
①講義の内容はあまりよくないが、学生の面倒はよく見る　40％

ガタッ
○×△＝？
ポキッ
ゴロ
講義の内容はよくないが
学生の面倒はよく見る
表現方法が違うだけなのに…
学生の面倒はよく見るが
講義の内容はよくない
選択肢のつくり方が結果を左右する

②講義の内容はたいへんよいが、学生の面倒はあまり見ない　58％

「学生の面倒はよく見るが、講義の内容はあまりよくない」と「講義の内容はあまりよくないが、学生の面倒はよく見る」とは同じことだ。表現方法が違うだけ。なのに、結果は倍の開きがある。

というわけで、調査結果を見たときには、**どんな風に選択肢が表現されていたかを吟味する**ことが重要だ。

そればかりではない。たんに質問を並べる順番をいじっただけでも調査結果は変わってしまう。次の二つの質問を用意する。

問いA：女子学生が増加すると大学の水準が下がると言いますが、あなたはこれに同意しますか。

問いＢ：教育大では年々女子が増える傾向にありますが、このことを好ましいと思いますか。

学生を二つのグループに分け、一方にはＡ、Ｂの順番で質問し、それぞれの問いに答えてもらう。他方には順序を逆転させてＢ、Ａの順番で質問する。結果はご想像のとおり。Ｂ、Ａの順序で尋ねた場合は、問いＢに「好ましい」と答えたのに、Ａ、Ｂの順序で尋ねた場合は、問いＢに「好ましい」と答えた人は48％に減ってしまう。

問いＡを先にやると、そこで与えられた情報が、問いＢに答えるときにも持ち越されてしまい、Ｂに対する判断に影響するというわけだ。これは「**持ち越し効果**（carry-over effect）」と呼ばれている。ある種の誘導尋問だね。

キミが持ち越し効果を免れたちゃんとした調査をしたいとしよう。どうするか。Ａ、Ｂの順番で質問するアンケートとＢ、Ａの順番のアンケートを同数用意して、調査対象者にランダムに配布すればよい。でも、意図的に持ち越し効果を悪用して、自分の主張に都合のよい結果が出るような「調査」が行われることもある。「調査結果」を信じ込む前に、その調査がどのような手続きで行われたのかをきちんとチェックする。これがリサーチ・リテラシーの基本だ。

リサーチ・リテラシーを磨くためのオススメ本

すでに紹介した谷岡本と平松本の他に、リサーチ・リテラシーのトレーニングに役立つ本を紹介しよう。この章で紹介した事例のネタ本たちでもある。

・門倉貴史『統計数字を疑う』光文社新書

経済学者が統計の読み方を伝授する本。さまざまな統計数字にはそれぞれクセがあって、それに気をつけないと正しく解釈することができなくなる、ということがわかる。

・小峰隆夫『人口負荷社会』日経プレミアシリーズ

・藻谷浩介『デフレの正体』角川ｏｎｅテーマ21

両方合わせて読むと統計データの解釈、さらにその先の意思決定というのは、決して一通りに決まるようなものではないということがわかる。というのも、経済の動きは景気の波だけ考えていてはだめで、人口動態を考えなければならない。日本のこれからの問題は、労働人口が減って、老人が増えることだ。ここまでは同じなのだが、だから日本はこれからどんな問題に直面して、そのためにはどうすべきか、が１８０度違うからだ。

・友野典男『行動経済学』光文社新書

経済学は、自分の利得の期待値を最大化するよう合理的に意思決定できる経済人《ホモエコノミクス》が集まって市場をつくる、という具合に経済現象をモデル化してきた。近年、現実の人間はかならずしもそのようには合理的に意思決定しないという事実が経済学にもとりこまれるようになってきた。そうした潮流を行動経済学という。行動経済学の最初に読むべき概説書。

・田栗正章・柳井晴夫ほか『やさしい統計入門』講談社ブルーバックス

統計学の入門書は良書がいろいろ書かれている。でもあまりやさしすぎると内容が乏しくなり、重要な項目をそれなりにカバーしようとすると今度は難しくなる。これは、水準を落とさずにわかりやすく書かれた名著だと思う。初めて統計学に触れるひとにイチオシなのはこれ。

第20章

論理的思考は大切だと言うけれど、論理的思考って何かを誰も教えてくれない……

だから自分で考えてみた

論理学という分野があって、私も授業をしたり教科書を書いたりしてきた。すごく面白い分野だ。ぜひ学びたまえ。……なんだけど、学問としての論理学の関心は、私たちが日常生活で「論理的に考える」とか「論理的に話す」と呼んでいることがらとは**ちょっとズレている**。

現代論理学は、まずは数学の証明を一切の飛躍なしに表現する記号法とルール（あわせて言語）をつくろうというねらいで始まった。すべてを飛躍なしに書き表してみれば、証明には神秘的な数学的直観なんかいらないということがわかるかもしれない、という動機で始まったんだ。続いて、数学の証明を記号の列として捉えてその構造を調べ、「「数学の証明」についての数学」をやろうということになった。こういうのが論理学だ。

なので、論理学を学ぶことはすごくエキサイティングで楽しいことなんだけど、だからといって、それを学べば論理的に考えることが上手になるとか、日常語としての「論理」という言葉の持つ意味合いがよくわかる、といったことはない。**とりあえず両者は別物**と考えたほうがよさそうだ。もちろん、論理学のツールをつかって日常的な「論理」を分析することもできるけど、それってたいてい、すごく難しくかつマニアックな論理学になる。

というわけで、巷《ちまた》で言われる「論理的思考」ってなんじゃらほい、ということについて素朴《ゼロから》に考えてみた。ついでに、論理的思考が上手になるために気をつけるポイントも示してみよう。この話題については、別に本を書こうと思っているので、ここではほんのサワリだけ。

論理的コミュニケーションとは何か

途中を端折って結論だけ言ってしまおう。「論理的」というのはコミュニケーションの種類を表す言葉だと考えるのが一番よさそうだ。思考を自分と自分のコミュニケーションと考えるならば、「論理的思考」なるものも論理的コミュニケーションに含めて考えることができる。

じゃあ、論理的なコミュニケーションとはどんなコミュニケーションか。ズバリ言うなら、**証拠で主張をサポートすることにより互いに合意に至る**、これを目的とするコミュニケーションのことである。一発で合意できるとは限らない。「それじゃサポートになっていないよ」とツッコミを入れることもあるだろう。証拠不十分と言われたので、新しい証拠を付け加えることもあるだろう。こういうのも論理的コミュニケーションに含まれる。

さらには、ついに合意に至らない場合もある。でも、そのコミュニケーションが論理的でなくなるわけではない。証拠で主張をサポートして合意、という目的で行われたならば、それは論理的。**失敗した論理的コミュニケーション**なのである。

われわれが行うすべてのコミュニケーションがこの意味で論理的であるわけではない。その必要もない。合意を目指さないコミュニケーションもある（雑談とか）。合意を目指していても証拠でサポート、というやり方ではないコミュニケーションもある（泣き落としとか、恫喝とか、感情とか共感に訴えるやり方だ）。

論理的な愚か者

われわれは、こうした異なるコミュニケーション・スタイルを使い分けて生きている。いついかなるときも論理的コミュニケーションになってしまう人は、じつは困った人である。悩みを打ち明けて慰めてもらいたいと思って話をしている相手に、「それじゃ証拠不足でしょ」とか「整合性が足りないね」と言うようなやつは煙たがられる。かつて私はそういう人を「**論理的な愚か者**」と呼んでみた。なので、論理的コミュニケーション能力を身につけるとき、まず第一に身につけるべきなのは、**どういうときに論理的にコミュニケーションすべきなのか**を判断できるということだ。こうした能力を、伊勢田哲治さんは「メタ・クリティカル・シンキング」と名づけた。うまい表現だよね。

論理的コミュニケーションの構成要素

証拠、主張、そして両者をつなぐサポート、これが論理的コミュニケーションの基本要素だ。だから、主張だけではそもそも論理的になれない。カヒーンの教科書にあった面白い例を使わせてもらおう（Howard Kahane, *Logic and Contemporary Rhetoric*, Wadsworth, 1992）。

アメリカでいちばん飲まれているビールはバドワイザーです

これは論理的ですか、と聞かれてもナンノコッチャだろう。**主張や文を単独で取り出して論理的かどうかを尋ねても意味はない**。じつは、この文はバドワイザーの広告なのである。ということは、表立っては言われていない主張をちゃんと書くとこうなるはずなのだ。

アメリカでいちばん飲まれているビールはバドワイザーです（証拠。むしろ根拠といったほうがいいかも）
だから、あなたもビールはバドワイザーを飲みましょう（主張）

これではじめて論理的コミュニケーションをしようとしているのだ、ということになる。証拠で主張をサポートすることにより互いに合意に至る、ということがしたいのだな。

論理的コミュニケーションの成功・不成功を決めるものはなにか

で、次の問題はこれで合意に至れるのかということだ。つまりこの広告を見た人が「よし、バドワイザーを飲もう」と思えば合意だし、そうでなければ合意は成り立たなかった。これは失敗した論理的コミュニケーションということになる。そうすると、第三の要素、サポート関係が重要になる。示された証拠が主張をサポートするのに十分、言い換えれば、証拠と主張の間のサポート関係が十分に強い、と双方が認めたとき、合意に成功する。主張はお互いに認められる。

いま、かりに「アメリカでいちばん飲まれているビールはバドワイザー」は正しいものとしよう。この証拠だけで合意に至れるか。答えは「相手によりけり」、というものだ。この証拠でもう十分にサポートになっているよという人もいるだろうし、そうじゃないという人もいる。そうじゃないという人のほうがきっと多いと思う。

サポートになっていないよ、と言う人は、いちばん飲まれているのがバドワイザーだからと言って、みんなが飲まなきゃなんないということは「**出てこない**」って言うだろう。「出てくる」ためにはいくつか根拠を補う必要がある。たとえば、

アメリカでいちばん飲まれているビールはバドワイザーです（根拠）
いちばん飲まれているビールはいちばん品質の良いビールです（隠れていた根拠）
あなたはいちばん品質の良いビールを飲むべきです（隠れていた根拠）
だから、あなたもビールはバドワイザーを飲むべきです（主張）

こうすると、根拠が三つに増えた。根拠（三つあわせて）と主張との間のサポート関係はだいぶ強くなった。三つの根拠がぜんぶ正しいなら、主張も正しいような気がする。

それでも、主張に合意しない人はいるだろう。その人は、隠されていた根拠が間違っているというのではないかな。まず、いちばん飲まれているビールがいちばん品質の良いビールだとは限らない。それに、いちばん品質の良いビールを飲むべきとも限らない。品質はどうあれ自分の気に入ったビールを飲めばいいじゃねえか、余計なお世話だって。

ということは、論理的コミュニケーションが成功するためには、①**使われている根拠がすべて正しい**と同意されること。②**根拠が主張を十分にサポートしている**と同意されること。この二つの条件が必要になる。

根拠と主張とサポート関係の三つの要素をあわせて「**論証**（argument）」と呼ぶことにする。じつは、論理的思考や論理的推論の話をするときって、人によって言葉遣いが違う。それによってみんなずいぶん混乱させられていると思う。なので、いろんな言い方を一覧表の形でまとめておこう（表4）。

表4　論理的思考の諸要素、そのいろんな呼び方

ここでの言い方	論証	根拠／証拠	主張	サポート関係
別の言い方セット	推論	前提	結論	帰結関係
その他の言い方	議論	論拠		

これらの言葉づかいの微妙な違いについてごちゃごちゃ言う奴の言うことは聞かなくていいです。

サポート関係の強さの基準は時と場合による

証拠と主張の間にどのくらい強いサポート関係を要求するかは、コミュニケーションの参加者がどういう人であるか、話題が何であるか、どういう合意を目指すかによって決まる。ある人にとって成功とみなすべき論証が、別の人にとっては失敗になる。なので、成功した論理的推論（「正しい」論理的推論）とそうでない推論の間にきっぱりと線を引くことはまず無理だ。推論・論証の形だけみて線を引くことはもっとできない。

A　ヒロキもケンタもミヒロもサトミもチヒロもリュウセイもショウもスマホをもってるよ。クラスのボク以外みんなもってるんだ（から、ねえ買ってよ）。

B　2＝1＋1、4＝1＋3、6＝3＋3、8＝3＋5、10＝3＋7、12＝1＋11、14＝7＋7、16＝3＋13。ね、どんな偶数も二つの素数の和で表せるんだ。

どっちも「あれもこれも、あれもこれもほにゃららだ。だからぜんぶほにゃ

ら」という形をしている。でも、Aはいいかもしれないとしても、Bは論証としては明らかにダメだ。

Aがいいかも、なのはサポートの基準がゆるやかだからだ。いくつもの具体例を挙げて、そこからすべてへと一般化する、こういう論証の形を「**帰納法**」と言う。帰納法は、すこしぐらい例外があったっていいやね、という緩めのサポート基準とともに使われていて、だから、この場合もOKとされる（だからと言って、買ってもらえるとは限らない。親には、みんなはみんな、ウチはウチ、という奥の手があるから。バドワイザーの例と一緒）。

でも、話題が数学の場合、こんな風にいくつかの具体例から、すべての（偶）数についての結論を導いてはいけない。どんなに有限の事例を集めても、無限にたくさんの数について何かを言うためのサポートにはならない。

学問の世界では、一般にサポートの強さについての基準は日常生活よりも厳しく、かつ比較的明確に決まっている。でも、分野によって異なることもある。実験結果が主張を十分にサポートしているとされるためにどのくらいの誤差を許すかは、物理学の素粒子実験とバイオの実験では異なる。こうした基準を身につけていくことが専門家になるということの一部だ。

アブダクションとミステリー

よく、代表的な論証形式として、「**演繹**」と「**帰納**」があります、というようなことが言われるでしょ、聞いたことない？　ここでお詫びを申し上げます。私もあちこちでそういう言い方をしたし、書いたりもしました。でも、それってすごく誤解を招きやすいかもしれない、と思うようになったのね。かえって頭がこんがらがってしまった何人かの学生さんに出会ったからだ。いまでは、論証の「かたち」の区別であるかのように演繹と帰納を並べるのはやめることにした。弊害が大きいと思うようになったから。

説明しよう。**アブダクション**という論証を例にとる。演繹ではない論証の一つだ。部屋の窓から向かいのアパートの一室が見える。まず、中年夫婦が言い争いをしているのが見えた。次に、奥さんの姿が見えなくなった。そして、夫がおおきなスーツケースを抱えて部屋を何度も出たり入ったりしている。さらに、夫が肉切り包丁と鋸《のこぎり》を新聞紙に包んでいるのが見えた。しばらくして、向かいの家の庭の花壇に花を植え替えたような跡ができた。そして近所の犬がそこを嗅ぎ回っている。しばらくして、その犬が何者かに殺されたのが見つかった。

ミステリーファンならずとも、結論は見えているだろう。「奥さんは夫に殺された」だ。さらに言えば、死体はバラバラにされスーツケースに入れて捨てられた、死体の解体に使った包丁と鋸は花壇に埋められた、である。

いまキミが行ったのは、一連の不審な現象と、奥さんは夫に殺されたとすればその不審な現象がすべてうまく説明できる、ということを根拠にして、夫の妻殺しという結論をサポートする推論／論証だ。こういうのをアブダクションと言う。そのままでは説明のつかない不思議現象から、それを説明してくれるうまい仮説を結論するので、「仮説形成」とも「最良の説明への推論」とも呼ばれる。じつは科学でもよく行われる推論だ。

で、この推論のかたちを取り出してみると、［式1］のようになる。この場合は、Aが向かいの家で起きている不審な出来事の記述、Bが「向かいの家の夫が妻を殺した」という仮説ないし説明だ。

さて、アブダクションはわれわれもしょっちゅうやっている。科学者もやる。成功することもあるし、失敗することもある。失敗するのは、**もっとよい仮説が考えられるとき**だ。もっとありそうで、自然で、他の知識とも整合するような仮説が他にあるなら、あえて夫の妻殺しという仮説を採用することはない。

［式1］
Aである（前提）
BならばAである（前提）
ゆえにBである（結論）

この例は、アルフレッド・ヒッチコック監督の代表作『裏窓』からとったものだ。大怪我をして動けなくなったカメラマン、ジェフが、望遠レンズでお向かいさんを覗いているうちに、偶然見てしまったのだ。観察を続けるうちにどんどんA（不審な出来事）の中身が溜まっていき、ジェフは殺人事件の確信を強めていく。ジェフはアブダクションしまくり。というわけで、この映画はアブダクションとは何かの教材として最適な映画だ。

もう一つ、この映画の面白いところは、アブダクションが成功するかどうかは相手次第ということも示しているという点だ。ジェフが自分の推理をフィアンセ（と彼女の側が勝手に思っている）のリザに聞かせると、リザは説得される。しかし、ジェフの友だちの刑事ドイルは決して説得されない。もともと疑い深いのと、決定的証拠がなければ動けない職業のなせるわざだ。ドイルはジェフの仮説より、もっと自然な（とドイルが思う）対立仮説を繰り出して、ジェフの証拠はサポート力が低いと抵抗する。たとえば、奥さんは旅行に出かけていて、夫は奥さんに荷物を送ったにすぎない、というような仮説だ。

この映画のミソは、観客自身がジェフのアブダクションとドイルのアブダクションの間にはさまって、本当に殺人事件が起きたのかわからなくなっていくというところにある。

演繹ってなんだ

本題に戻ろう。アブダクションは失敗もするが、しばしば成功もする。強い対立仮説がなければ、十分なサポートがあり、使ってOKな推論だと言ってよいだろう。それを確認して、次に進む。

演繹とは何か。演繹とは、**成功しているかどうかが、かたちの上だけで決まるような論証・推論**のことである。サポートが十分であるかどうかが、かたちだけで決まるような論証と言ってもよい。たとえば、［式2］を例にとろう。二つの前提がもし正しかったら、結論もぜったいに正しい。これは次のように示される。二つの前提が正しいのに、結論が正しくないとしよう。つまり、Bではないとしよう。そうすると、Aは正しく、Bは正しくないということになる。このとき、AなのにBではないことになるから、「AならばB」は成り立たない。ということは二つの前提がともに正しいという仮定に反することになる。だから、「二つの前提が正しいのに、結論が正しくない」という場合はあり

［式2］
Aである（前提）
AならばBである（前提）
ゆえにBである（結論）

えない。

他の例として［式3］がある。これも、かたちだけによって論証の正しさが保証されている。AやBのところにどんな内容が来るかは関係ない。

正しい演繹（成功した演繹）とは、「二つの前提が正しいのに結論が正しくない」ようなケースがありえない演繹のことである。そしてそれはかたちの上だけから決まる。このことを言いかえると、「正しい演繹は**真理保存的**である」ということになる。

［式3］
AかBのどちらかである（前提）
Aではない　　　　　　　（前提）
ゆえにBである（結論）

演繹なのかそうでないのか、それが問題だ

ところが、さっきのアブダクションのかたち［式1］を見てみよう。これって、演繹とみなすと失敗（つまりサポートになってない）なのである。というのも、二つの前提が正しいのに、結論が正しくない場合があるからだ。つまり真理保存的でない。Aであるし「BならばA」でもあるんだが、じつはAになるのはBのときとは限らず、Cの場合でもAが成り立ち、今回はBではなくCが成り立っているのでAでしたみたいな場合だ（わかります？）。そうすると「正しい演繹」の定義によって、［式1］は演繹としてみた場合、正しい演繹ではないことになる。サポート力ゼロの演繹だ。

ということはだね、［式1］のかたちの論証は、演繹としてみたら必ず失敗、アブダクションとしてみたらときどき成功する論証ということになる。つまり、論証を評価する場合、かた

ちだけで成功失敗は決められない。その論証が演繹であることを意図されているのか、そうではないものを意図されているのかによって答えは異なる。

というわけで、演繹と、それ以外の帰納とかアブダクションを異なる論証「形式」とみなすのは誤解を招きやすいことがわかる。演繹とそれ以外の論証の違いは、むしろ、どういうつもりでその論証をやってるの、という「**意図**」の違いなのである。まとめるとこうなる。

・演繹のつもりで行われた論証にはいろいろなかたちをしたものがある。その論証が成功しているかしていないかは、もっぱら論証のかたちだけで決まる。そして成功しているかいないかのどちらかで中間はない。

・演繹以外のつもりで行われた論証にもいろんなかたちをしたものがある。その論証が成功しているかいないかは、論証のかたちだけでは決まらない。話題、相手、どのくらい強いサポート関係を要求するかによって決まる。そして、成功には、サポート関係の強さに応じてさまざまな程度がある。

・かたちだけ取り出すと同じかたちをした論証が、演繹を意図して行われるときもあるし、それ以外の論証を意図して行われるときもある。

じつはすごく役に立つ実践的アドバイスを最後に

演繹の正しさとは何かをきちんと定義して、正しい演繹とそうでない演繹を判別するアルゴリズムはあるかしら、あるならそれはどんな演繹にも有効かしら、みたいな問題を扱うちゃんとした学問はすでにある。それがさっき触れた論理学だ。現代論理学とか記号論理学とか数理論理学という名前で呼ばれている分野は、もっぱら演繹を扱う。**演繹的推論の科学**だと言ってよいだろう。先に述べたように、これは、数学的証明とは何かを厳密に扱うために発展してきた。そして数学の証明で許されるのが（正しい）演繹だけだから、こういうことになった。

何度も言うように、これを学ぶのは有意義だし、何よりも楽しい。だけど、それをそのまま日常的推論に当てはめようとすると、かえって混乱する。なぜなら、われわれが日常的に行っている推論は、演繹を意図されていないものがほとんどだからだ。

じゃあ、演繹以外の推論を科学する分野はないの、ということになる。一部を扱うものはある。何を隠そう統計学がそうだ。でも、日常的推論のぜんたいを包括的に扱う科学はまだない。非形式論理学という名前はあるんだけど、じゃあ、そこに論理学みたいな定説や誰もが受け入れている理論があるかというとまだない。なので、日常的な論理とか、論理的思考法、論理的プレゼン術、論理的に議論する方法、といったテーマでいろんな人がいろんなことをキミたちに教えると思うんだけど、おそらく言葉遣いからしてバラバラだし、互いにちょっとずつ違うことを言うはずだ。

ごめんねー。まだ百家争鳴状態なのでこういうことになっちゃう。だから、キミたちへのアドバイスはこうなる。論理的思考法、おおいに学びたまえ（オススメは、福澤一吉さんの一連の著作だ）。でも、演繹の論理学や、物理学、数学みたいに誰もが同じことを教える、というふうにはまだなっていないということを知った上で学んでほしい。とくにあっちの教科書とこっちの教科書に書いてあることが違う。どっちが正しいんだろう、と悩むのは頭の無駄。おそらくどっちも正しい。だが、それを表現するための概念装置が違っているんだ。

ここでは、論証（論理的コミュニケーション）＝証拠＋主張＋サポート関係（強弱、種類いろいろあり）という、いちばんクセのない、適用範囲の広い概念装置をキミたちに提供した。この上に、さらに学んだことを、自分なりに翻訳し整理して書き込んでいけばいい。

第21章
ライティングの秘訣

文章書くのが人生だ

私はいま、「アカデミック・ライティング」という授業を担当している。3年生対象だ。大学に入ってから山のように課される「レポート」の類をどう書くかについて教えるにはもはや手遅れ。だいいち、そのためには『論文の教室』(NHKブックス)という名著！　をすでに書いてしまった。それを読んでくれれば大丈夫。キミもまだだったらぜひ読みたまえ。言っておくけど、**本書と同じで脱線多いよ**。

また、3年生というタイミングは、一部の学生さんが大学院に進学して書くことになる学術論文の手ほどきをするには、やや早すぎる。なぜかと言うと、学生さんが何を専門にすることになるのかはまだ未定のうえ、学術論文の書き方が分野によってけっこう違うからだ。

引用の仕方、参照文献の挙げ方、章立ての仕方といった形式面の違いから、そもそも仮説を立ててそれを検証するという流れで書くのか、仮説は必要なくて、こんな実験をやったらこんな結果になりましたというのでよいのか、こんなプログラムをつくったら処理速度がこれだけ向上しましたとか、内容の組み立て方も千差万別。必要とされるサポートの強さもいろいろ。さらには、どんなことをしたら研究不正とみなされるのかも分野によって微妙に異なる。なので、**学術**論文執筆の一般論ってじつはあまり役に立たない。だいいち、みんながみんな研究者になるわけじゃない。

なので、目的を論文に限定するのはやめて、社会に出たときにいろんな文章を書くはめに陥るということを理解してもらったうえで、**たいていの文章に応用が利く共通のポイント**に絞ってトレーニングする、という授業をやっている。

私が所属する情報学部の学生は、文理問わず、卒業後にシステムエンジニア（SE）の職につく人が多い。この仕事につくと、めちゃくちゃ日本語の文章をたくさん書かされる。というかそれが主な仕事になる。だから文系学生もけっこう採用してもらえる。システム開発の過程で、ざっと、要件定義書（要求仕様書）、外部仕様書、内部仕様書、プログラム設計書、テスト仕様書……少なくともこんだけ文章を書かないといけない。これらを総称して「システム開発文書」と言う。システムエンジニアにとって、日本語で文章がうまく書けるかどうかは死活問題なのである。

エンジニアだからプログラムが書ければいいや、日本語の文章を書くのは大学までで終わりだ終わり、ヤッホーと考えていた理系学生は、これを紹介すると、ちょっと悲しそうな顔をする。

システムエンジニアが集まって結成したＡＳＤｏＱという団体がある。システム開発文書品質研究会（Association of System Documentation Quality）の略だ。システム開発文書の出来が悪いと、最終的にできあがる情報システムの品質が大きく損なわれてしまう。そうなると被害甚大。だから、文書の品質を高めないといけない。そこで、関心をもつＳＥが集まってそのための研究をしましょう、という団体である。何度かお邪魔したことがあるが、まさに真剣そのもの。文書品質の向上は、ＳＥがプロフェッショナルとして認められるために不可欠だと考えられているからだろう。でも、さすがに工学系の人たちだ。まずは文書品質を定義して、それを数値尺度化しよう、というような発表が目立った。やっぱりそうきたか。

大学の研究者も、論文だけ書いていればよいわけではない。査読意見、推薦書、申請書、各種報告書、提案書、研究室紹介、自己評価書、各種メール……**まさに文章書きまくる人生**。

よい文章とは何か？——文章設計という思想

システム開発文書にかぎらない。学生は、実用文章の書き方を一切指導されないままで就職までいっちゃう。だから、仕事をするようになってはじめて自分は日本語がうまく書けないという事実に直面するわけだ。

小学生のころから、へたすると高校に至るまで、私たちは「**自分の思いを素直に自由に書きなさい**」という指導を受けてきた。学校行事を終えて感想を書く。本を読んで感想を書く。少なくとも私のうけた文章教育はそうだった。例外は理科の実験レポートくらいだろうか。

この種の「思いを書く」、「感想を書く」タイプの課題には、重大な欠点があると思う。というのも、この文章は相手と目的がはっきりしないのである。まだ読んだことのない人にその本の内容を紹介する、というわけでもない。読んだことのある人にその本の新しい読み方を提案するわけでもない。誰に向かって何のために書くのかが明確にされないまま、ただ自分の思いをたれ流せと言われる。たれ流しの結果「いい点」がもらえるかどうかも先生の気分しだい。これはものすごくやりにくい。私は読書感想文の宿題も遠足の感想文の宿題も大嫌いだった。

一方、まともな大人は、実生活の中で「自分の思いを書く」というようなことはほとんどしない。依頼する、依頼を断る、スケジュールを合わせる、道案内する、抗議する、苦情を言う、着任の挨拶をする、窮状を訴える、失敗の言い訳をする、失礼をわびる、苦言を呈する、誤解を解く、みんなの雰囲気を和ませる、自分もしくは誰かを評価する、使用法を解説する、ここにゴミを捨てるなと張り紙をする……。これらには、必ず相手と目的がある。ようするに、大人は**特定の相手に向かって特定の目的を果たすために文章を書く**。

というわけで、本来、すべての文章には目的と相手がある。いや、あるべきだ。目的と相手が明確になってはじめて、よい文章が定義できるからだ。よい文章とは何か。**目指す相手に対して、目的をうまく果たせる文章**のことである。だから、「よい文章」のための条件は、相手と目的によって異なる。目的に応じていくつもの書き方を使い分け、そのつど目的をうまく果たすことのできる文章をつくれるのが文章の達人だ。

このように考えてみると、文章を書くということは設計《デザイン》に似ている。エンジニアはいろいろな装置を設計する。その装置は、特定の人（ユーザー）が特定の目的のために使う。設計がうまくいったかどうかは、その人がその目的をうまく果たせるかどうかによる。装置も文章も人工物である。目的を最もうまく果たせるように人工物を設計する、その際にユーザーの感覚（使い勝手・読み心地）も尊重する、という点で文章作成とエンジニアリングはとてもよく似ている。**というかほとんど同じじゃん。**工学畑の人たちが文書設計技術に関心をもつのはとても自然なことなのである。

どんな文章を設計するときにも考えるべきこと

以上のように「よい文章」を定義すると、どんな文章についても、書く前にまず考えておくべきことがらがはっきりする。これは、ほとんどすべての文章に当てはまると思う。

①これから書く文章の目的は何か
②その相手は誰か、どういう人か
③相手は何を知っているのか（共通知識）
④相手は何を知らないのか（知識の非対称性）
⑤どのような知識を補えば相手に目的のことをしてもらえるか
⑥相手がその知識をどのような仕方で獲得すれば、その目的をうまく果たせるか

ポイントを整理してから書くべし！

⑦相手にその知識を⑥のような仕方で獲得してもらうためには、どうすればよいか
⑧そうして設計された文章をどのように実現すれば、相手は気分よく読めるか

一つだけ、実例を挙げてみよう。外から来学するお客さんに、キャンパス内の私の研究室の場所を伝えるメールの文章を設計してみる。

①研究室までの道案内
②何度か来学しているが私の研究室には来たことのないゲスト
③地下鉄「名古屋大学」駅の出口の位置は知っている
④駅の出口から私の研究室までの道のり、途中にある建物の名称、私の研究室がある建物の名称や形・高さなどは知らない
⑤駅の出口から私の研究室までの道のり

⑥途中の建物の名称と目的地の建物の名称を使わないこと

⑦「出口のエスカレーターを登りきったら、右に曲がる」とか「左手に見える3番目の建物を通り過ぎたら左に曲がる」など建物の名称は使わずに、どこで曲がるかを指示する。キャンパスマップを添付するとなおさらよいだろう

⑧目上のゲストなので、わざわざご足労いただいたことに感謝することを忘れない

いきなり文章を書き始めるのではなく、こうしたポイントを整理してから書くことを心がけるだけで、**だいぶキミの文章の質は向上するはずだ。**

まずは、自分が受けてきた作文指導を反省し相対化しよう

初等・中等教育では、こうした文書設計という観点からの実用作文指導をまず行うべきだと思う。何よりも自分がそういうトレーニングを受けたかった。でも、最初から日本の作文教育が「思い」重視、自己表現重視だったわけではない。坪内稔典《としのり》という現代俳句の作家がいる（俳号としては「ねんてん」と読むそうだ）。代表作は「三月の甘納豆のうふふふふ」。この人は正岡子規の研究者でもあって、『正岡子規』を岩波新書から出している。この本を開いたらいきなり、次の文章が目に飛び込んできた。

前文大略偖《さて》先日は尊老之御周旋を以て内約漸《ようや》く相整ひ千謝万謝 仕《つかまつり》 候《そうろう》 然《しか》る処此頃仄《ほのか》に

路人の言を聞くに当人の言語挙動甚だあら〳〵しく且《かつ》性質も亦《また》柔和ならざる由就而《よしついて》は乍御《おきのど》
気毒《くながら》一応御断り被下度《くだされたく》此段偏《ひとえ》に奉希候《ねがいたてまつりそうろう》不乙
追而《おって》当人之気性も相変り品行も亦正しく相成候へば早速婚礼可致候《いたすべくそうろう》

オレのフィアンセは噂によると言葉も振る舞いも乱暴で、おまけに性格も最悪らしいので、仲人さんわるいけど一旦この話はなかったことにしてくんない？　性格と行動が治ったらまた結婚してやってもいいけど、というかなりエラそう、かつ男尊女卑の匂いのぷんぷんする手紙だ。ところがこれって、正岡子規がわずか12歳のときに、**小学校の作文の授業で書いた文章**なんですとさ。びっくりするね、いろんな意味で。これは、子規が残した文章のうち最も早い時期のものだ。「内約の婦の不品行を聞き媒介へ破約の文」というタイトル。実用文教育をしていた遠山先生という人が書かせたらしい。

同じ12歳のとき、昭和の小学生トダヤマ少年はどうだったかと言うと、坂上田村麻呂事件を起こしている。夏休みに読書感想文の宿題が出たのだが、それが嫌いな私は、当然のことながらずっとほったらかしにしていた。いよいよ明日が提出日となった日に、苦しまぎれに『坂上田村麻呂伝』というありもしない本をでっち上げ、それを読んだことにして感想文を提出した。われながら賢いでしょ、と友だちに自慢したのがよくなかった。そいつは妙に正義感の強いやつで、先生に密告しやがった。おかげで、私は先生にこっぴどく殴られた。ますます「**感想文死ね！**」になった。

12歳の子どもに婚約解消願いを書けというのも極端だけど、少なくとも遠山先生の作文教育は**大人になるための教育**だったことがわかる。大人になったら書くであろう文章をいまから練習しておこうということだね（ついでに女性差別も大人並みにやろうねという指導にもなっちゃってるけど）。一方、子どもらしいみずみずしい感性（童心）とやらを重視する、私の受けた作文教育は、いつまでも子どもでいようねという教育だ。

まずはプレーンな文体を身につけよう

自己表現重視の作文教育にはもう一つの欠点がある。文体に無頓着になるということだ。というのも、文体も個性の現れとみなされるので、文体をチェックされたり直されたりすることがなくなるから。

たしかに、**自分の個性的な文体をもつことじたいはいいこと**だ。しかし、これってすごく難しいことなんだぞ。筆一本で立っている小説家やエッセイストの中には、作者名を伏せて読んでも誰の作だかわかる、というほどに個性的な文体をもっている人がいる。私は、森茉莉、古井由吉、金井美恵子、町田康といった作家の文体が大好きだ。それぞれすごく特徴がある。その文体を味わうためだけに繰り返し読む（内容はどうでもよし。古井由吉なんて、夜中に起きて水を飲んだら死のことを想って怖くなった、みたいな話ばっかりだし）。

だけど、キミたちにまずできるようになってほしいことは、**無個性な文体**を使えるようになることだ。生活上のどんな目的の文章作成にもそこそこ使える、用途の限られない文体だ。**プ**

レーンな文体と言ってもよい。個性を発揮するのはそのあとでよい。だいいち、ここに名前を挙げた作家たちも、自分の文体をつくりあげるまでには相当の苦労をしたわけだ。個性的文体というのは、放っておいたらこうなっちゃいましたという文体のことではない。用途の限られない文体は相手を選ばない。ということは誰が読んでも理解できるものでなくてはならない。そこで、ここでいう「プレーン」とは、第一に**読みやすさ**、第二に**レトリックの抑制**ということになる。順に考えていこう。

読みやすい文とはどういう文か。次のような条件を満たす文のことである。

① ひとつひとつの文が短い。だらだら続かない。「の」は曲者だ。これで語を繋いでいくといくらでも長くなってしまう。「弊社の管理下のマイナンバーの保存の確実性の保証の方法についてお知らせします」なんて書いてしまう。「弊社が管理しているマイナンバーをどのように確実に保存するか、それを保証する方法についてお知らせします」ですかね。

② 文頭(書き出し)と文末がちゃんと対応している。「なぜなら」で始まったら「だからである」で終わる。「〜の教訓は」で始まったら「〜ということである」で終わる。

③ 主語が省略されていない。

④ 文の中のそれぞれの語がどの語にかかっているのかが一通りに読める。

⑤ 文の中の「これ」「それ」「そのとき」「ここ」「そこ」などの指示詞が何を指しているのかが明確に一通りに読める。

⑥　否定文の場合、どの範囲が否定されているのかが一通りに読める。「僕は父の書棚にあるすべての本を読んでいない」みたいな文はダメということだ。「僕は父の書棚にある本を一冊も読んでいない」なのか「僕は父の書棚にある本をぜんぶ読んだわけではない」なのか、どっちかにするべき。

レトリックの暗黒面に堕ちてはいかん（ってこれもレトリック?）

世の中に商品として出回っている文章（エンターテイメント、コピー、記事）は、たいていレトリックを多用している。だから、そういうのをお手本にすると、キミの文章もレトリック過剰になりがちだ。**レトリック**（修辞法ともいう）とは何か。

①比喩　レトリックは麻薬のようなものである
②倒置　だから、やめといたほうがいいぜ、レトリックは
③反復　それでもやりたくなるレトリック、ああレトリック、レトリック
④体言止め　しかし、プレーンな文章で使わない方がいいのはレトリック
⑤反語　（すごくありふれた喩えを使った人に）きみはレトリックの天才だね
⑥緩叙法　ぼくはレトリックが好きじゃないと言えば嘘になる
⑦誇張法　彼女のレトリックの巧みさに、ぼくは心臓が口から飛び出すほど驚いた

レトリックは麻薬のようだぜ〜。
きみはレトリックの天才だねぇ。

レトリックはほどほどに

他にもたくさんあるけど、代表的なのはこんなところだ。

レトリックは相手を選ぶ。ある人にとっては的を射た効果的なレトリックであるものが、他の人にはうっとおしい飾りと思われてしまう。私は本書をエンターテイメントと心得ているので、けっこうレトリックを使って書いてきたけど、**それがいやな人もいるだろうな**と思う。

プレーンな文章とは、相手を選ばない文章だと述べた。だとしたら、プレーンな文章を書こうとするときには、レトリックの使用はできるかぎり抑制すべきだということになる。とくに、ひとりよがりな比喩は、たいてい理解の妨げになる。実例をあげるのは気がひけるが、私がじっさいに出会って首をひねったケースを紹介しておこう。

鳴き声は、声を楽しむという人間の高度な

芸術性の琴線にふれることができた。しかもそれは、グリニッジ標準時なき時代の人間たちの、ほとんど唯一頼れる時計の針となった。

これは、ニワトリの起源を説明する文章の一節だ。どうして昔の人は、ニワトリの祖先を飼いならして家禽《かきん》にしようとしたのか。その鳥には飼いならしたいと思わせるようなユニークな特徴・生態があったからだ。その一つが、鳴き声が綺麗なことと、毎朝きまった時間に鬨《とき》をあげるという習性だった、という話の流れで出てきた。

ようするに、その鳥の鬨の声は昔の人が時間を正確に知る唯一の手段だった、と言いたいのだが、しかしそれにしても、なぜ「時計」じゃなくて「時計の**針**」なんだろう。それから、グリニッジ標準時のあるなしと時計のあるなしってどういう関係があるのよ。グリニッジ子午線が時刻を測る基準になったのは19世紀だ。それよりずっと前から時計はあって、それを使って人々は時間を計っていたぞ。

このように、レトリック過剰でかえって理解しにくくなった文章は、英語では「purple prose」と呼ばれる。さっきの文章が出てくる本は内容がスバラシイので、がんばって読んだけど、レトリックにいちいちひっかかってすごくツラかった。

文から「文と文のつながり」へ

プレーンな文章の場合、その中に余分な要素（文、文の集まり、段落）を含んでいてはならない。言い換えると、**どの要素も文章中で何らかの役割を果たしていなければならない**。そこで、文章を書いたら、かならず読み直してみて、次のことがらがきちんと指摘できるかをチェックしてみたまえ。

（ステップ1）段落単位で「ここの段落はこの文章において〜〜をやっている」たとえば、論文が取り組もうとしている問いを立てているとか、時候の挨拶をしているとか、提案した計画どおりにことが進まなかった場合の代替案を提示している、といった具合。

（ステップ2）文のかたまり単位で「ここのかたまりはこの段落において〜〜をやっている」たとえば、直前のかたまりに書いたことの具体例を挙げているとか、直前のかたまりに書いた手順の次に行うべき手順を示しているとか。

（ステップ3）個々の文単位で「前の文とこの文は〜〜な関係で結びついている」具体例は次を見てちょ。

このチェックで、（1）（2）をうまく指摘できなかったら、おそらくその要素は余分だ。（3）がうまく指摘できなかったら、文の並べ方にも問題がある。

文章のパーツがそれぞれちゃんとした役割を果たしているなら、文と文は何らかの明確な関係で結びつくことになる。次のような関係のどれかだ。

①理由・判断根拠の関係　②原因・結果の関係　③時空的展開の関係　④並列の関係　⑤注釈・説明の関係　⑥言い換え・要約の関係　⑦例示・詳述の関係　⑧添加の関係　⑨譲歩・限定の関係　⑩対比の関係　⑪否定の関係

そして、こうした文と文の関係の種類を明示するために、それぞれ異なる「つなぎのことば」がある。

①理由・判断根拠　なぜなら、以上により
②原因・結果　なぜなら、この結果
③時空的展開　次に、次いで、その後
④並列　第一に、第二に、さらに
⑤注釈・説明　ここで言う〜とは
⑥言い換え・要約　つまり、すなわち、言い換えれば、まとめるなら
⑦例示・詳述　たとえば、例をあげよう
⑧添加　さらに、しかも、つけくわえるなら
⑨譲歩・限定　たしかに〜だが、とはいえ、ただし
⑩対比　一方、他方、〜の場合は
⑪否定　しかしながら、これは間違っていると思われる

文章修行の最初のうちは、これらのつなぎのことばをできるだけ**意識的に多用する**のがよい。例外は「しかし」。ライティング指導の経験豊かな哲学者の笠木雅史さんによると、学生は前後が否定の関係でないときでもやたら「しかし」を使いたがる傾向があるそうだ。というわけで、さっきの三つのステップに続けて、次の二つを実行だ。

（ステップ4）文同士の関係を明示する「つなぎのことば」が適切に使われているかをチェックする。

（ステップ5）余分な要素があったら削除する。補った方がよい「つなぎのことば」があったら挿入する。

これらのステップをくぐり抜けると、キミの文章は、余計な部分がなく、それぞれのパーツがしっかり役割を果たしながら、互いに明確な関係で結びついた文章、つまり**しっかりした構成をもつ文章**（タイトな文章）になっているはずだ。

ひとりでできる文章設計トレーニング

というわけで、プレーンな文章を設計・構成できるようになろう。授業では、私はいろいろな課題を学生さんに課してそのためのトレーニングをやっている。拙著『論文の教室』（ＮＨ

Kブックス）にもたっぷり練習問題を載せといたから利用してね。ここでは、キミが一人でもできるトレーニング法を一つ紹介しておこう。ごく簡単なやり方だ。

まず、キミが読みづらいと感じる文章をサンプルに選ぶ。そんなに長い必要はない。たまたま読んでいた本からでもよいし、ネット上には読みづらい文章がごろごろ転がっている。その上で、その文章を、まず、①個々の文が「読みやすい文」の条件を満たしているかチェックする。満たしていない場合、手直しする。②パープル文が含まれていないかチェックする。あればレトリックを取り除く。③最後に、文章全体に、上記の5ステップのチェックと修正を施す。

ようするに、**人の書いたダメ文章を添削する**んだ。最終的に、自分の文章に同じことができるようになるのが目標だが、自分の文章でそれはやりにくい。何が言いたいのか、書いた本人はわかっているからだ。だから文章を読みにくくする多少の問題点はスルーしてしまう。

たとえば、授業では次のような課題を出している。

次の文章はネット上の人生相談サイトから拾ってきたものです。相談の本体が始まる前の事情説明ですが、これがとてもわかりにくい文章です。じっさい、回答者たちからもっとちゃんと書けと叩かれていました。かわいそう。わかりやすく直してあげてください。

「現在小5と小2の子供がいます。上の子も下の子も同級生で幼稚園時代からとても仲良くしているお友達が2人いて、いつも3人でランチに行ったり出かけたりと本当に仲良くさせてもらっていました」

学生さんは、見知らぬ人の文章だとけっこうきびしくチェックして、的確に直してくれる。たとえばこんな風になる。

「私は、現在小5と小2の子供がいる母親です。この子たちが幼稚園の頃から、私には2人のお友達がいます。私たち3人は、上の子も下の子もそれぞれ同級生のためとても仲良くしてきました。いつも3人でランチに行ったり、どこかへ出かけたりと本当に仲良くさせてもらっていました」

こうしたトレーニングを積んだら、次は自分の文章をギタギタにする段階に進めばよい。

第22章

ツッコミの作法

研究者になるわけじゃないのになぜ論文を書かされるの？

論文が読み切れないほど書かれるようになって、困ってるという話をした。一方で、論文を読んでくれるＡＩの開発が進められ、ジャーナル論文じゃない仕方で学術情報を流通させるやり方もいろいろ試みられている。近い将来、分野によっては論文の学術メディアとしての重要性は低下するかもしれない。また、言うまでもないことだが、学生のすべてが論文を書く仕事につくわけでもない。なのに、世界中の大学でアカデミック・ライティングの授業があり、すべての学生に論文書きのまねごとが課せられているのはなぜだろう。

それはね、論文は「**民主的な社会においてあるべきコミュニケーション**」の理念型と考えられているからなんだ。そもそも論文とはなんだろう。

論文の書き方の詳細は分野によってさまざまだと言ったが、論文の本質というか、抽象的なレベルで捉えた目的は共通している。論文とは、①とりくむ問いや課題を明確にし、②その問い・課題に対する自分の答え・主張を示し、③その「正しさ」を証拠・根拠に基づいて論証する、ということを目的にする文章である。そして相手は、だいたい自分と同じ基礎知識と能力をもった読み手だ。

ある研究者が出した答えは、あとで正しくなかったことがわかるかもしれないが、それを示すのも論文だ。ということは、一つの論文の目的は**自分の**答えの正しさを示すことかもしれないが、論文がたくさん書かれて互いにやりとりされていること全体がもつ目的は、議論を通じてもっと正しい答え、もしくはよりよい解決策に**みんなで近づいていくこと**だと言える。決して、相手をやっつけたり、操作して自分の主張を通すことが目的なのではない。

こういう意味で、論文は学術共同体の相互信頼と相互尊敬にもとづいていることがわかる。また、論文はメッセージの送信者（書き手）と受信者（読み手）が対等の立場に立つ、めずらしいコミュニケーションのあり方だ。脅迫の場合、送信者は受信者より優位に立つ。懇願の場合、受信者が送信者より強い立場にいる。お互いに対等の立場にある者同士が、相手の理性を信頼して正しい答えやよりよい解決策を求めて議論する、って**民主的討議じゃないですか**。広い意味での論文は、まさに民主的議論のメディアなんだ。

何かを民主的に決めようとすると、問題は何かを明確にし、それに対する答えを提案し、証拠に基づいてそれを正当化する、ということをみんなでやりっこすることになる。これって、論文の主要要素だ。だから、提案、申請、請願、異議申し立て……民主的決定手続きで行われるさまざまな言論活動は、みんな論文という原型のバリエーションのようなものだ。そして、市民たるもの、みなこれらの活動にたずさわることが期待される。残念ながら、われわれの政府は民主的討議がお嫌いのようだ。だからなおさら、われわれ自身がやらないとね。というわけで、研究者の卵以外の学生にも論文書きのトレーニングが行われることになる。

というわけで「批判・反論」ということを考え直してみる

広い意味での論文は、みんなで正解に近づこうとする共同作業の一環だ。このポイントを踏まえると、論文につきものの「反論」「批判」ということが違った仕方で見えてくる。ひとことで言えば、**反論・批判も真理に至るための共同作業の一部**になる。

カトリック教会に devil's advocate（悪魔の代理人）という職がある。「列聖調査審問検事」と訳されている。不思議な出来事が起こったから奇跡と認定してほしいとか、この人を聖人と認定してほしいという申請が教会に寄せられる。安易に認定するわけにはいかない。本当に奇跡なのか、聖人なのか可能な限り厳密に審査しなければならない。そこで、聖職者の中から悪魔の代理人が選ばれる。彼は、神はいない、奇跡も聖人も存在しないという悪魔の立場に立って、教会に寄せられた申請に徹底的にツッコミを入れまくる。それに耐えて残ったものだけが奇跡や聖人として認められる、というわけだ。

悪魔の代理人の果たしている役割は、申請を退けることじたいにあるわけではない。それが本当のほんものかを判定するためにあえて反論する。真理に至るための共同作業の重要な構成要素なのである。普通の議論のときでも、提案に見落としはないか、もっとよい策はないかを検討するために、じゃ今日はぼくが悪魔の代理人になるよ、という人が現れる。

真理への漸近において、**反論がポジティブな役割を果たしている**ことがわかってもらえただろうか。だから、反論されても頭にくる必要はない。むしろ、だれからも反論されないこと、反論をうけつけないことの方がよくない。学会発表とかで最高に恥ずかしいのは、発表後にシーンとしたあと「So what？（たしかに正しいね、だからなんなの）」と言われることだ。反論されるのが嫌なら、うんと弱いことを言えばよい。ここで「弱い」というのは、主張が弱いということ、つまり何も言っていないのに近いということだ。何も主張していなければ反論はされない。**ただバカにされるだけだ**。

たとえば、選挙結果の予測を考えてみよう。政治評論家Aは「与党が50議席以上の差で圧勝します」、Bは「与党が勝ちますが、議席差まではわかりません」、Cは「勝つのは与党か野党のどちらかでしょう」と予測したとする。A、B、Cの順で外れやすい。それは三者の主張が、この順に弱くなっていくからだ。

Aはかなり踏み込んだ予想をしている（強い予想）。だから外れやすい。逆にこんな強い予想をして、当たったらスゴイ。逆にCの予想が外れることはありえない。これは、Cの予想は何も言っていない、つまりどんなケースも排除していないからだ。**面白いでしょ**、強い主張の方が反論の余地が多く、弱い主張の方が反論しにくいんだから。

だから、反論の隙（ツッコミどころ）がちゃんとあるような主張をしなければならない。論文を書く際に、実験手続きをちゃんと示したり、典拠を示すのは、読み手に反論のための手がかりを与えているのである。同じ実験をやってみて違う結果が出たり、典拠に当たったら違う解釈をすべきだということがわかったりしたら、反論される。でも、それでいいのだ。その反論のほうが正しいにせよ、反論にさらにキミが反論できたにせよ、**最初より正解に近づいたん**だから。

生産的でまともな反論のやり方

というわけで、批判・反論は真理に至るための共同作業の一環であり、ほんらい生産的なものなのだということを確認して次に進もう。じゃあ、どういう批判・反論なら生産的なのだろうか。**どんな批判も生産的なのだろうか**。

アリストテレスの『弁論術』によると、反論は**アンチシュロギスモス**と**エンスタシス**の2種類に分類できる。

（1）アンチシュロギスモスとは、相手の主張と反対の主張を論証することだ。「シュロギスモス」はギリシア語で論証のことだから、その「アンチ」ってこと。反対論証だね。相手の主張が「ニホンウナギは禁漁すべきだ」だとすると、「ニホンウナギは禁漁しなくてもよい」という主張を、根拠を示して論証すればアンチシュロギスモスになる。

でも、これって正解を目指した共同作業という観点からすると、あんまりよいやり方ではない。キミの行ったアンチシュロギスモスは、相手の主張と対立するだけで、相手の主張を崩すことができないからだ。相手に主張を取り下げさせることも、論証を訂正させることもできない。どちらが優位かを判定するには第三者が必要になるし、しばしば「水掛け論」に陥る。

（2）これに対して、エンスタシスは、相手の論にツッコミを入れて、それが成り立たないことを示すというタイプの反論だ。アンチシュロギスモスと異なり、これが成功すれば相手に主張を取り下げさせることができる。あるいは相手の論証に修正を促すことができる。これを互いに繰り返すことによって、もしかしたら正解に近づけるかもしれない。

アンチシュロギスモスとエンスタシスの違い

「相手の論にツッコミを入れる」ために

では、相手の論証にツッコミを入れる、とはいかなることか。論証の構造を思い出してみよう。論証は、証拠・論拠によって主張をサポートすることだった。証拠・論拠から主張を導き出すことと言ってもいい。この場合証拠・論拠は論証の前提、主張は論証の結論とも呼ばれる。

以上は復習。そうすると論証へのツッコミは次の2種類になる。

① 使われている証拠・論拠の中に、間違ったものが含まれている。または、証拠不足のものが含まれている。間違った証拠にはサポート能力はないよね。

② 使われている証拠・論拠がかりにすべて正しいとしても、それでは主張をサポートすることはできない。同じことだが、その証拠・論拠から主張はでてこない。つまり、サポート関係が弱すぎてダメ、と指摘する。

②のツッコミを「**どうして出てくるのさ**」タイプのツッコミと呼んでおこう。この種のツッコミをするにはどうしたらよいのか。これは相手の論証が、演繹を意図した議論なのか演繹以外を意図した議論なのかによって異なる。

演繹を意図した議論にツッコミを入れる場合：正しい演繹的議論は真理保存的だった。ということは、それが真理保存的でないことを言えばいい。つまり、論証の前提がすべて正しいとかりに認めたとしても、そこから結論の正しさは出てこないことを指摘する。これを言うには、前提がすべて正しいのに結論が偽になるケース、すなわち**反証例**（counterexample）があることを言えばよい。

たとえば、雨が降ったら地面が濡れるということと、地面が濡れているということを前提にして、雨が降ったに違いないと結論する論証にツッコミをいれたいなら、「雨が降ったら地面が濡れる」（これは常に正しいとしよう）と、「地面が濡れている」が正しく、「雨が降った」

ツッコミには反証例を探せ！

が偽であるような場合があることを指摘すればいい。そういうケースは確かにある。雨は降らなかったが消火栓が破裂したような場合、あるいは、誰かが水をまいたような場合だ。

演繹以外を意図した議論にツッコミを入れる場合：この場合は事情が異なる。非演繹的推論は真理保存的ではないからだ。だから必ず反証例は可能だ。なので、反証例があるかもよ、と指摘しただけでは有効なツッコミにはならない。

たとえば、「しかじかの人には**たいてい**かくかくの傾向がある」という主張に対して、「そうでない人もいるよ」というツッコミがされることがある。「誰よそれ」と尋ねると、「オレの母親」とか答える。こういうのを、**うちのオカン型ツッコミ**と呼ぼう。たいていの場合、無効なツッコミだ。

非演繹的議論、とくに帰納法へのツッコミは、指摘すべき反証例の量と質が問題になる。典型的なケースのなかに反証例がどっさりあるのでなければならない。アブダクションの場合は、提案されている説明が唯一のものではなく、もっと有力な代替的説明があると言わねばならない。

批判を自分の論に取り入れて説得力をアップする

批判・反論は真理に近づくためのもの。だとするなら、それを自分の論証を鍛え上げるために用いることもできるだろう。つまり、自分の主張に対する批判・反論を、自分の論に取り入れて論証を改善するということだ。

たとえば、現に自分の主張と反対の主張をする人がいるとき、または自分の論証に反論している人がいるとき。その人の主張を引用・パラフレーズして自分の論文にとりこみ、それに対して再度反論を試みる。また、そういう特定の相手がいなくても、自分の主張に自分で反論をし（**セルフ・ツッコミ**）、それに答えるということもできる。「このような主張には、次のような反論があるかもしれない。つまり〜。こうしたありうる反論に対しては、次のように答えておこう」みたいな構成になる。

これ、授業でやってみたことがある。まず、賛否が分かれている論題を用意する。そのときは、日本音楽著作権協会（ＪＡＳＲＡＣ）が音楽教室での模範演奏からも著作権料を徴収することにした件、長崎大学が２０１９年度の教職員採用から喫煙者の採用を見送ると決定した件、日本政府が国際捕鯨委員会（ＩＷＣ）から正式に脱退した件の三つを用意した。

まず1週目、学生さんにこの三つの論題から一つを選んでもらって、賛成か反対かの立場を決め、その立場をサポートする論証を考えてもらう。次の週に、最初に決めた賛否の立場を逆転させて（1週目に賛成を選んだ人は反対、という具合）、その立場をサポートする論証を考えてもらう。そして3週目に、最初の立場にもどって、その立場をサポートする論文を、2週目に考えた論証に対するエンスタシスを含めて書いてもらう。**2週目にはりきればはりきるほど、第3週目がつらくなる**という、人生勉強にもなる課題だ。読者のキミたちもやってみんさい。

第23章

大学は天国じゃないんだ。かといって地獄でもない

みんながなんとなく信じている「大学のあたりまえ」

たいていの学生さんは、大学といえば自分の所属している大学のことしか知らない。そうすると、自分の在籍校、出身校がキミの「大学ってこんなもの」をかたちづくることになる。こうして、**大学がキミを閉じ込める壁、ドーム、洞窟になってしまう。**でもキミが大学だと思っているものは、ありうる一つの可能性にすぎない。大学はもっと違うものでありうる。

じゃあ、大学のありえた姿を垣間見るにはどうしたらよいか。**大学の「あたりまえ」を相対化すりゃいいんだ。**それが、教養への道を歩むキミが、大学に対してまず第一にとるべき姿勢のはずだ。そのためには相対化の視座が必要になる。とりわけ、遠い過去の大学、他国の大学について知ることが、その視座をあたえてくれる。

相対化してぶっこわしてしまうべき「大学のあたりまえ」は次の五つだ。第一に、大学は

教育機関《がっこう》だという考え。大学はセンセイがキミを教えてくれるところ、という考えね。第二に、学生は自分が入学した大学で教育を受ける、という考え。第三は、大学教育は授業を通じて提供されるという考え。第四に、大学は4年（あるいは6年）で卒業するのがノーマルだという考え。第五に、学者になりたければ大学（院）にいかねばならないという考え。「当然でしょ」という大合唱が聞こえてくる。しかし、**どれもちっともあたりまえではない。**

大学をおおきな時空間に置いて相対化する

というわけで、大学の始まりをちょっと覗いてみよう。世界最古の大学とされるボローニャ大学は1088年ころ生まれた。オックスフォード大学は1167年ころ。こういうのを**中世型大学**という。中世型大学は、国民国家よりずっと前からある。今風の国家よりは大学の方がずっと早くからあるんだ。

イスラム圏から逆輸入され再発見されたギリシア・ローマの古典とか、新しい学問とか、そういったものを学びたい人々がヨーロッパじゅうから自発的に集まって暮らし、お金を出し合って講師を雇って講義を受けるようになった。その生活上のさまざまな便宜を確保するために協同組合をつくったのが中世型大学の始まりだ。学生のニーズによってできた、いわば生活協同組合（生協）みたいなもんだ。

その後、大学はだんだん国家に組み込まれていくが、ヨーロッパではけっこう最近まで中世のなごりをとどめる大学が残っていた。ドイツの大学は生まれたばかりの大学がもっていた特徴をいちばんよく保存している。その第一の特徴は「**修学と教授の自由**」だ。修学の自由とは、ようするに**好きなことを好きなときに好きなだけ学べばいいよ**、ということ。だから、学年制もないし、試験、成績評価、単位もない。講義はやりっぱなし。わかる人がわかればいい。卒業年限がないから、いつまで大学にいてもよい。それどころか、学生は大学をいつでも変わることができる。共通大学入学資格試験に合格すれば、学期ごとに異なる大学に登録することだってできる。「ワタシの大学」と「キミの大学」の区別がないのね。

教授の自由は、教える側の話。ドイツでは、教授資格試験《ハビリタチオン》に合格した学者は私講師《プリヴァートドツェント》という身分でスタートする。大学行政や管理上の仕事はない代わりに固定給はもらえない。学生からの聴講料で生活する。だから、たくさんの学生が集まる最先端人気授業をやらねばならない。結構シビアだ。その代わり、好きな大学で好きなことを自由に教えることができる。

このシステムは、新しい学問《イノベーション》を生み出すのに都合がよい。生理学や生化学などは、私講師によって実験的に講義されるうちにだんだんとエスタブリッシュされたのだという。**何を教えるか、何を学ぶかに口出しするな。国はもちろん、大学にも出させない**。これが「学問の自由」のオリジナルな姿だ。これは日本の大学にはほとんど輸入されなかった。むしろ大学人じしんが「標準カリキュラム」とか「分野別参照基準」とか、大学で何を教えるのかを型にはめたがる。これは専門職育成のレベルをそろえるにはよいかもしれないけど、イノベーションには不向きなしくみだよね。

ニッポンの大学の「あたりまえ」はどうやってできあがったか

日本初の国立大学である帝国大学（いまの東京大学）がつくられたのは、明治19年。その設置目的は、「帝国大学令」によると、

帝国大学ハ国家ノ須要《しゅよう》ニ応スル学術技芸ヲ教授シ及其蘊奥《そのうんのう》ヲ攻究スルヲ以テ目的トス

はじめっから国家の必要《ニーズ》に応えるための大学だぞ、と宣言している。当時の「国家の須要」とは何か。官僚養成と富国強兵だ。

帝国大学の誕生により、日本の高等教育は文部省の一元的支配を受けるようになった。現在、わずかの例外を除いて日本の大学はすべて文部科学省の管理・監督下にある。それが当たり前だとみんな思っているが、ちっとも当たり前ではなかったということを歴史は教えてくれる。日本の大学は中世型大学とは生まれ方がまるきり違う。こんなに成り立ちも目的も違うものを「大学」と呼んで一括りにしていいものだろうか、と思ってしまう。

「国家の須要」に応えるべく設立された日本の（国立）大学には、修学の自由と教授の自由など望むべくもなかった。帝国大学のカリキュラムはすべて必修科目。私講師制度は検討すらされなかった。さらに、国家の須要に応える人材を短期間で養成するには、優秀な学生を集めて短期集中で教育を施すのが効率的だ。かくして、**安上がり促成栽培教育**、つまりファストフードならぬファスト教育が日本の大学教育のスタンダードになる。学生を初めから専門に囲い込

んで狭い範囲の知識を詰め込むために、必修科目を強制して、試験と落第で脅して短期間で卒業させる。ファスト教育イコール**囲い込みと詰め込み**と言えばよいだろう。

いまでも「標準修了年限」という言葉がある。大学は4年で卒業すべきものとされていて、そういう学生の比率が高くないと、評価を下げる。留年したり休学している学生は「滞留者」と呼ばれる。酷《ひど》い呼び方だよな。この原稿を書いているのは、ちょうど企業の採用活動解禁の時期。留年生も採用しますよという会社の求人広告を見かけた。「留年した。自分が悪いことはわかってる。親にも迷惑をかけた。でも人生まだまだこれからだ」とか何とか書いてある。なんじゃこれは。「留年した」を「出所した」に取り替えても、そのまんま使えるじゃん。**留年生は前科者扱いか**。つごう3年留年したことのある私は思ったのだった。

この会社に文句を言っているのではない。留年生を差別しないで採用してくれて本当にありがたい。また、青年よどんどん留年したまえ、とススメているわけでもない。昨今のバカ高い学費を考えれば、大学に長くいるのはタイヘンだ。むしろ、世間も本人も留年をキャリア上の傷のように考えてしまう、その「あたりまえ」が嫌なんだ。

みんなビンボが悪いんや

遅れて近代化に着手し、一刻も早く欧米列強に追いつかねばならない日本にとって、人材の安上がり促成栽培はそれこそ国家の須要だった。とても、気の向いたときに好きなことを気の済むまで勉強すればいいよ、などとは言ってられない。しかし、とりあえず急ピッチで近代化を成し遂げ、うまいこと植民地化をまぬがれ「先進国」の仲間入りを果たしたあとも、いつまでもそこから抜け出そうとしなかったのはなぜだろう。

追いつけ追い越せでやって、なんとか追いついたぞという間に、学問の世界と技術開発での国際競争激化と急ピッチ化がとてつもなく進行してしまったからだ。こんどはそっちの競争になんとかついていかなくてはならない。ってんで、やっぱり、自分のペースで好きなように勉強しなよなんて言ってはいられない。囲い込みと詰め込みで、研究室の戦力に育ったら、こんどは研究室の仕事に100%時間を捧げてほしい。だから「余計なこと」を勉強するなどもってのほか。化学専攻の大学院生が、たまたまテンプル騎士団に興味がわいたので、文学部の授業を受けたいと思ったとする。指導教員のお許しが出るかどうかは怪しい。そんなことより黙って実験データを取ってろ、と言われるのが関の山だ。

ごく最近になって、こういう教育をやっていてはヤバい。つまんないガラパゴス的新製品は開発できるかもしれないが、世の中をがらっと変えるような「イノベーション」は無理じゃん。科学技術立国路線に赤信号点灯。ものづくり大国って威張ってる場合じゃないぞ、という話になった。産業界の利害を代表する経団連ですら、幅広い教養を身につけさせてよ、汎用的な能力を身につけさせてやってよ、と大学に要望するようになった。

というわけで、最初から専門分野を狭く限定しないで、幅広く勉強した上で決めましょうね、という「**レイトスペシャリゼーション**」とか、専門課程に進学した後でも、他の分野や、分野を超えた内容を学んでもらおうという「**後期教養教育**」といったキーワードが流行している。

東京大学や東京工業大学では、後期教養教育をがんばって導入した。見識ある大学だと思う。ウチの大学でも大学院の教養科目を開講している。でもこれがなかなか他の大学へ普及しない。先生方の頭が切り替えられないからだ。高学年になっても教養を勉強しているヒマなんてありませんよ。ずっと実験・実習してもらわないといけないのでね……。

こうして、大学は学生を教育して役立つ人材に育てるところ。自分が入学した大学で授業を受けるのがあたりまえ。大学教育はもっぱら詰め込み型のカリキュラムを通じて能率的に提供。大学は4年で卒業するのがノーマルで留年者はどこかオカシイ奴。こういった大学の「あたりまえ」が幅を利かすようになってしまった。好きな勉強を好きなときに好きなだけしたまえよ、金のことなんか気にしなさんな、無駄な勉強なんてないんだから、という社会に比べると、なんともはや。明治から150年、われわれの国は貧乏な国ではなくなったかもしれないが、**あいかわらずビンボくさい国なのだ。**

大学は出会いの場だ

でも、歴史を遡ると、いまある大学の姿は唯一の姿ではないということがわかる。「いまここ」以外に目を向けると、これらの「あたりまえ」はぜんぜんあたりまえではないんだ。このように言うと、キミたちから反論されそうだ。それはそうかもしれないが、いまの大学のあり方は、そう簡単には変えられない。だから、既存の大学に順応して過ごすしかないいんじゃないですか。無責任なこと言わないでくださいよ。**だいたいあんたも大学がこうなったことの共犯**

者じゃないですか、と言われてしまいそう。というか、お願い、言って。
ごめんなさい。こんなはずじゃなかったんです、と100回あやまった上で、でも言わせてちょうだい。社会システムとしての大学をがらっと変えることは、ちょっとやそっとじゃできそうにないけど、キミにとっての大学を、いまの「あたりまえ」から引き離して、別のものに変えることはできる。大学についてのキミの見方を変えればいいんだ。そのための第一歩が大学を歴史の中で相対化することだったわけ。

まず、大学を教育機関《がっこう》と考えるのをやめよう。大学において、キミを教育するのはセンセイではない、ましてお国ではない。キミ自身だ。教養の定義を思い出してほしい。教養の概念には、素養としての教養をもつ人格へと**自己形成**するプロセスも含まれていた。センセイはキミが自分自身を教養するための一つの手段にすぎない。大学には、キミが学ぶためのリソースが他にもわんさとある。図書館に行けば、一生かかっても読みきれない本があって、タダで貸してくれる。最近では、視聴覚資料もある。学生が集まって自主的に勉強会をやるスペース（ラーニングコモンズ）を図書館に設けている大学も多い。eラーニングの教材をいろいろ集めて、無料で使わせてくれる大学も多い。学内のパソコンからは、個人でダウンロードしようとすると目の玉が飛び出るようなお金を取られる電子ジャーナル論文がタダでダウンロードできる。

大学は学校ではなく出会いの場と考えればいいんだ。学問との、研究者との、さまざまな勉強のためのリソースとの、そして最も重要なのは、ともに学ぶ仲間との出会いの場。学びたいことを教えてくれる授業がなかったら、いっしょに勉強してくれる仲間を募って、自主ゼミ

（勉強会とも読書会とも輪読会とも言う）をやればいい。そこに、先輩を招いてレクチャーしてもらってもいい。ビブリオバトルを企画してもよい。

勉強会を始めたら、そこにセンセイを招くこともできる（センセイは、自分から勉強したいという学生にきわめて甘い）。こうすると、**キミの大学は局所的《ローカル》に中世型に近づく**。岐阜大学ではこんなことがあったそうだ（きっと他の大学でもあるはず）。工学部の学生たちが、狭い専門の勉強ばかりさせられていてはつまらない、せっかく総合大学にいるんだから他の分野のいろんなセンセイたちの話を聞きたい、ということで、自分たちで交渉してセンセイ方を講師として招き、サイエンスカフェを立ち上げたのだ。他の学生も参加するようになり、これに目をつけた大学が、それを正規の授業にした。お仕着せのカリキュラムをこなしていくのに飽き足らない学生が新授業をつくっちゃったんだ。

私も、授業で教わったことより、友だちとの勉強会で学んだことの方が多い。伝統的な哲学科だったので、ポストモダン思想（そういうのが最新流行だったの）はご法度だった。デリダとかフーコーとかドゥルーズとか、みんな勉強会で先輩＋友だちから教えてもらった。数学史も数理論理学も勉強会で学んだ。

「ニセ学生」のすすめ

受けたい授業が自分の大学になければ、**よその大学にもぐりこんだっていい**。よその学生といっしょに勉強会をやってもよい。私も、金田一春彦の言語学の講義がうけたくて、上智大学にもぐりこんだことがある。なにしろ留年していたので時間はたっぷりあったのだ。むかし、「ニセ学生」という言葉があった。その大学の学生でもないのに、あるいはそもそも学生でないのに、大学の授業にもぐりこんで勉強をする人たちのことを指す。キミは、そういう人を学費も払っていないのにズルいと思うか、それとも、そこまでして勉強したいなんてえらいと思うか。私は後者だね。私の大学院での演習は、学生が勝手によその大学の学生と話をつけて、スカイプで中継して複数大学を結んでやっている。発表資料はメールで送ればいいんだ。もう、

大学の境界は溶解しつつある。

かつて、浅羽通明さんは、『ニセ学生マニュアル』(徳間書店)なる本を出版して話題になった。著名な研究者の所属大学、授業、時間割、教室などが記載された一種のカタログだ。時代を先取りしていたね。その頃と比べて、いまはずっとニセ学生がやりやすくなった。よその大学でどんな授業をやっているか知りたかったら、どの大学のシラバスもウェブ上で公開されているから、それを見ればいい。それどころか、オープン・コースウェアなるしくみがあって、多くの大学が教材や講義ノート、さらには授業風景の動画までウェブ配信している。自宅にいながらにしてニセ学生ができる。海外の有名大学の講義も体験できる。こんな風にバーチャル空間上のリソースを活用すれば、キミはちょっぴり修学の自由を拡大できる。

授業を通して学問と出会うためにどうしたらよいのか

大学を出会いの場として利用し尽くそうと言っているわけだが、学問との出会いの大きなチ

ャンスはまだまだやっぱり授業だ。その出会いのチャンスを目一杯ひろげるために、高校までに学ぶことのなかった科目を選ぶということをお勧めしたい。

大学に入ったとき、必修科目ばかりで意外に授業の選択の幅が狭いことに、私はちょっとがっかりした。そしてその必修科目は、英語でしょ、数学、物理、化学、生物学でしょ。みんなすでに高校までにかじったことのあるものばかり。つまらん（と思ってしまった、いまから思えば浅はか）。なので、高校までに学んだことのない科目を選択した。哲学、論理学、科学史、文化人類学、民俗学、聖書学、インド哲学。ポーランド文学（スタニスワフ・レムのSFが好きだったので）。何をやるのか見当もつかない学問分野を選んだ。第二外国語は必修だったけど、高校までになかったので楽しみだった。ドイツ語クラスだったが、フランス語とスペイン語の授業も受けた。

せっかく授業を受けるのに、なんとなく内容の想像がつくのばかりって、つまらなくないすか。**出会いというのは偶然のもの**だ。その偶然の出会いを目一杯楽しんで享受するのが闊達な精神というものだ。

大学を出会いの場として味わい尽くそうとすると、時間がかかる。だから、**ヒマをつくる必要がある**。なのに学生は、とにかく1年生のうちにできるだけ単位を集めちゃおうと、1週間の時間割をぎゅうぎゅうに詰め込んでしまう。毎日1限から5限まで、それを5日。週に25コマの授業をこなすなんて正気の沙汰ではない。学生ってどんだけヘンタイなんだ。

こんなことをやっていると、一つひとつの授業からじっくり学べなくなるのは必定だ。それに、自分で知の世界を探訪する時間がそもそもとれなくなる。そのくせ、2年生になってヒマそうにしている。時間を有効に使ったつもりでいて、実はすごいムダ使い。センセイ方もこれは問題視していて、「学生の単位早取り傾向」と呼んで、なんとかしようと言うだけは言う。というわけで、詰め込み型ファスト教育はセンセイ方の責任とばかりは言えない。学生自らそれにはまり込んでいるように見える。

「学ぶべきことのすべてが学べます」

大学を教育機関、人材育成機関ではなく「自分を育てる出会いの場所」と考えてみること、キミたちにお勧めしたいのはこの視点の変換だ。そのように見ると、カリキュラムってわりとどうでもいいことのように思えてくる。カリキュラムを通じて学ぶこともあるけど、**その外部で学ぶこともたくさんある**からね。むしろそっちの方が多いかも。

大学教員をやっていると、ときどき高校から講演に呼ばれる。依頼にはふた通りのケースがあって、一つは私の本などを読んでくれた先生が、生徒にもぜひ聞かせたいのでお願いしますという場合。これは楽しい。講演の後に生徒さんと雑談し、そのあとは先生方と飲み会に突入して教育談義。高校ってたいへんですね〜。大学もたいへんですね〜。と盛り上がる。

もう一つは、進路を考えるための講演会を毎年やっているので、誰でもいいから派遣してちょ、という安直なもの。それでも学部長が宣伝活動になるから行ってこいというので、のこのこ出かけていく。こういう依頼の場合、必ずと言っていいほど「おたくの学部で何が学べるのかが理解できるような内容をお願いいたします」という注文がつく。まあ、生徒さんが進路を考えるためのイベントだから、そういうことになるんだろうけど。ちょっと、げんなりするんだ。そんなこと、うちの学部のウェブサイトに載ってるから自分で調べろよ、と思うわけだ。で、気のきいた生徒さんはもうとっくに調べていて、私の学部のことを私より知ってたりする。

私はひねくれ者なので、こういう注文には次のように答えることにしている。うちの大学、うちの学部では**学ぶ価値あることのすべてが学べます**。なぜなら、所属する学部の授業だけが学びではないからです。大学にはあらゆる学びのためのチャンスとリソースがあります。だから、その気になればなんでも学べます。ただし、**学ぶ気のある人だけが学べます**。

大学なんていらないかも、と考えてみる

最後に残った第五の「あたりまえ」を疑ってみよう。研究者になりたければ大学にいかねばならない、大学に所属しなければ研究はできないという考えだ。これも、歴史をさかのぼってみれば、それほど自明なことではない。たとえば、ものが燃えるというのは、空気中の酸素と化合することだと初めて主張したアントワーヌ・ラヴォアジエ（1743〜1794。酸素oxygèneという名前をつくったのも彼）は、パリ大学の法学部に在籍しながら化学の講義を聴講し、あとは自宅に器具を揃えて実験していた。ラヴォアジエは裕福な貴族なので、科学研究で食べていたわけではなかった。19世紀まで、科学研究はリッチな階層のひとが趣味として行うものだったのである。

大学（あるいは研究所）に所属しないと研究ができないというのは、わりと最近できあがった思い込みだ。で、実際、いまでも大学の外で研究に打ち込む人々がいる。メディア・アーティストの江渡浩一郎は、そういう人々を「**野生の研究者**」と名づけた。研究のプロ（研究を職業としているひと）ではなく、大学や研究所の外にいるのだが、「やむにやまれぬ衝動」にかられて研究をしてしまう人たちだ。江渡さんはそういう野生の研究者たちが集まって議論する場として「ニコニコ学会β」を立ち上げた。

もちろん大学や研究所に所属していないとできない研究は多い。大型加速器を使った素粒子研究、人間を対象とする臨床医学研究などなど。でもここで大事なのは、大学の外でできる研究もけっこうあるということだ。在野の哲学者、郷土史家、アマチュア天文学者、アマチュア国文学者、アマチュア昆虫学者……プロの研究がこうしたアマチュアの広い裾野に支えられているケースもある。OEDの編集にも多くのアマチュア言語研究家がボランティアで参加していた。

こうした組織外での研究活動には、ダークサイドもないわけではない。アメリカなどでは、ゲノム編集などのバイオテクノロジー実験を手軽に行えるキットが開発され売られている。大学や研究所に属さずに、こうしたキットを使って自宅で実験を行う「バイオハッキング」や「DIYバイオ」と呼ばれる活動がさかんになってきている。自分の身体を使った人体実験をネット中継したり、すごいことになっている。彼らは「科学を大学から取り戻す」ことをスローガンにしている。ある意味でラヴォアジエの時代に先祖返りしようとしているとも言える。

こういう私的活動を規制することができるのか、していいのか。これは難しい問題だ。

とにかく言えるのは、キミが研究する人生に憧れをもつとしても、**何が何でも大学にしがみつく必要はない**かもしれないということだ。[1] どんな研究をしたいのか、どんな研究者になりたいのかをよく考えてみたまえ。大学の中でしかできない研究がしたいのか、そうでもない研究がしたいのか。純粋に、何かを調べたり知ったりすることが好きなのか。名誉が欲しいのか。学界の重鎮になりたいのか。

大学の外でも研究は不可能ではない。そして大学の外でも学ぶことはいくらでもできる。せっかく大学に来たのなら、それを学びの場として役立ててほしい（そして実際すごく役立つ。役立てようとする人にとっては）けれども、何も、**大学で学ばなくたっていい**んだ。

べつに大学で学ばなくてもいいんだけどね、と思いながら大学を最大限に利用し尽くす。こういう賢い大学ユーザーになってね。

第24章
無駄な勉強をしたくないひと、何かの手段として学ぶひとはうまく学べない

無駄を省いて効率的に学ぼうとするとどうなるか

第Ⅰ部で『レザボア・ドッグス』という映画の話をした。熟議民主主義の教科書みたいな映画ってことで。これを監督したクエンティン・タランティーノは、じつはすごく真面目で優等生的な人なのでは、と勝手に思っている。彼の映画って、ギャングやら殺し屋やらヤク中やら、ようするにならず者ばっかり出てくる。ボクは学歴高いですよ、ウォール街でバリバリ稼ぐエリートですからね、みたいな人は出てこない。そうなんだが、タランティーノは真面目な教育的メッセージを映画に忍び込ませるのが得意だ。**そしてそれが結構いい**のだ。

んで、本書の締めくくりにとりあげるのは、タランティーノの『キル・ビル2』。一つのエピソードが面白いんだ。ボスのビルが二人の女殺し屋（「女殺し」をする人ではなくて、殺しをやる女性という意味、**男女共同参画**）に、必殺技を習得させるべく、カンフーの達人（パ

イ・メイ）のもとで修行させる。一人はエリー、もう一人はベアトリクス。この二人の学ぶ姿勢がとっても対照的なんだ。

パイ・メイはベアトリクスに、拳で板に触れ、腕を後ろに引くことなしに、そのまま板を割ることができるようになるまで練習せよと命じる。どう考えてもそんなの無理だ。でもパイ・メイはそれをやってみせる。お前にもできるようになれ、というわけ。とりあえず従うベアトリクス。案の定、彼女の拳は、皮は破れ肉は裂けてボロボロになってしまう。何のためにこのつらい修行をするのかわからない。でも、それが修行というものだということはわかっている。彼女の修行が役に立つときがくる。修行を終えて帰国したベアトリクスは、罠に嵌められ、生きたまま棺桶に入れて墓場に埋められてしまう。狭い棺桶の中では、腕を引くことができない。彼女は拳で板に触れたまま板を割り、見事に脱出する。

ベアトリクスの次にパイ・メイに弟子入りするのがエリーだ。エリーは、能率的・効率的に奥義を習得したいと思っている。**無駄な修行はしたくない**。最短距離でいきたい。受験生だったら、『合格する勉強法・無駄な勉強法』みたいな本に手を伸ばしてしまうタイプだ。無駄な勉強を避けようとする、ということは、学んでみる前にそれが学ぶに値するかを自分は判断できると思っている、ということだ。思い上がりもはなはだしい。

師匠から学ぶに値することはすべて学んだ、と勝手に判断したエリーは、毒を盛ってパイ・メイを殺してしまう。苦しい息の下からパイ・メイが何かを言おうとすると、エリーは「アンタみたいな老いぼれの言葉は私には何の価値もないわ」と言い放つ。こうして、エリーは本当

無駄な勉強をした人だけがたどり着ける場所

の奥義「Five-Point-Palm-Exploding-Heart technique」（書いてて笑っちゃうけど、五点掌爆心法、ですかね）を習得しそこなってしまう。一方、何の役に立つのかという問いは棚上げにして、とりあえず学ぼうとしたベアトリクスは、この奥義を身につけることができた。

メッセージは明白。**無駄な勉強をしたくないと思うと、かえって学びそこねる**ということだ。そりゃそうでしょう。自分が学んでいることがいつどういう形で役に立つのかは学び終わるまでわからないんだから。というか、学び終わってもしばらくはわからないかもしれない。

内発的動機づけと外発的動機づけ

これに関連して、面白い実験結果があるから紹介しよう（エドワード・デジとマーク・レッパーによる）。パズル好きの大学生に集まってもらい、それをA、Bの二つのグループに分ける。おもしろいパズルをたくさん用意してそれぞれのグループの学生に解いてもらう。1日目は、両グループとも好奇心のままに解く。2日目には、Aグループには解くたびに金銭報酬を与え、Bグループには与えない。3日目にふたたび、両グループとも報酬なしで解いてもらう。そうすると、AグループはBに比べて、3日目に自発的にパズルを解く意欲が明らかに低下してしまった。実験者が席を外している間に自発的に解こうとしなくなったのである。

この結果は、内発的動機づけ、外発的動機づけという概念を用いて説明できる。動機づけというのはモティベーションのこと、ある活動をしようという気持ちのことだ。外発的動機づけは、金銭、食べもの、名誉など、その活動の外から与えられる報酬による動機づけ、内発的動機づけは、そうした外的報酬によらず、興味・関心や楽しみといった内的報酬による動機づけを意味している。ようするに、偉くなるために、お金もちになるためにという、**ひょうたん島の小学生に一蹴された動機**ではなく、したいからするという動機づけが内発的動機づけだ。

この実験では、1日目にはどちらのグループも内発的動機によってパズルを解いていた。ところが2日目に金銭的報酬をもらったAグループは、活動が外発的動機づけによるものに変質してしまった。なので、報酬をもらえなくなった第3日目にヤル気を失ったのである。報酬がかえってヤル気を削ぐので、これを「アンダーマイニング効果」という。

こんな調査結果もある。アメリカのロチェスター大学の卒業生を対象にした調査だ。卒業前に学生をサンプリングし、人生の目標について尋ねる。金持ちになりたい、有名になりたいなど外発的抱負を語ったグループと、ほかの人の人生の向上に手を貸したい、自分も学び成長したいという内発的抱負を語ったグループに分けて、その後ずっと追跡調査を行った。

その結果、内発的抱負をもっていた学生は卒業後、より大きな満足感と主観的幸福感を抱き、不安や落ち込みがきわめて低いことがわかった。これに対し、外発的抱負をもっていた学生も、富を蓄積したり賞賛をえてはいるのだが、満足感や自尊心、ポジティブな感情のレベルが高まっているわけではなかった。つまり、目標を達成したのに幸せになっていなかったのである(Christopher P. Niemiec, Richard M. Ryan, Edward L. Deci, "The path taken: consequences of attaining intrinsic and extrinsic aspirations," *Journal of Research in Personality* 43 (2009): pp. 292-306)。

自分の生活を、さらには自分の人生を、何か生活の外にある価値あるものを手に入れるための手段にする人は、**生活と人生を楽しめない**ということだ。そりゃそうだよね。高校生活を大学合格という目標のために送り、大学生活を就職のために送り(就活)、職業生活を配偶者を見つけるために送り(婚活)、結婚生活を子づくりのために送り(妊活)、で、人生全体をうまく死ぬための準備に費やす(終活)。ずっと何かの準備のために自分の人生を空費して、いつキミは自分の人生を味わい楽しむのか、って話だ。

出会いの場で楽しくすごすために必要なこと

何度も言うけど、大学は出会いの場だ。しかし、そこで出会うことになる「良きもの」は、キミにはまだ価値も有用性もわからないようなものかもしれない。だとしたら、キミにできることは、そうした**偶然の出会いに身を委ねる**ことだ。あらかじめ偏狭な基準で選択するのではなく、まずは出会ったものにとことん付き合ってみたまえ。それが面白くなってくるまで。面白くなってきたら、その面白さだけを頼りにそれを学び続けたまえ。

というわけで、私からキミたちへ贈る長〜いメッセージ《おせつきょう》はこれでお終い。最後までつきあってくれてありがとう。もしかしたらどこかのキャンパスで出会えるかもね。そのときは、この本を思い出してくれると嬉しいな。楽しみにしているよ。

注

序

（1） ゴディバ（GODIVA）ってチョコがある。バレンタインデーの贈り物でもらったことあるでしょ（いやがらせで書いてる）。あの商標になっているのがゴダイヴァ夫人（Lady Godiva）だ。よく見ると裸で馬に乗っている。こんどもらったら見てみたまえ（再びいやがらせ）。11世紀のイングランドにいた実在の女性だ。領民が夫の圧政に苦しんでいるのを見るに見かねて、諫言したが聞き入れられず、逆に「裸で馬に乗って領内を一周したら言うことを聞いてやる」と言われてしまう。そこで彼女は、当日は窓を閉めて外出するべからずというお触れを出した上で、夫の要求を実行し領民を救った、という話。これは伝説ね。ちなみに、このとき一人だけこっそり夫人の裸を覗き見して、バチが当たったのが「覗き屋トム（Peeping Tom）」、というおまけがついている。

（2） 本書の想定読者は「ピンク映画」って何か知らんだろうから書いておく。成人向けのエッチな映画のことだ。

（3） ローカルネタに走ってはいけないと自戒を込めつつ書いておく。千代田区麴町近辺は、山の手の「わりといいところ」である。近くには皇居があり、日本テレビとか文藝春秋社があり、たくさんの女子校があった。ピンク映画館はなく、代わりに国立劇場があった。幼いトダヤマ少年がどんなにカルチャーショックをうけたかは、想像に難くない。

（4）安田砦とは東京大学の安田講堂のこと。学生運動も終盤をむかえた1969年、「東大解体」を主張する学生たちが安田講堂に立てこもり、それを排除しようとする機動隊と市街戦もどきをやらかした。とにかく、世の中が騒然としていたのだ。小学生の私はバカだったので、カッコイイ、ボクも大学に入ったらヘルメットかぶって石投げるゾと思ってた。その後、中学生のときに学生運動は急速にしぼんで、私は彼らのヘタレぶりにガッカリしたのを覚えている。

（5）あとになって、『気流の鳴る音』（ちくま学芸文庫）が依拠していた、カルロス・カスタネダの『呪術師ドン・ファンの教え』に出てくるドン・ファン、はカスタネダの創作だということが知られるようになった。だけど、『気流の鳴る音』じたいは、読む者の世界観を揺さぶるとてもよい本だと思う。

（6）何せ、哲学科には高校のときに岩波文庫の思想哲学系の本（青帯）はほとんど読みました、みたいな奴がゾロゾロいたのだ。いやーね。

（7）敗戦直後の1946年に米国教育使節団が来日して、日本の教育制度を調査して提言を行った。日本の大学教育のカリキュラムは、専門に分かれるのが早すぎ、その専門が狭すぎ、職業的色彩が強すぎる、というのね。これをうけて、人文・社会・自然の3系列からなる「一般教養科目」を専門科目とは別に必ず開講しましょう。それらをバランスよく学びましょう、と定められた。私が就職した当時も、この考えに基づくカリキュラムが教えられていたというわけ。

（8）なぜ、こういうことになったかというと、一般教養科目を教えようぜ、となったときに、「誰が教えるの」問題が生じたからだ。専門学部のお偉い先生方は当然いやがった。そこで、旧制高校や師範学校といった、大学より一段格下と見られていた戦前戦中の組織を新制大学にくっつけて、そこの教員に教えさせようということになった。これが「教養部」の始まりだ。なので、教養部は専門学部未満の半端学者がいるところ、レベルも低い、と思われるようになってしまった。私はそういう歴史を知らなかったので、単純に「わーい名古屋大学に就職できて嬉しいな。味噌まみれになって飲むぞ」と喜んでいた。だからといって、知ってたら就職しなかったの、と言われるとそんなことは全然ないです。

（9）ひとつデータを示しておくね。文部科学省・科学技術・学術政策研究所の「科学技術指標2019」調査資料-283（2019年8月）によると、大学の研究者一人当たりの研究支援者（テクニシャンという。事務的な補佐をしてくれる人じゃなくて、専門知識と実験スキルを持っていて、文字どおり研究を手伝ってくれる技能者のこと）の数は、日本では約0・05人（20人の先生に1人）なのに対し、フランスだと0・3人超（3人の先生に1人）、韓国ではなんと0・5人だ。もちろん、「テクニシャン」の定義は国ごとに違うので、国際比較は気をつけなければならないが、私の大学を見渡してもテクニシャンはまったくといってよいほどいない。これでは、学生さんに研究補助者としての役割を期待せざるをえないだろう。**みんなビンボが悪いんや。**

（10）学生が学費を払うのって当たり前じゃないの、と思うだろう。そうではない。こと大学院生に限っては、海外の大学では優秀な大学院生の奪いあいになっている。だから、よくできる大学院生には、うちに来てもらえればこれだけ給料を出しますよ、というオファーがいろんな大学から示される。スポーツ選手みたい。

（11）もともとあった学部は「法学部」「文学部」「理学部」「農学部」みたいに一文字だけど、教養部を母体にして新しく作られた学部は、私のいた「情報文化学部」とか京都大学の「総合人間学部」とか四文字の学部が多かった。昔から「教養学部」のあった東京大学みたいに、みんな「教養学部」になりたかったんだけど、それはダメと言われてしまったからだ。なので、長い名前の学部は「ははあ、コイツもと教養部だな」とばれてしまう。まるで、奴隷の焼印のように一生ついて回るんだ。

第Ⅰ部

第1章

（1）1・23％って何の何に対する割合なの、というツッコミが入りそうなので説明するね。遺伝情報は、DNAという大きな分子の中で、アデニン、チミン、グアニン、シトシンという4種類の化合物（塩基といわれる）の並び方によってコード化されている、ということは知っているはずだ。ヒトの全DNAは約33億対の塩基を含んでいる。これをチンパンジーの全DNAの塩基配列と比べてみると、違っている箇所は約3700万塩基で、これは全体の1・23％にあたる。この研究をしたのは、日本の理化学研究所にいた榊佳之をリーダーとするチームだ。2002年1月4日号の『サイエンス』に発表された。

（2）松沢哲郎先生はヒトで、アイちゃんはチンパンジーです。念のため。

（3）このへんのことについてもっと詳しく知りたい人は、ジョセフ・ヘンリック『文化がヒトを進化させた』（白揚社）を読もう。

（4）FOXP2が何をやっているのかはまだよくわかっていない。これが見つかったのは、3世代に渡って遺伝性の言語障害にかかっていた家系の研究からだ。調べてみると、この家系では第7染色体上の遺伝子に突然変異があることがわかり、それがFOXP2と呼ばれるようになった。キンカチヨウでこの遺伝子が働かないようにすると、歌をうまく学習できなくなる。カナリアで、この遺伝子の発現レベルが変化すると、さえずる歌が変化する。というわけで、何か言語能力と関係していそうなのである。

（5） 幕末から明治にかけての人々が、どのように苦労して、西欧の抽象概念を日本語に輸入してくれたかについて、いろんな本が書かれているが、オススメは柳父章『翻訳語成立事情』（岩波新書）。40年近く前の本だけど、いまだに再版されている。古典なのだ。

（6）「包括適応度」というのは、生きものの世界に広く見られる利他的行動を自然選択説で説明しようとして提案された考え方だ。自分を犠牲にしてまで、血縁関係にある個体のためになる行動をする生きものはけっこう多い。生存競争と自然選択という考え方からすれば、自分を犠牲にするというのは理解しにくい。でも、次のように考えたらどうか。生きものがなんとか生き延びようとして生存競争を繰り広げるのは、自分の遺伝子のコピーを増やすためだ。だとしたら、自分の遺伝子のコピーを増やすやり方は、自分じしんが生き延びて子孫を増やすことに限られないだろう。自分と血縁関係にある者も、同じ遺伝子を共有している。だとしたら、そいつらの生存のためにわが身を犠牲にする、というのも自分と同じ遺伝子のコピーを増やす有効な戦略だ。そうすると、適応に都合がよいかどうかは、自分が生き延びるかどうかだけではなく、自分と遺伝子を共有している仲間を生き延びさせることにどれくらい貢献するかで測った方がよさそうだ。これが「包括適応度」である。

「おばあさん仮説」では、おばあさん自身が生き延びるのではないが、彼女と同じ遺伝子をもつ次世代、次々世代が生き延びやすくなることで、おばあさんの存在は包括適応度を高めている、ということになる。

（7）『産経新聞』2001年5月8日。

第2章

（8）これって、丸山眞男が、ジョン・スチュアート・ミルの言葉だとして紹介した。重田園江さんによると、ミルがセント・アンドリューズ大学名誉学長に就任する際の講演が出処らしい。

（9）名優サミュエル・L・ジャクソンが演じている。しかしこの人、気がつくと出ているなあ。もう少し仕事を選んでもいいんじゃないの、と思う。

（10）じつはこれって、当時スペイン語を勉強していた息子に教えてもらった。親子って面白い。はじめのうちは、親が子どもに一方的に教えているけど、若者は知力に優れているので、そのうち逆転する。親が子どもに教わるようになる。このことが受け入れられなくて、いつまでも子どもに「オレが教えてやる」みたいな態度をとっている親もいる。キミの親がそういうタイプだったら、悪いことは言わない、全速力で逃げ出したまえ。

（11）全米でみると、いちばん多いヒスパニックはご存知メキシコ系だ。ニューヨークのプエルト・リコ系住民は、ズースの住んでいるハーレムの隣、スパニッシュ・ハーレムと呼ばれる地域に住んでいる。

（12）わたしたちの実生活では特に意味のない偶然の出来事がしばしば起こる。でも、映画の中には**偶然ってないんじゃないか**と思う。だって、どんなシーンだって、脚本家がセリフを書いて、俳優が練習して、どこかにロケに行って、わざわざフイルムを消費して、スタッフとキャストの時間を費やしてわざわざ撮ったもんなわけでしょ。どんなささいなシーンにも、一見どうでもよいセリフにも、作り手の意図が潜んでいると考えたほうがよさそうだ。

(13)『フランケンシュタイン』って、フランケンシュタイン博士がつくった怪物が「私を愛してくれないなら、疎んじて破壊しようとするなら、どうしてあなたは私を生み出したのか」と博士に問いかける話だ。リドリー・スコットはこの主題が好きらしく、形を変えひねりを加えながら、なんども監督作の中に取り込んでいる。『ブレードランナー』では、人造人間のレプリカントが生みの親の天才科学者に同じ問いを投げかける。『プロメテウス』では、人類を生み出しておきながら滅ぼそうとする超知的宇宙人に、人類を代表するかたちで科学者が怪物と同じ問いを投げかける。怪物と科学者の役割が逆転しているのが面白い。さらに『エイリアン・コヴェナント』では、人間によって造られたもの(怪物)であるレプリカントが、自分も生命を創りだす側に回ろうとする。怪物が博士の役割を奪い取ろうという話だ。

(14) ナルニアだけだと説得力がないかもしれないので、益田朋幸『ピーターラビットの謎――キリスト教図像学への招待』(東京書籍)を推薦しよう。著者はビザンチン美術史の専門家。ユリの花は聖母マリアの処女性を象徴しているとか、キリスト教美術にはいろいろな約束事、シンボリズムがある。それにもとづいて絵画などの美術作品に込められた意味を解読していく分野を図像学(イコノロジー)と言う。『ピーターラビット』がイエスの受難の話を下敷きにしているという仮説に基づいて、誰もが知っているピーターラビットを読解していく、と同時に、キリスト教図像学にも入門できてしまうというお得な本。

(15) 欧米の美術や小説、映画を深く楽しむには、どうやら聖書の知識が欠かせないらしい。よし、聖書を読むぞ、となるわけだけど(そういう学生さんにたくさん出会ってきた。素晴らしいね)、最初から聖書そのものを読むのはオススメしません。ましてや、旧約の『創世記』から順に読んでいくというのはもっとダメだ。『レビ記』あたりであまりの退屈さに挫折するのが関の山だろう。

ありゃ聖典だからね。『イエスさんのキリスト教入門』じゃないのよ。聖書読破挫折王の私が言うんだから間違いない。そこでお勧めするのは、子ども向けに、有名なエピソードだけを取り上げて分かりやすくリライトした、「聖書物語」の類。山室静『聖書物語』（偕成社）、あるいはドイツカトリック教会司教会議編、小塩節・天沼春樹訳『子どもに語る聖書』（こぐま社）を挙げておこう。これなら私にも読破できた。しかも楽しみながら。ほら、やっぱり児童書をバカにしてはいかん。

第3章

(16) じっさいややこしい。あまりややこしいので、私もちゃんとした答えがまだ出ていない。悩み中だ。そういう話題について書くので、本章の前半はかなりぐだぐだします。他の章とくらべて歯切れが悪い。でも、イヤにならずに付き合ってください。

(17) ジョルジュ・ドン（1947〜1992）はバレエダンサー。振付師モーリス・ベジャールの20世紀バレエ団でずっとソリストを務めていた。「ボレロ」はそのバレエ団でのドンの最も人気のあった演目だ。じつは私は、20世紀バレエ団の来日公演でジョルジュ・ドンの生の舞台を見たことがある。それまで、バレエと言えばドリフのコントでしか見たことがなかった偏見のかたまりの私を、「トダさん。絶対面白いから、感激するから」と引っ張り出してくれた友だちがいたからだ。で、観たらこいつが凄かった。それ以来、熱心なバレエファンになったかというと、そうでもないのだが、でも、あれは凄かったといまだに覚えている。

(18) もうちょっと一般化して言えば、倫理的に潔癖でありすぎると、かえって人間はケダモノに近づくということだね。これが正義だ！　ってあまりに凝り固まると、他人と自分のどちらもがもっている、フクザツさ、割り切れなさ、だらしなさ、首尾一貫していないところ、ややこしいところ、美しさと汚らしさの共存といったことが許せなくなって、寛容さを失い、やたらと攻撃的になる。どうしてそうなるのか、どうしたらそうならずにすむのかについて、私はまだ答えがない。何が言いたいの？　という読者は、次の映画を見てください。若松孝二監督『実録・連合赤軍　あさま山荘への道程』。

(19)『高慢と偏見』は前章でも触れた。ジェーン・オースティンの古典的傑作だ。原題はPride and Prejudiceで、「自負と偏見」とも訳される。Prideはダーシー、Prejudiceはエリザベスのこと。二人が出会ったとき、エリザベスはダーシーについて、何て高慢ちきで思い上がった冷血漢なんでしょうという「偏見」をもってしまう。その後いろいろあって、ダーシーって本当はいい人だということがわかり、偏見も解消して、二人はめでたく結ばれる。最初は大げんか、でもいつの間にか好きになっていた、という少女漫画の典型パターンの一つはこれに由来するんだろうなあ。

(20)これは妙にリアルだが、じつは私自身の体験を混ぜ合わせてこしらえたフィクション。雑談やパーティトークで知識や定見のなさがばれてニヤニヤ退散という経験はたくさんやらかした。ただし、話題は『十二夜』ではなく、「キミ日本人だから陽明学と朱子学の違いを知ってるだろう、教えてくれない？」だったり、「先週ゲイのカップルが大学のチャペルで結婚式を挙げたがキミはどう思うかね」だったり、「現代日本人の日常生活に禅はどんな風に取り込まれているかね」だったりした。いきなり聞かれるとアウアウする。悔しい。いまならもっとうまく答えられるのに。
『十二夜』の新演出は、2017年にロンドンに遊びに行ったときに観た。恥ずかしながら『十二夜』のすじを知らなかったので、前夜の夕食のときに妻に教えてもらった。シェークスピア喜劇にはよくあるパターンだが、複数の男女が、いろいろ取り違えとか入れ替わりとかありながら、最終的にはいくつかのカップルにまとまっていっぺんに結婚、めでたしめでたし、な話である。一人だけ、そこからはじかれるのが執事のおじさんマルヴォーリオだ。こいつはいやな奴で、やたらいばり散らし、部下の使用人たちにつらく当たってばかりいる。嫌われ者だ。このマルヴォーリオがじつはお嬢さんに惚れており、それがばれたため、みんなの企みによって恥をかかされた挙句、屋敷から追い出される、というのがオリジナル。新演出では、このマルヴォーリオを女性が演じたのである。どうなるか。**すごく嫌な話になった。**だって、マルヴォーリオだけがホモセクシュアルってことになるじゃん。ヘテロセクシュアルな「めでたし共同体」から、ホモセクシュアルだけが排除される、というそれはそれは後味の悪い話になる。問題作とされたのも当然だ。切符売り場《ボックスオフィス》のにいさんが、紳士然としたお年寄に「問題作だそうだね。キミは面白かったかい」と訊かれて、アウアウしていた。ほら、アウアウと英語ができるかどうかは関係ないね。

(21) 福沢諭吉は、『学問のススメ』で実利のための勉強を強調したことで有名だが、その福沢が適塾で蘭学をやっていたときを回想して次のように書いている。

「しからば何《なん》のために苦学するかといえば一寸《ちょい》と説明はない。前途自分の身体《からだ》は如何《どう》なるであろうかと考えたこともなければ、名を求める気もない。名を求めぬどころか、蘭学書生といえば世間に悪く言われるばかりで、既《すで》に已《すで》に焼《や》けに成っている。ただ昼夜《ちゅうや》苦しんで六《むつ》かしい原書を読んで面白がっているようなもので、実に訳《わ》けのわからぬ身の有様とは申しながら、一歩を進めて当時の書生の心の底を叩《たた》いてみれば、おのずから楽しみがある。(中略)貧乏をしても難渋をしても、粗衣粗食、一見看《み》る影《かげ》もない貧書生でありながら、智力思想の活発高尚なることは王侯貴人も眼下《がんか》に見下《みくだ》すという気位《きぐらい》で、ただ六《むつ》かしければ面白い、苦中有楽《くちゅうらくあり》、苦即楽《くそくらく》という境遇であったと思われる」。(『福翁自伝』岩波文庫)
ほら、やっぱり学ぶことじたいの楽しみのために学んでる。

(22)「人生百年時代」が話題になっている。いま生まれている子どもたちは、平均して100年生きるようになるそうだ。私は60ちょっとだけど、あと40年も生きなければならないとしたら、と考えるとぞっとする。この子たちにとっては「退屈」ということが、人生最大の課題になるだろう。まさか「スマホをいじり続けて80年」というわけにもいかんだろうし。

第4章

(23) 国会図書館の書庫を見学させてもらったときに、最新の防火設備についても解説してもらった。火が出たら、シャッターで隔離し消火ガスを噴出させる。「そのときここにいたら死んじゃいますね」と言ったら、司書さんは「ええ、でも私たちの代わりはいますが、ここにある本は一冊ずつですから」と答えてニヤッと笑った。ちょっと感動した。

(24) この見事な「闊達さ」の定義は、同僚の国文学者、塩村耕《こう》さんによるもの。塩村さんと私と、あと何人かの教員が中心となって「名大サロン」をやっていたことがあった。せっかく総合大学にいるのに、教員たちは研究室に閉じこもりあまりに互いのことを知らなすぎる。というわけで、月一回お互いの研究話を肴にワインを飲む会を開くことにしたのだ。この会を、学外の市民の方々にもオープンにすることになって、つくったルールの一項目が「闊達な議論をお願いします」だった。

(25) 1世紀ローマのストア派の思想家、セネカの「生の短さについて」を読んでいたら、当時のローマの人々のトリビア知識収集熱について痛烈に皮肉っている箇所に出会った。引用しておくね。「今言った同じ人物はこんな話もしていた、メッテルスは、シキリアでカルターゴー人に勝利したあと、分捕った百二十頭もの象を自分の乗る車の前に引き連れて凱旋行進したローマ人で唯一の人である、あるいは、古人のあいだでは属州で領土を獲得したときには一度も拡張されたことがなく、イタリアで領土を獲得したときにのみ拡張される慣わしであったポーメーリウムを拡張したローマ人で最後の人はスッラである、と。（中略）その類の知識が、誰の迷妄を正し、誰の過誤を減らすというのであろう。誰の欲望を抑えるというのであろう。誰をより勇敢な人間にし、誰をより正しい人間にし、誰をより自由な人間にするというのであろう」。（セネカ『生の短さについて 他二編』岩波文庫）

(26) 自分で調べろよ、そのためのネットでしょ、と言いたいところだが、サービス精神を発揮して答えを書いておく。順に、だいたい100億年前、だいたい数十億年前、だいたい数十万年前、科学革命とか市民革命とか、7世紀（622年）、だいたい1万キロ（1万3000キロ）、だいたい1億キロ（1・5億キロ）、だいたい4光年、1週間。「だいたい」と「世紀」でいいんだ。

第5章

(27)『高慢と偏見』のダーシーとエリザベスはあんなに反発しあっていたけど、じつはすごく考え方や感じ方が似ている。周囲の人々の俗物性や成り上がり根性を冷ややかな目で見ていて、二人だけ周りから浮いているんだ。その辺を双子のブックピープルという設定でうまく表現している。

(28)「Montag」はドイツ語で月曜日という意味。仕事熱心なモンターグくんは、その名も勤務日くんなのだね。

(29) メアリ1世は、あの超有名なエリザベス1世のお姉さん（母親は異なる）で、エリザベスの前のイギリス国王。メアリはカトリックだったので、女王の座につくなり、父のヘンリ8世が設立した英国国教会を否定して、徹底的に弾圧した。国教会やプロテスタント系の聖職者を中心におよそ300名を処刑したというんだからすごいね。おかげで、「血まみれメアリ（Bloody Mary）」

というあだ名を頂戴することになった。ブラッディ・メアリはいまではカクテルの名前に残っている（ウォッカをトマトジュースで割ったもの）。

(30) こう書いてみて、そう言い切っていいのかなあという気になった。たしかに職業としての焚書官はいないのだが、気に入らない本が図書館に置かれているのはケシカランということで、自ら焚書官の役割を買ってでるトンデモナい人はいて、あちこちの図書館で本が破かれたり、貸し出し禁止にしろと圧力をかけられたり、という出来事が起きている。たとえば、ユダヤ人少女がナチス・ドイツ時代の体験を描いた『アンネの日記』が、都内各地の図書館で３００冊近く破かれたという事件は記憶に新しい（２０１４年）。

第6章

(31) 教養小説は日本にもあるかしら。井上靖の『しろばんば』とその続編『夏草冬濤』とかはそうかもしれない。子どもの頃の愛読書なので紹介しておこうっと。

(32) ダニエル・C・デネット著、戸田山和久訳『自由の余地』（名古屋大学出版会）。デネットの自己論については、拙著『哲学入門』（ちくま新書）の第6章と7章に書いておいたので、読んでくれると嬉しいな。

(33) ひょうたん島のオリジナル映像は残念ながら失われてしまい、いまとなっては見ることができない。１９９０年代にリメイクされ放映されたときのバージョンをＤＶＤなどで見ることができる。リメイクは私にとって感涙ものなのだが、ドン・ガバチョの声をやっていた藤村有弘が亡くなっていたため、リメイク版では名古屋章が演じている。ちょっと残念。幸い、脚本はちくま文庫ですべて読むことができる（全13巻！）。

（34）『蠅の王』は古典だ。だからいくつも翻訳がある。新潮文庫、集英社文庫、ハヤカワｅｐｉ文庫。ハヤカワのが一番新しい訳で、評判がいいようだけど、自分で読み比べたわけではないので評価は差し控えておこう。

第7章

（35）このエピソードが出てくるのは、トビー・マグワイアがピーターを演じた、サム・ライミ監督、2004年公開の『スパイダーマン2』であります。ちなみにオクタビアス博士を演じたのは、アルフレッド・モリーナというラテン系イギリス人の実力派俳優。

（36）『教養と無秩序』の翻訳は岩波文庫にあるが、いまは絶版。古本を買うか、図書館で借りて読もう。

（37）知らない若い読者もいるかもしれないので、なくもがなの説明を。2016年2月、匿名のブログに「保育園落ちた日本死ね」と題された記事が載った。「何なんだよ日本。一億総活躍社会じゃねーのかよ。昨日見事に保育園落ちたわ。どうすんだよ私活躍出来ねーじゃねーか」と始まるなかなかインパクトのある文体（この文体だい好き）で、待機児童問題の解消を訴え、おそらく本人も予想しないほどの反響になったんだ。あいも変わらず「日本死ね」だけに脊髄反射的に反応した「愛国」の方々もいたが、これを一つのきっかけとして待機児童問題が国会で議論されるようになった。私生活圏で出会った問題が公共圏にもたらされた事例と言っていいんじゃないかな。

（38）井野瀬久美惠『大英帝国という経験』（講談社学術文庫）。

（39）この二つの禁則は、村上先生の「百箇条」からとったもの。

（40）なぜ宮崎駿が出てくるかというと『もののけ姫』を観てしまったからだ。だって、前近代を代表するサンと、近代の光と影を象徴するエボシ御前（鉱山に障害者を雇用して差別なき共同体を実現しているんだけど、その鉱山が環境汚染の元凶になっている）との間で板挟みになって、どーしようかなと迷っているアシタカを通して、宮崎駿は近代とはなんだったか、それを乗り越えるというのはどういうことか（できるんか）という問いを立てているんですぜ。私はまだ小さかった子どもを連れて観に行ったけど、「えーこんな問いを扱っちゃうんですか、答えが出ちゃったらどうしよう。**オレ哲学やるのやめないといけなくなっちゃう**」と思って、ほんと勝手にドキドキしながら観ていた。最後に収集つかなくなって破綻して終わって、ホッとした。

(41) たとえば、思っていたほど人間は合理的でも賢くもなかった（これ、第Ⅱ部で詳しく書くからね）。賢くなりたいと思ってないらしいこともわかった。国の枠組みを超えた地球環境問題や市場のグローバル化によって、本当に国家に問題解決できるんかということになってきた。一方で、肥大化した国家を利権とする人たち（多くの政治家と一部の官僚）が居座るようになった。民主的選挙をやったらとんでもない奴らが政権を取ってしまった（ヒトラーがその端緒）。「科学技術で国おこし」と突っ走ってきたらいろいろ困った問題が生じた。だいいち科学技術じたいが社会のリスク要因になってしまった。専門家にまかせておけばなんとかなるかなと思っていたら、そうでもなかった。**なんだかもうボロボロ**。

(42) Carl Benedikt Frey and Michael A. Osborne, "The Future of Employment: How Susceptible are Jobs to Computerisation?" *Oxford Martin School Working Paper*.

(43) 「社会的知性」ってカッコよく響くかもしれないけど、ようするに、人の気持ちや考え、欲求などを推しはかってうまく対応し、人間関係を円滑に進める能力のこと。これが要求される職業って、つまり接客業的な要素を多く含む仕事ってことだよね。

(44) いっそのこと、みんな仕事をしないで生きていける社会をつくったらどうか、という提案もなされている。井上智洋『人工知能と経済の未来　2030年雇用大崩壊』(文春新書)とか。この本は、妙にセンセーショナルな副題が買う気を削ぐかもしれないが、われわれの未来をとても真面目に考えた良い本だと思う。

第Ⅱ部

第8章

(1) **だからこそ英語だけじゃダメなんだ**。なぜなら、英語ができるようになると、こんどは英語がキミたちを閉じ込める新たな壁になってしまうかもしれないから。世界を英語的な視点からだけで眺め、どこにいっても「英語は世界共通語だかんね。通じるのが当然だからね」とばかりいきなり英語でコミュニケーションを図り、英語圏のやり方を現地でも当然のこととして要求する(ここいらにスターバックスはないの?)。こういう「英語バカ」「**グローバル田舎者**」にならないために、つまり英語グローバリズムという壁に窓をあけるために英語以外の外国語も学ぶ必要があるんだ。
　私は非英語圏の国々を訪れるとき、そこの言葉を少しでも勉強してから行くことにしている。せめて挨拶と「ありがとう」ぐらいは現地の言葉を使うのが礼儀だと思うし、もうちょっと頑張って食事の注文が通じたりするとかなり嬉しいから。まあ結局、「すみません、英語で話していいですか」になることがほとんどだけど。バルセロナに行ったときには、カタルーニャ語を少し齧ってみた。スペイン語にもフランス語にも似ている言語だ。「お願いします」はスペイン語ではPor

Favor. なのに、カタルーニャ語では Si us plau. と言う。むしろフランス語の S'il vous plaît.（英語に直すと If you please.）に近いね。
バルセロナのあるカタルーニャ州はスペインの一部になっているけど、独自の言語と文化と伝統をもち、独立への動きの強いところだ。こういうところでいきなり英語グローバリズム丸出し的な態度をとるとけっこう嫌われる。オーバーツーリズムに悩まされてることもあって、街のあちこちに「Tourist Go Home」という落書きを見た。声高に英語でアメリカ流サービスを要求する団体客に不愉快そうな顔をする店員さんも何度も見た。なので、レストランでカタルーニャ語での注文に挑戦したら、案の定しどろもどろになっちゃった。でも、係のおねえさんが、Thank you for trying to speak Catalan. とにっこり笑って、デザートをサービスしてくれた。「話してくれて」じゃなくて「話**そうと**してくれて」というのが悲しいけど。
（2）藤沢令夫訳が岩波文庫で読める。洞窟の比喩は下巻までおあずけだ。
（3）こうやって、自分と似たような考えの持ち主ばかりとつながって、同じ意見の人ばかりからなる閉じたコミュニティができあがってしまうと、そこでは、異質な意見を表明してもかき消され、みんなと同じ意見を表明するとどんどん増幅されてかえってくる。まるで音の響きやすい部屋の中で、自分の声がいつまでもこだましているようだ。そうすると、ああやっぱり自分の考えは正しいんだと確信を深めることになる。こういう現象は「エコーチェンバー」とよばれている。フィルターバブルやエコーチェンバー、そしてフェイクニュースといったソーシャルネットワーク上で生じている困った現象について、なぜそうなるのか、どうしたらよいのかを解き明かしてくれる本を推薦しよう。笹原和俊『フェイクニュースを科学する――拡散するデマ・陰謀論・プロパガンダのしくみ』（化学同人）。

情報リテラシーの授業って、パワーポイントとかワードの使い方を教えて、独占企業の片棒を担いでいる場合じゃなくて、こういう本を教科書に使ったらいいのに、と思う。

（4）　とはいうものの、この映画を見たときには腑に落ちない思いもした。それは、人間を電池に使うって能率悪くないか、ということではなく、コンピュータの支配する世界こそホントの現実世界だと言われて、ネオがあっさりそれを信じてしまうところだ。だって、これまで何十年も現実だと思ってきたことが、ある日突然、ごめんぜんぶウソでした、こっちがホントです、って言われて信じられるか？　新しい「ホント」もウソなのではと思うのが賢い人間の態度ではないの、と思ったわけだ。プラトンの洞窟で縛めを解かれた人と同じ。

もうちょっとよく考えてみると、ネオが新しい「本当の世界」こそ真実だと信じることができたのは、おそらく**その世界がえらく不幸で悲惨な世界だったから**じゃなかろうか。幸せな夢は幻だが、醒めることのない悪夢はたとえそれが夢であったとしてもこの上もなく現実的な不幸なのである。

第9章

（5）　正しくは「そうはイカのキ○タ○」と言う。「キ○タ○」は「キムタク」に非ず。これに限らず「見上げたもんだよ屋根屋のフンドシ」とか「恐れ入谷《いりや》の鬼子母神」といった地口《じぐち》は、私が子どもの頃、日常生活で普通に口にされていた（もしかして、錦糸町だから？）。キミたちもぜひ使って、文化の継承の担い手になってくれたまえ。こういう言葉が消えたら悲しい。

（6）　7つのときからトゥルーマンの幼馴染みであるはずのマーロンがいつから俳優なのかという謎が残る。7歳になったばかりの頃から、友だちを騙し続けるのがキミのこの世での役割だからね、と育てられたとしたら、マーロンの人生もかなり悲惨だなあ。

（7）　自分で書いておいてなんなんだけど、なんかこれってメリトクラシー的で冷たい友情論だなあ。だらしなくて、成功してなくて、他のみんなから見放されて、どんなに世間的にダメの烙印を押されたやつ（映画でよくロバート・カーライルとかが演じる役）でも、オレだけはオマエを見捨てはしない、今回もどうせ裏切られちゃうだろうが助けてやる、という友情も、それはそれでいいもんだと思う。でも、これだって、「二人で堕落すれば安心だ、レッツ・ビー・ダメ人間・トゥゲザー」というのとは違うな。少なくとも片方はなんとかなっているんだから。ということは、友情にからめとられるのではなく、友情と適切な距離を置くべし、というアドバイスあたりがベストかもしれない。

（8）　これと正反対のセリフが出てくる映画がある。ジュゼッペ・トルナトーレ監督のイタリア映画『ニュー・シネマ・パラダイス』（1988年）だ。原題は『Nuovo Cinema Paradiso』だから、そのまんまカタカナ英語に訳しているね。だから許す。第二次大戦が終わったばかりのシチリア島の寒村が舞台だ。村人の唯一の娯楽は教会を兼ねた映画館。父親が出征したきり帰ってこないトト少年も映画に魅了され、そこに入り浸っている。やがて、トトは映写技師のアルフレードと心を通わせ、見よう見まねで映写機の操作を覚えてしまう。やがて、その映画館は火事で燃え、アルフレードは視力を失ってしまうが、トトが再建された新しい映画館「新パラダイス座（Nuovo Cinema Paradiso）」の映写技師として働くようになる。で、いろいろありまして（ここは感興を削ぐので書かない）……。青年期にさしかかったトトに、アルフレードは次のように言って聞かせる。「出て行け。**ここは邪悪な土地だ**（Questa è terra maligna.）。ここにいるかぎり、自分は世界の中心にいると感じてしまう。何ひとつ変わりはしないと思ってしまう」。そして、二度と帰ってくるなと命じる。

お前はこんなところで埋もれてしまうにはもったいない、ということだね。それをよーく理解したので、トトはアルフレードの忠告に従い、ローマに旅立つ。さあ、トトくんはどうなるでしょう。……観てみたくなるでしょ(**絶対泣くぜ**)。「島に留まれ、ここはパラダイスだぞ」と言うクリストフと、「島から出て行け、おまえの勧めるパラダイス(映画館)は本当のパラダイスではない。みんなパラダイスの幻影(映画)を見ているだけだ」と言うアルフレードは、じつに好対照だね。

残念ながら、少年にアルフレードのように言ってあげられる大人はすごく少ないのが現実だ。親も地域社会も。地元の大学に行きなさい。地元で就職しなさい。地元の人と結婚しなさい。そしてお墓の面倒をみなさい、と言う。大学にすらそういう教員がいる。いま大学は学生に海外留学しなさいとうるさく言う。でも、**帰ってくるなとは決して言わない**。私の大学でやっている或るプログラムは、卒業生の多くが海外の有名大学院に進学する。わずかだけど、それを問題視する教員がいるのだ。どうしてうちの大学院に来てくれない学生を手間暇かけて教育するんだ、ってさ。研究室の戦力にならない者は教育してやる必要はないと思っているのだろう。アルフレードの爪の垢でも煎じて飲ませてやりたい。

(9) なんせ、二人は同一人物だったという俗説があるくらいだ。

第10章

(10) 商売を邪魔しないどころか、手伝ってしまうのだ。というわけで、認知的けちんぼであるヒトの心の仕組みついて、もっと知りたくなったキミのために、ぜひ読むべき本を推薦しておこう。菊池聡『錯覚の科学』(放送大学教育振興会)。出版元からわかるように、放送大学のテキストだ。テキストの制約で分量は少なめなのに、扱われている項目はかなり網羅的。ぜひ読もう。

(11) ギリシア文字が出てきたといってビビることはない。じつはみんな数学や物理とかでギリシア文字にはすでにけっこう馴染んでるんだ。「ρ」はpに似ているけど、ローと読んで「r」の音を表す。「σ」はシグマと読んで「s」の音だ。標準偏差はよく「σ」で表される。これの大文字は「Σ」。数学で習ったろ。数列の和を取る演算を表す。和のことを「sum」と言うので「s」に対応するギリシア文字を使ったわけだ。「ω」も見たことがあるでしょ（顔文字のアレかって言わないで）。オメガといって長母音の「オー」を表す。「h」はないの、と思うだろうが、ギリシア語に「h」を表す文字はない。母音の上に乗っかっているコンマみたいな記号で表している。

(12) ダニエル・カーネマン（Daniel Kahneman, 1934-）はイスラエルで生まれた米国の心理学者・認知科学者。心理学と経済学を結びつけた行動経済学の創始者の一人だ。２００２年にノーベル経済学賞を受賞した。やはりイスラエル生まれの、Amos Tversky（1937-1996）は「唾好きー」と読まれたり「飛べるスキー」と読まれたりするが、カーネマンの相棒として認知科学の発展に寄与した。

(13) Gerd Gigerenzer,"On narrow norms and vague heuristics: A reply to Kahneman and Tversky", *Psychological Review 103 (3)*, pp.592-596, 1996.

(14) J. D. Bransford, & M. K. Johnson, "Contextual pre-requisites for understanding: Some investigations of comprehension and recall", *Journal of Verbal Learning and Verbal Behavior, 11*, pp.717-726, 1972.

(15) C. E. Cohen, "Person categories and social perception: Testing some boundaries of the processing effect of prior knowledge", *Journal of Personality and Social Psychology, 40 (3)*, pp.441-452, 1981.

(16) ベーコンは正しい学問方法論を「帰納法」と呼んでいるわけだが、これがどういうものであるのかは、第20章で説明しよう。それまで待ってちょ。

第11章

(17) 『学問の大革新』の第一部になるはずの「学の尊厳と進歩について」はけっきょく公刊されなかった。第二部の『ノヴム・オルガヌム』が先に出版されたわけだ。だから、『ノヴム・オルガヌム』は、その時点ですでに書かれていた『大革新』への序言や、「著作配分」(目次のようなもの)、「序詞」、「献辞」までつけて刊行された。構成のよくわからない本になっちゃった。

(18) ディドロ、ダランベール編『百科全書――序論および代表項目』(桑原武夫訳編、岩波文庫)。『人文家のグループの手になる、科学と芸術と技術についての合理的な事典、すなわち百科全書』というのが正式なタイトルの百科事典だ。1751年に最初の巻が出版され、翌年に全17巻、図版1巻が完結した。編者のうちダランベールは途中で脱落したので、最終的にドニ・ディドロ(1713~1784)が完成させた。約180名の執筆者が参画した大プロジェクトだ。ちなみに、ルソーも寄稿していたが原稿料をもらえなかったと『告白』に書いている。

(19) 『オックスフォード英語辞典』略して「OED」は世界最大の辞典だ。本巻20巻、補遺3巻。全部で約2万3000ページ。収録語数は約60万。1857年に編纂が始まり、いまでも続いている。この辞書の素晴らしいところは、それぞれの語が最初どんな文献にいつ現れたかがわかるようになっている点だ。そのあとどのように意味が変化してきたかもわかるので、ようするに**単語レベルでの英語の歴史が詰まった知識の宝庫**なのである。たいていの大学図書館に書籍版、電子版のどちらか(または両方)が備えてある。考えてみると、辞書もわれわれの知性増強装置だね。それがタダで使えるなんて、なんて素晴らしいんだ、と思う。ぜひ覗いてみたまえ。そしてこんな宝を残してくれた先人の努力に感謝せよ。

ＯＥＤを全部読んでみる、というとんでもない愚行というか偉業というか……をなしとげた人がいる。アモン・シェイという、子どもの頃から辞書を読むのが趣味だった人だ（そんな人いるのか、と思うだろう。私もそうだった）。ミュージシャン、ゴンドラの船頭、家具の配達員など職を転々としながら、いろんな辞書を読んできた。その辞書読み人生の総決算と言えるのがＯＥＤだ。その顚末を記したアモン・シェイ『そして、僕はＯＥＤを読んだ』（三省堂）は面白かった。

ＯＥＤの編纂を始めたのは、ジェイムズ・マレーという文献学者である。マレーは新聞広告を出して、英国中から用例を収集してくれるボランティアを募って作業を進めた。みんなでつくる辞書、というわけでウィキペディアのはしりと言えないこともない。集合知だ。オススメ本は、マレーの孫による伝記Ｋ・Ｍ・エリザベス・マレー『ことばへの情熱』（三省堂）、編纂作業中のすごくミステリアスなあるエピソードに焦点を当てた、サイモン・ウィンチェスター『博士と狂人』（早川書房）。このタイトルでハヤカワでしょ、ミステリーだと思うよね。ところがどっこい、辞書の話なのだ。

（20） 人間の computer さんたちを描いた映画がある。シオドア・メルフィ監督の「Hidden Figures」（２０１６年）だ。主人公は、数学の才能に恵まれた3人の黒人女性。公民権運動が盛り上がる直前の話だ。だから、彼女たちはＮＡＳＡの内部でも女性差別と黒人差別に苦しめられる。なんせ、トイレが黒人用と白人用に分かれていた時代だ。彼女たちが働く建物は科学者の仕事場。白人男性だらけ。当然のことながら黒人用女性トイレなんてない。いちいち遠く離れた建物にまでいかなくてはならない。彼女たちは、そうした理不尽な差別と闘いながら、素晴らしい仕事を成し遂げる。実話に基づく映画だ。

「figure」という語には、「人物」と「数字」という二つの意味がある。つまりこのタイトルは、歴史の影に埋もれてしまっている「隠された人物たち」と、彼女たちが優れた数理能力で見つけ出した「隠れた数」のダブル・ミーニングになっている。洒落てるね。ところが、配給会社は『ドリーム』というバカ丸出しのタイトルにしやがった。**日本の配給会社は再度死ね。**タイトルも作品の一部なんだぜ。作品にも言葉にももうちょっと敬意を払ってもらいたいもんだね。映画を商売のネタとだけ見るんじゃなくってさ。

　科学史家の小川眞里子さんに紹介されたので観た。そのとき、小川さんも「何てひどい日本語タイトルなんでしょう」とプンスカしていた。

（21）このへんの話題についていろいろ知ったのは、大学の授業でコンピュータの歴史について触れることになったから（何を隠そう私は情報学部の教員なのだ）。そのとき頼りにしたのは、ちょっとクセがあるけど読み物として抜群に面白い、星野力『誰がどうやってコンピュータを創ったのか?』（共立出版）。また、インターネット初期の歴史（リックライダーも出てくる）については、喜多千草さんの二部作『起源のインターネット』『インターネットの思想史』（いずれも青土社）がオススメ。最近になって、若い科学史家によるコンピュータ開発史についての本格的研究書が出た。杉本舞『「人工知能」前夜――コンピュータと脳は似ているか』（青土社）。読み通すのはちょっと大変かもしれんが、情報学を志す諸君は、大学に入ったらぜひ読もう。

（22）J. C. R. Licklider, “Man-Computer Symbiosis”, *IRE Transactions on Human Factors in Electronics, volume HFE-1*, pp.4-11, 1960.

（23）Vannevar bush, “As We May Think”, *The Atlantic Monthly*（*176*）, pp.101-108, 1945 Jul.

山形浩生による日本語訳があることがわかったので紹介しておく。ヴァネバー・ブッシュ「考えてみるに」(https://cruel.org/other/aswemaythink/aswemaythink.pdf)。

(24) ハイパーテキストはいまではあまりに当たり前の技術になってしまったので、かえってこの言葉じたいを目にすることがなくなってしまった。だからキミたちにはあまり馴染みがないかもしれない(毎日使っているのに)。なので説明しておくね。「ハイパーテキスト(hypertext)」というのは、複数の文書を互いに結びつけるための仕組みを意味する。たとえばウィキペディアで「ハイパーテキスト」という項目を引くと、その説明の中に青くなっている単語が出てくるでしょ。「テキスト」とか「インターネット」とか「World Wide Web」とか。ここをクリックすると、こんどはその項目の文章に飛んでいく。あるいは、参考文献表にある文献名をクリックすると、その文献に飛んでいく。こういう文書っていいね、というアイディアとそれを可能にするテクノロジーのことをハイパーテキストと言う。

「ハイパーテキスト」という言葉を作ったのはテッド・ネルソン(1965年)、それを実装したシステムを最初に開発したのがエンゲルバートだ。

(25) Douglas C. Engelbart, "Augmenting Human Intellect: A Conceptual Framework", *SRI Summary Report AFOSR-3223*. アメリカ空軍研究所に提出された報告書。ネット上でタイトルを使って検索すれば全文が読める。便利になったね。昔だったらこの手の文書を手に入れるのはすごく大変だったのに。

(26) ビブリオバトルの背景にある考え方についてもっと詳しく知りたい人は、谷口忠大・川上浩司・片井修「ビブリオバトル:書評により媒介される社会的相互作用場の設計」『ヒューマンインタフェース学会論文誌』12(4)(93〜104頁、2010年)を読むとよい。これって論文でしょ。

もうちょい読みやすいものはないの、という人には次がオススメ。谷口忠大『ビブリオバトル——本を知り人を知る書評ゲーム』（文春新書）。

(27)　知性増強のためには、コンピュータのようなモノをつくっていればよいというわけではない。谷口さんは「場」をつくったわけだが、何も建物を立てたり、部屋の内装を変えたりしたわけではない。そういう目で見て手で触れる人工物をつくるんではないんだね。「場」を設計するときに、具体的につくるものは「**ルール**」だ。ビブリオバトルの場合は先に挙げた四つのルールが場を定めている。だから、勝手にルールを変えると、それは違う人工物になる。もしかしたら、もともと狙っていた機能を果たせなくなるかもしれない。

　経済学の方では、最近「メカニズムデザイン」という分野が勃興してきて、創始者たちがノーベル賞をもらったりしている。谷口さんもそれを意識しながら研究していると聞いた。なんでも、**制度やルールをどうやって設計すれば目的をうまく果たせるかを科学する分野**とのことだ。おおっ、これは勉強せねばと思って、さっそく坂井豊貴編『メカニズムデザインと意思決定のフロンティア』（慶應義塾大学出版会）なる本を取り寄せてパラパラめくってみた。その結果わかったこと。こっ、これは歯が立たん。というわけで、ちゃんと勉強するのは定年退職してからにしよっと（その頃、歯が立つかどうかは極めて怪しい）。いろいろ調べてみて、うっすらわかったのは、これまでのゲーム理論は、ゲームのルールを先に決めておいて、そこでどうなるか（どうやったら勝てるかとか）を調べるが、メカニズムデザインでは、最終的に望ましい結果に落ち着くようなゲームのルールを探す（逆算する）ということらしい。

　いずれにせよ、ルールや制度を設計するための科学が生まれてきたというのは、とても嬉しいことだ。それについていくことができたら、もっと嬉しい。

(28)「相対化の視座」という言葉は、はるか昔の学生時代に、荒井献『イエスとその時代』(岩波新書)で知った。イエスの「天の父は、悪い者の上にも良い者の上にも、太陽を昇らせる」という発言を解釈する箇所で出てきた。ようするに、「世の中には悪人と善人がいる。こんなことをする奴が悪人で、こういうことをするのが善人だ」という我々が当然のこととしている思い込みを、「神の目からみればそんな区別などないに等しいぜ」という具合に相対化してしまうための視点として、イエスは神を捉えている、ということだ。荒井はそれに引き続いて「この視座を失うとき、人間は自己を神として立てるであろう」と述べている。自分には世界がわかったつもりになるというのは、神を僭称するに等しい思い上がりだということだね。

(29) ついでに。オーストラリアに行くと(きっとニュージーランドでもそうだろう。行ったことないけど)、観光土産に上下逆さまの地図を売っている。これを見ていると、南半球って海ばかりだなあとあらためて気づく。

(30) ドネラ・メドウス(Donella Meadows, 1941-2001)という米国の環境科学者が、1990年に「村の現状報告」(State of the Village Report)と題する小文を執筆した。これに環境活動家のデイヴィッド・コープランドが目をつけ、1992年のリオデジャネイロ地球環境サミットの際に、ポスターにして配布した。これがネットを介して拡散しはじめた、というのがことの起こりだ。その過程で、1000人の村だったのが、いつの間にか100人になった。

(31) 社会学者じゃない私からしてみると、エスノメソドロジーはいちばん面白い社会学だ。**だってめちゃくちゃラディカルなんだもん。**いまのところ日本語で読めるガーフィンケルの唯一の本のタイトルは、『エスノメソドロジー――社会学的思考の解体』（せりか書房）ですぜ。社会学なのに社会学的思考の解体とはこれいかに。ねー読みたくなるでしょ。エスノメソドロジーに入門したくなったらまず読むべき本は、前田泰樹ほか編『エスノメソドロジー――人びとの実践から学ぶ』（新曜社）。

（32）実はこれから人を殺しに行くところ。ヴィンセントはジョン・トラボルタ、ジュールスはサミュエル・L・ジャクソン（また出た！）が演じている。殺しの現場の部屋に着くまで、二人はずっと能天気な雑談を交わしている。この雑談と次に続く血も涙もない殺戮《さつりく》シーンの対照が見事。いよいよ、これからお仕事だ、裏切り者を皆殺しだ、という段になって、ジュールスは雑談を打ち切って「さ、役になりきろうぜ（Let's get into character.）」と言う。人殺しをするなら、らしくやらにゃあ。ジュールスはエスノメソドロジーを勉強したのではないかと思うよ。めちゃくちゃに自分を相対化できる人物なんだ。

（33）「共感なき共存」あるいは「共感なき連帯」のもうちょい具体的なイメージはないかしらと考えていて、思い当たったのは、**ハリウッド映画の学園モノ**だ。クラスにはいろんなグループ（high school tribes）がいる。運動部で活躍する頭弱めだがイケメンでモテモテの男子生徒（Jocks と呼ばれる）。そのとりまきのチアリーダーたち。女王（Queen）の座を争うセクシーでイケてる女子グループ、理系方面の学力には秀でているが運動オンチで外見の冴えない連中（これが Nerd だ）。それこそ全身ピアスのパンクたち（Goth とか）。サブカルオタク。なぜか東洋人。あと一匹狼。このグループは互いにまったく共感しない。むしろひどく軽蔑しあっている。「ジャーク」だの「ビッチ」だのと呼び合ってる。ときどきロッカールームで殴り合いをする。なのに、クラスではなぜか**一緒におとなしく授業を受けている**。エスノメソドロジー的に言えば、クラスという社会をその場その場で構成している。

もちろん、これは戯画だ。現実のハイスクールはこんなではないだろう。それに、おとなしくしているのは教師という権力があるからだ。でも、フィクションであるがゆえに、われわれの目指すべき社会のモデル（絵解き）にはなる。

こういうハイスクールが舞台のパロディSFにロバート・ロドリゲス監督の『パラサイト』（1998年）がある（原題は「The Faculty（先生たち）」だ。うがーまた変えやがった）。オハイオ州の片田舎の高校が寄生エイリアンに乗っ取られる話。寄生されても外見は変わらないため、誰が人間で誰がエイリアンかわからなくなって、というのが見どころ。で、このエイリアンは集団全体で一つの心なのね。だから乗っ取られた教師・生徒たちはすごく統制のとれた振る舞いをするようになる。グループ間のいさかいもなしだ。**究極の共感ではないですか**。みんな同じように感じ、考えるわけだから。文字どおり「クラス一丸となって」「心を一つにして」ってやつだ。ただし、エイリアンは組体操はしません。するのは地球侵略。

最後には、乗っ取りを免れた生徒たちのゆるゆる連帯が、究極の共感に支配されたエイリアン軍団をやっつけるわけで、わたし的にはすごく胸のすく映画なのである。ロドリゲス監督にブラボー。

(34) ここからの話は、主に次の2冊の本にもとづく。重田園江『隔たりと政治』（青土社）。ポール・ブルーム『反共感論——社会はいかに判断を誤るか』（白揚社）。重田さんの本は、あちこちの媒体に書いてきた文章を集めた論集。すごく固いのと柔らかめのとが共存しているが、そこに一貫している重田さんの「こんな社会いかがっすか?」が、まさに私が暮らしたい社会像なので、目下めちゃくちゃ共感中（あれ?）。

(35) 「合同」というのは、それまで別の国だったイングランド王国とスコットランド王国が合併して、グレートブリテン王国（連合王国）が成立したという出来事（１７０７年）。「別の国」というのにはちょっと注釈が必要だ。というのも、合同のおよそ１００年も前から、イングランド国王がスコットランド国王を兼ねており、両国は「同君連合」をつくっていたからだ。両国で別々だったのは議会と政府だ。スコットランド経済の破綻（イングランドがけっこう妨害した）、飢饉《ききん》などにより、どうにも立ち行かなくなったスコットランド議会が自ら解散を決議したのが１７０７年の「合同法」ということになる。

(36) オススメ本の紹介。歴史科学協議会編『歴史の「常識」をよむ』（東京大学出版会）。**ちゃんとした歴史学者**が集まって、最新の日本史学に照らして、われわれが何となく抱いている歴史の常識を疑ってみよう、という本。古代史から現代史まで50のトピックが検討されている。

たとえば、「昔は森が豊かだったのに、現代になって失われつつある」と言うけどはたしてホントウか、みたいなことが検討されている。イエズス会宣教師ジョアン・ロドリゲスの『日本教会史』は、西日本の景観について「山々には樹木がなく、はげ山ばかりである」と記述している。「善光寺道名所図会」には江戸時代後期の農村風景が描かれているが、やはり山に樹木がほとんど生えていない。農民は低木の枝を落としている。これは水田に運ばれて踏み潰され肥やしになる（刈敷と呼ばれる農法だそうだ）。人糞や家畜の糞を用いた肥料が普及する以前にはこちらが一般的で、膨大な樹木が消費され、はげ山があちこちに生じた。このころが最も森林の減少していた時期であり、現代はむしろ回復しているらしい。なるほど。

でも、最も驚いたのは、われわれが教わったような聖徳太子が実在した証拠はない、という話。

(37) 最近呆れかえったのは「江戸しぐさ」だ。文部科学省がつくって配布した補助教材『私たちの道徳　小学五・六年生用』に「江戸しぐさに学ぼう」という項目が含まれていた。それによると、江戸の町には全国から異なるバックグラウンドをもつ人々が集まってきていたので、「おたがいに仲良く平和に暮らしていけるように」、いろいろなマナー（しぐさ）が生み出された。それらは現代にも通用するので学びましょう、というわけだ。そうして、「かた引き」「こぶしうかせ」「かさかしげ」などの、ちょっとした気遣い（動作）がイラスト付きで紹介されている。私は東京メトロの車内マナー啓発ポスターで見た。正直に告白すると、**そのときはちょっと信じてしまったぜこのやろう**。

ところが、これらの動作とその名前が江戸時代にホントにあったという証拠はない。むしろ、「江戸しぐさ」は、芝三光《しばみつあきら》という、企業コンサルタントのような仕事をしていた人が、1960年代に社員研修のために生み出した「創作」なのである。昭和につくられた江戸の伝統というわけで、まさに疑似伝統の例だね。

芝三光は善意の人だったんだろう。異なる背景をもつ人々が仲良く共存しよう、という目標じたいには私も大賛成。さらに、そのために他者に共感する必要はなくて、気遣いを外面化した動作を身につければよい、というのもいいねえと思う。これってまさしく、共感なき共存ということじゃないですか。さらに、振る舞いレベルで自分を再プログラミングしようってのは「規矩を通した教養」という考えにも近いしね。

でもやっぱり**嘘はいかんよ嘘は**。とくにそれを学校教育に導入するのはいかん。江戸しぐさの前には「水からの伝言」というオカルトが道徳の教材として流行した。これも、「言葉遣いを丁寧にしようね」というそれじたいはよい目的のために使われた。「目的さえ正しければ真理なんてどうでもいい」、もっと一般化すれば「目的さえ正しければ手段なんてどうでもいい」という考えが、一部の教員（と一部の文科省のお役人）にあるのではないかと思う。

生徒を危険にさらすことで批判されている組体操、野外学習でのファイヤートーチ、それから二分の一成人式なども、目的（感動？　だけど誰の？）が手段（危険）を正当化するという理屈で行われてきたように思う。みんな同じように感動するはずだ（するべきだ）ということを前提した教育は、少なくとも「共感なき連帯」にもとづく社会では行われるべきではない。『パラサイト』の寄生エイリアンは耳から侵入する。先生方もいちど耳の検査をしてもらった方がよいかも。

「目的さえ正しければ……」は、教育という営みと真っ向から対立するものだ。少なくとも近代以降の学校では、真理を大切にすること、目的だけでなくそれに至る手続き・手段も正当なものでなくてはならないということを生徒に理解してもらうことが、市民育成という観点からとても重要な教育目標であるはずだから。

くわしくは、原田実『オカルト化する日本の教育――江戸しぐさと親学にひそむナショナリズム』（ちくま新書）とそこに挙げられているいろんな文献を読んでちょ。また、組体操や二分の一成人式の問題点については、内田良『教育という病――子どもと先生を苦しめる「教育リスク」』（光文社新書）を読むべし。教員志望の学生さんにはぜひ読んでほしいよ（心から）。

(38)　陳姃湲『東アジアの良妻賢母論』（勁草書房）。「賢妻良母」という概念が、近代中国でどのように創られ、どのように変化していったかについて実証的に研究した本。

第13章

(39)　この本はホントに脱線が多いなあと思っている読者が確実にいると思われるので、言い訳を書いておく。ちゃんと読んでくれているキミならわかってくれると思うけど、この本には本当に脱線しているところはないのよ。いっけん話がそれているように見えても、ちゃんと本論の大事なテーマにつながっている(はず)。少なくともそのつもりで書いているから、ヨロシク。それに、かりに本当に本論と何の関係もない「ピュア脱線」があったとしても、本読みの達人はそういう箇所からでも重要なことを学ぶことができるものなのだ。よく、ネット上の感想文で、「この本は脱線だらけで一行で言えることをダラダラ書いていて時間の無駄だった」みたいなのを見かけるけど、それって、本当にそういう本なのかもしれないし、もしかしたらその読者が**一行分しか学ぶことのできないキャパの足りない奴**だっただけかもしれない。

というわけで、ここでは脱線について言い訳をするために脱線したわけで、こういうのを「メタ脱線」と呼んでよいだろう。ついでに「蘊蓄を傾ける」についても一言。いまは「ちょっと知識をひけらかす」くらいの意味で使われるようになっているけど、もともとの「蘊蓄」の意味は、蓄えられているもの(知識)のことで、それを傾けるというのは、「蓄えている知識のすべてを総動員してことにあたる」という意味だ。だから、ここで私がやろうとしていることは、本当は蘊蓄を傾ける、と言ってはいけないのだ(雑学を披露する、が正しい)。という具合に、「蘊蓄」という概念について蘊蓄を傾けたので、こういうのを「メタ蘊蓄」と言う。

ほら、この脱線で「メタ」の用法について学ぶことができたろう。脱線を軽んじてはいかんよ。

(40) Manfred E. Clynes & Nathan S. Kline, "Cyborgs and Space", *Astronautics*, 1960 September, pp.26–27, pp.74–76. 1つの論文が雑誌の2箇所に分割されて掲載されている。変なの。

(41) これ、石ノ森章太郎(そのときは石森章太郎)の『サイボーグ009』に登場するサイボーグたちの能力だ。小学生のとき夢中になって読んだ。おかげで、いまでも001から009まで9人のサイボーグの能力はおろか、本名までぜんぶソラで言える。実に使い道のない知識である。……そういうことを言いたいのではない。この作品の連載開始は1964年。「サイボーグ」という言葉が発明されてから、わずか4年後だ。ポピュラーカルチャーの感度の高さはすごいなあ、ということが言いたい。

(42)『無知の涙』は、河出文庫―BUNGEI Collectionで読める。端《はな》から、人に情報をスッキリわかりやすく伝えることを目指した書きものではないので、読みにくいのは当然。そして、もちろん混乱している。自分という存在の根っこを考えて混乱しない人がいたら、お目にかかりたい。連続殺人犯の書いた本だ。当然、賛否両論になる。いろんな意見があるけど、最もくだらないのは、社会を批判するばかりで犯行を悔悟する態度が足りないからダメだ、みたいな意見だ。犯罪者は反省と後悔以外の思考をしてはいけないのか?

ところで、貧しさと差別ゆえ勉強とは無縁の少年期を送っていたが、牢屋に入れられて生まれてはじめて勉強に目覚め、社会のあり方とその中で自分の置かれていた立場について深く考えられるようになった、という話は永山則夫に限らない。洋の東西を問わずけっこうあるんだ。たとえば、アメリカの黒人解放運動家となったマルコムX(刑務所にいたときには、マルコム・リトルという名前だった)とか、冤罪により20年間獄中で暮らした名ボクサー、ルービン・「ハリケーン」・カーターとか。たしかに勉強以外することないからなあ。どっちも伝記映画になっているから観てみたまえ。

(43) キミたちにとってはほとんど死語かもしれないね。色事師というのは、情事がたくみで、性的魅力で女性を虜にし、女性にたかって生きていく男のこと。「女たらし」とか「ジゴロ」とか「ドンファン」とか「ひも」とも言う。

(44) だから、現地語で書くか旧宗主国の言葉で書くかは、旧植民地で活動する作家・知識人にとってきわめて切実な問題だ。たとえば、ナイジェリアの作家、チヌア・アチェベ(Chinua Achebe,

1930–2013）は英語で執筆し、世界的に有名な作家となり、英語で書かれたアフリカ文学の父と呼ばれるようになった。一方、ケニアの作家グギ・ワ・ジオンゴ（Ngũgĩ wa Thiong'o, 1938–）は、はじめ英語で書いていたが、アフリカ人の経験はアフリカの言語で書かれるべきだとし、1970年代からはキクユ語で作家活動を続けている。ジオンゴがアチェベを批判した文章は、宮本正興・楠瀬佳子訳『精神の非植民地化――アフリカ文学における言語の政治学』（第三書館）で読める。

(45) リックライダーが発想し、エンゲルバートが開発したさまざまな要素技術を組み合わせ、はじめて商品として成功させたのが、ご存知スティーヴ・ジョブズのアップル・マッキントッシュ128Kだ。この新製品（最初の商品化されたパソコン）のコマーシャルは、1984年の1月22日、全米の視聴者がスーパーボウルに釘付けになっているところへ放映された。それが、オーウェルの『一九八四年』を下敷きにしていたんだ。

「ビッグ・ブラザー」と思しき人物が巨大スクリーンに映っており、大声で演説をしている。それを四人服を着たたくさんの人々が従順にぼーっと聞いている。すると、会場の後ろからスポーツウエアに身を包んだ女性が、巨大なハンマーを手に颯爽と走りこんでくる。彼女がそのハンマーを振り回し、スクリーンに向けて投げつけると、スクリーンは見事に粉々になる。そこで、アナウンス。「1月24日、アップルコンピュターはマッキントッシュを発売します。あなたは、なぜ1984年が『一九八四年』のようではなくなるのか、おわかりになることでしょう」。

なんちゅうかっこいいCMなんだろう。巨大スクリーンはIBMなどが開発していたメインフレームの大型計算機を象徴している。それの行き着く先はオーウェルの描いたような全体社会・管理社会だ。それに対抗する武器がハンマー、つまりパソコンだ、というわけ。

このとき発売されたマッキントッシュ128Kのスペックは今から見ればすごくしょぼい。プロセッサのクロック周波数はわずか8MHz。ハードディスクは400KB。ランダムアクセスメモリは128KB。なのに日本円で60万円もした。インターネットもない時代、何の役にも立たなかったろう。でも、売れたんだ。人々は何を買ったのだろう。**一人ひとりがコンピュータをもつというアイディアそのもの**、管理社会化（『一九八四年』のような世界）に抵抗する武器という理念を買ったんだ。

（46）　2018年には、日本のお役所も真理省に一歩近づいたと思わせる出来事が世間を騒がせた。忘れてはいけないことだと思うから書いておこう。働き方改革法案の審議での首相の答弁をサポートするため、厚生労働省が「裁量労働の方が一般労働よりも働く時間が短い」というデータを捏造《ねつぞう》していたことがバレたのである。年末から翌年にかけて、さらに賃金や労働時間を示す毎月勤労統計調査で統計不正が続けられていたということも発覚して大騒ぎになった。

統計をとるのにはそれなりのコストがかかる。多くの近代国家がそのコストを払ってでも統計調査を行うようになったのは、国力（最初は兵力だった）を正しく把握するためだった。国力を正確にわかっていないと政策を間違えるからね。だから、日本にも統計法という法律があって、基幹統計調査への報告を拒んだり虚偽の報告をした者は処罰されることになっている。2013年に市への昇格を目指していた愛知県東浦町が、2010年度の国勢調査で意図的に人口を水増ししたという事件があった。当時の副町長が統計法違反で逮捕されている。

それくらい統計データは国家にとって大切なのに、中央官庁の厚生労働省は何をやっとるんじゃと批判を浴びた。

（47）　もう私の周りでは、ニヤニヤせずには使えない言葉になってしまった。

（48）　それ以来、「Win-Win」と言っている人をみると、時代劇の悪徳商人と悪代官の会話を思い浮かべてしまう。「越後屋よ。おぬしも悪《わる》よのお」「まさしくうぃんうぃんというやつでございますなあ」って感じだ。

第14章

(49) 研究不正は、ふつう「捏造、改竄《かいざん》、剽窃《ひょうせつ》、科学者共同体で通常受け入れられている行いからのその他の重大な逸脱」と定義される。難しい漢字が多いのお。捏造(fabrication)とは、実際に行わなかった実験や測定のデータをでっちあげること。改竄(falsification)とは、自分に都合のいいようにデータや実験結果を変えてしまうこと。あるいは、都合の悪い結果やデータを隠してうまくいった結果・データだけを報告すること。剽窃(plagiarism)は、他人の文章、アイディア、設計などを、断りなく自分のものとして提示すること。たとえば、他人の論文の一部を丸写しして自分の論文に取りこんで知らんふりしているとか。

四つめの「重大な逸脱」にはいろんなものが含まれる。実験動物に不必要な苦しみを与えるとか、実験参加者を騙すとか、ギフト・オーサーシップとか。ギフト・オーサーシップというのは、論文の作成に何の貢献もしていない人(たいていは研究室の上司、指導教員、スポンサーなど)を論文の著者に含めること。有名な例は、ロシアの生化学者のユーリー・ストルチコフだ。この人は1981年から1990年の間に、948本の論文の著者になった。およそ4日に1本の割合で論文を書いたことになる。もちろん、ほとんどがギフト・オーサーシップによるものだ。ストルチコフは、これにより1992年度のイグ・ノーベル文学賞を受賞した。オメデトウっ!

(50) じゃ、ダーウィンは進化論にどういう貢献をしたのか。一つは、自然選択説。つまり、進化のメカニズムについての現代でも基本的に正しいとされる考え方を提案したこと。もう一つは、共通祖先説。つまり現在いる種は、すべて単純な一つの種から枝分かれして進化してきた(だからみんなど先祖様は同じ）という考え方だ。言い換えれば、チンパンジーとヒト（ホモ・サピエンス）は共通の祖先から分かれてきたのであって、チンパンジーはいつまでたってもヒトにはならないよということ。生物は、カエル→トカゲ→ネズミ→サル→ヒト、のように階段を登るようにいまも進化している。だからいずれトカゲは哺乳類のネズミになり、ネズミはサルになる、みたいな考え方も当時は有力で、「はしご型進化」と呼ばれている。これに対して、ダーウィンの共通祖先説は、「枝分かれ進化」というモデルを提案したことになる。

（51） 以下の種の固定性説についての見方の元ネタは、Ron Amundson, *The Changing Role of the Embryo in Evolutionary Thought: Roots of Evo-Devo* (Cambridge Studies in Philosophy and Biology) Cambridge University Press, 2007.

（52） じつは、この「巨人の肩」の比喩も、ニュートンが先人から拝借したものらしい。ソールズベリーのヨハネスという人が1159年に次のように書いている。「シャルトルのベルナール（Bernard de Chartres）いわく、われわれは巨人の肩に乗った小人のようなものだ。当の巨人よりも遠くを見わたせるのは、われわれの目がいいからでも、体が大きいからでもない。大きな体のうえに乗っているからだ」。ふーん。そうすると、この言葉はベルナール→ヨハネス→ニュートン→たくさんの人→本書の著者→キミたち、とリレーされたわけだ。ちょっとドキドキしないか？

（53） ちなみに、ベーコンは、「劇場のイドラ」になってしまったダメ学問として、アリストテレス派の学問、錬金術、ピュタゴラス派の学問の三つをあげている。そしてそれぞれ、詭弁的（言葉を弄ぶだけ）、経験的（一般化した理論をもたずに断片的知識をやたら蓄えるだけ）、迷信的、という具合に特徴づけている。ベーコンが批判して乗り越えようとしている**特定の学問の流派**がターゲットになっていることがわかる。これに対して、私が気をつけようと言っているのは、今日はまともな学問だったものが、**明日はイドラに化けてしまうかも**しれない、という可能性だ。特定の学問分野に「イドラ」のレッテルを貼ろうってんじゃないからね。

(54) 超心理学、占星術、創造科学(進化論を否定して生物は知的な設計者ないし神によってそれぞれ創られたということを科学的に証明しようとする。アメリカ合衆国で盛ん)といった疑似科学と科学はどこが違うの、という問いを中心に、科学哲学に入門しようというユニークな教科書があるので推薦しよう。伊勢田哲治『疑似科学と科学の哲学』(名古屋大学出版会)。

(55) わざわざ第一種から第三種という具合に区別しないといけないなら、端っから「疑似科学」とひとくくりにしないほうがいいんじゃないの、と思うので。

(56) 英国でのBSE禍の際に起きたことがよい例になるかな。BSE(Bovine Spongiform Encephalopathy)は牛海綿状脳症を意味する。俗に言う「狂牛病」だ。飼料を通して感染し、脳がスポンジ状になって不可逆的に死に至る病気である。英国初の感染牛が確認されたのが1986年。1988年に政府はオクスフォード大学の動物学教授リチャード・サウスウッド教授を委員長とする委員会を組織して、今後の感染拡大の見込みと対策について検討させた。1989年2月に委員会は報告書を提出したが、そこには、感染牛の発生は今後多くとも総計1万7000から2万頭と見込まれる、ヒトへの感染の危険性はありそうにないという二つの予測と、この見積もりが誤っていれば重大な結果が生じうるという但し書き(これが科学者としての良心の表れ)が含まれていた。

この但し書きは、畜産業界を保護したい英国政府によって見事に無視された。政府は、早くも5月には安全宣言を出し、ジョン・ガマー農業大臣はテレビに出演して娘さんと一緒にハンバーガーを食べるパフォーマンスも行った(なので彼にはBeefeaterというあだ名がついた)。ところが、どっちの予測も大外れ。1992年と翌年だけで、年に3万頭の感染が確認された。そしてついに、牛肉をよく食べる若者を中心に人への感染が見つかり、安全宣言を撤回する事態になってしまった。

(57) もともとは幕府おかかえの学者のことを意味していた。中国古典（『史記儒林伝』）由来の「曲学阿世の徒」という言い方もあるね。「阿る」は「おもねる」と読む。学を曲げてまで世間におもねるやつら、という意味だ。

とはいえ、私は自分では「御用学者」という言葉を使わないようにしている（シラフでは）。だから本文ではカギカッコつきで使ってるでしょ。「御用学者」と呼ばれても仕方のない振る舞いをした（している）人は、たくさんいる。そして、そういう研究と振る舞いは正しく批判されなければならない。だけど、この言葉は、たんに自分と見解の違う研究者、自分とさまざまな意味で対立している研究者をたんに誹謗中傷するためにも使えてしまう（じっさい使われている）。そういう使い方はわれわれをニュースピークに陥らせる。

(58) Irving Janis, *Groupthink: Psychological Studies of Policy Decisions and Fiascoes*, 2nd edition, Houghton Mifflin Company, 1982.

(59) チャールズ・ハリスほか著、日本技術士会訳『科学技術者の倫理　その考え方と事例』（丸善）。

(60) この問題は、大学でも学会でもすごく深刻に受け止められていて「電子ジャーナル問題」と呼ばれている。というのも、いまや学術誌と言えばほとんど電子ジャーナルのことだからだ。どのくらい深刻かをわかってもらうために、数字を挙げよう。友人の哲学者、柴田正良さんが金沢大学の図書館長をやっていたときに、日本私立大学協会の求めで書いた文章「電子ジャーナル問題は解決できるのか?」を参考にさせてもらう（https://www.shidaikyo.or.jp/newspaper/back_number/2521/2521-5-1.html）。**柴田さんは怒るとすごくいい文章を書く人**で、この件に関しても相当に頭にきているらしく、一読の価値ある迫力ある文章なのでぜひ覗いてみてください。

2009年度の段階では日本の国立大学外国雑誌経費は約121億円。2011年度の国公私立510大学の電子資料費の総額は253億円（金沢大学で年間約2億円、東京大学では10億円以上）。これは出版点数が増えたからだけではない。単価も上がっている。というのも、電子ジャーナルはとっても寡占が進んでいるからだ。柴田さんによれば、大手8社で70%を占めている。この ジャーナルが読めなかったら他のでもいいや、とはならない種類の商品なので、基本的には出版社の言い値で購入するしかない。なので、とくに理由もなくこのところ年5%の値上げがずっと続いている（平均価格は20年でおよそ3倍になった）。「ひとの足元を見る」という言葉があるけど、まさにそれ。

第Ⅲ部

第23章

（1）この文、書こうか書くまいか最後まで迷った。でも、言ってることは正しいと思うし、本書の想定読者にはぜひとも伝えたいことだったので書いちゃった。悩ましいのは、私にこれを言う資格があるのかという点だ。大学外で歯をくいしばって研究を続けている在野の研究者がこれを書くのは何の問題もないと思う。しかし、私のようにちゃっかり大学に職を得て、給料と研究費をもらってる者がこんなことを書くのはどうなんだろ。ひどく傲慢で脳天気なことではあるまいか。

あとがき

　というわけで、教養について考えたことを洗いざらいぶちまけましたよ。なが年抱え込んできたもやもやをドバーっと一気に出してしまったわけで、いまとてもお腹スッキリ（きたなくてすまん）。お腹だけでなく頭もスッキリ。しかしなー。読み返してみると、かなり説教くさいぞ。ま、許してください。なにせ、本書はこれからの世の中をつくっていく若い人たちへの呼びかけとして書いたんで、どうしてもそうなるのは仕方ないやね。

　それに、教養について説教たれる資格、というか権利がオレ様にはあると思うんだ。序章にも書いたように、中学生以来、ずっと教養とは何かに悩んできたからね。ひと一倍時間をかけて考えた自信はあるぞ。それにここ数年、私は大学で「教養教育院」という組織の院長をやらされている、もとい、やらせていただいている。全学の教養教育を企画運営する組織だ。そこの長というポジションがこれまた、気苦労は多いくせに報われることの少ない仕事なんだ。なぜそうなるのかは、序章と第23章に書いておいたから、繰り返さない。こういう仕事にじっと耐えてきたんだから、少しは教養について偉そうに語ってもバチはあたるめえ、と思っている。

　さあそこで、最後のお説教だ――。「教養教育」はよく「リベラル・アーツ教育」とも言われる。リベラル・アーツとは何か。これがなかなかに由緒正しい言葉なのである。ラテン語の

Artes Liberales《アルテス・リベラレス》に由来する。中世以来の概念だ。「自由学芸」とも訳される。

ここに出てくる「自由」ってのは、「自由人の」ということだ。つまり、「奴隷の」の反対語。もとをただせば、古代ギリシアのアテネみたいな奴隷制をもつ社会で発展してきた、知識のあり方、教育のあり方をさすのが「自由学芸」というわけだ。奴隷は生産活動・経済活動にたずさわる。もちろんそれには知識が必要だ。個別の専門的な業務にたずさわるための知識、ものをつくるための知識である。奴隷制社会では、こうした知識はいちだん低い卑しいものとみなされていた。これに対して、ひとが自由人であるために、つまり独立した自由な人格であるために身につけるべきものがリベラル・アーツだ。

じゃ、自由人はその身につけたものを使って何をやるというのか。答えは二つ。まず第一に、よき人生の追求。第二に政治、つまり、よりよい世の中をつくるための議論に参加することだ。リベラル・アーツすなわち教養は、この二つのためのものなんだ。

もちろん、これは働かずに食っていける支配階級・有閑階級がいた時代の話。いまのわれわれが暮らす世の中は、そういう社会ではない。みんな職業活動にたずさわると同時に、世の中づくりにもたずさわる。少なくともそういうタテマエの社会だ。だれもが一人で奴隷と自由人を兼ねる社会だと言ってもよいかな。大人はほぼみんな、自分の自由と時間と人格の一部を売り渡して、かわりに生活の糧をえているわけで、そこんところは多かれ少なかれ奴隷と似ている。就職するってそういうことなんだからね。覚えておくように。しかしそうすると、教養教育の運営のために多大な時間を費やしている私は、自由人のための知を提供することをなりわいとする奴隷なわけで、これってなんだかヘンな気がするナ。

とはいえ、われわれは自由人でもある。あるべきだし、現にある。なので、「自由な人格」になるための教養という考え方はいまでもずっと生きている。ただし少数のエリートのための教養ではなく、万人のための教養、という形で。本書で私は、ああでもない、こうでもないと考えてきたけど、それはつまり、こういう教養の理念をわかりやすい言葉で述べ直そうとしていたんだ。

ところで、「自由な人格」の「自由」とは何か。それは何からの自由だろうか。きみたちにはもうわかっているはず。それはまず、自分自身からの自由だ。自分の恐れ、知的怠惰、バイアス、偏見から自由になること。そして、自分が身につけた言葉からの自由だ。自分の専門分野からの自由、生まれた土地からの自由、国家からの自由。教養は、きみがこうしたさまざまな拘束から自らを解き放ち、魂の自由を獲得するためのものなんだ。

このような意味での「自由人」になってはじめて、よい世の中をつくる、ということができるようになるんだろう。そして、よりよい世の中をつくるという仕事は、きみたちがきみたち自身のためにやらなくてはならない。ひょうたん島の子どもたちのように。私が子どものころ、ちょうど「お茶の間教養主義」もしくは「教養の大衆化」の時代が到来していた。テレビ、洗濯機、冷蔵庫の「三種の神器」がだいたい普及したので、次は教養じゃないかしら、ということになった。で、多くの家庭に文学全集と百科事典が備えられた（そして誰も読まない）。テレビからは「勉強なさい」が毎日のように流れていた（勉強しないでそれを見ていた）。なんとも牧歌的な時代だ。このころ、能天気な私は、世の中はどんどん良くなると思っていた。貧富の差はなくなるだろう。差別はなくなるだろう。戦争も核兵器もなくなるだろう。無知と偏見はなくなるだろう。

ところが、いま私たちがきみたちに手渡そうとしている世の中は、そんなんじゃなかった。ひょっとしてもっと悪くしてしまった。だから、説教はここまでで、これからは懺悔とお願いになる。ごめんね。こんなダメな世の中にしてしまって。だけど、なんとかこの社会をちょっとはましなものにしていってください。そのために、教養への道を歩み始めてほしい、そう思ってこの本を書きました。

偉そうに始めて「ごめんね」で終わる、というのは私にはよくあること。しかし、このままではどうにも盛り下がりっぱなしなので、最後は「ありがとう」で締めとこうっと。というわけで、本書の完成まで粘り強くおつきあいいただいた筑摩書房の増田健史さんに唐突に感謝します。ありがとう。あ、そうそう。この本のもとになっているのは、筑摩書房の月刊PR誌『ちくま』での連載だ。本書の続篇もふくめると、足掛け3年間も続いた。辛かったす。もう二度と連載をひきうけたりはしないぞ、と岩よりも固く決意させていただいたことについても増田さんに感謝します。また、重田園江さんと木村千夏さんには貴重な追加情報と誤りの指摘をいただきました。みなさん、ありがとう。

2020年1月　戸田山和久

初出　「とびだせ教養」（『ちくま』２０１７年４月号～２０１８年７月号）
大幅に加筆修正し、書き下ろしを加えました。

戸田山和久（とだやま・かずひさ）
一九五八年東京都生まれ。一九八九年、東京大学大学院人文科学研究科博士課程単位取得退学。名古屋大学教授を経て、現在、大学改革支援・学位授与機構教授。専攻は科学哲学。著書に『哲学入門』（ちくま新書）、『論理学をつくる』『科学的実在論を擁護する』（名古屋大学出版会）、『知識の哲学』（産業図書）、『科学哲学の冒険』『最新版 論文の教室』（NHKブックス）、『「科学的思考」のレッスン』『恐怖の哲学』（NHK出版新書）などがある。

教養《きょうよう》の書《しょ》

二〇二〇年二月二九日　初版第一刷発行
二〇二四年三月二五日　初版第八刷発行

著者　戸田山和久
発行者　喜入冬子
発行所　株式会社筑摩書房
東京都台東区蔵前二-五-三　郵便番号　一一一-八七五五
電話番号　〇三-五六八七-二六〇一（代表）
装幀　水戸部 功
印刷 製本　三松堂印刷株式会社

ISBN978-4-480-84320-3 C0000